ONZE ANÉIS

PHIL JACKSON
com HUGH DELEHANTY

ONZE ANÉIS
A ALMA DO SUCESSO

Tradução de Márcia Frazão

Rocco

Título original
ELEVEN RINGS
The soul of Success

Copyright © Phil Jackson, 2013

Todos os direitos reservados. Nenhuma parte desta obra pode ser reproduzida ou transmitida por qualquer forma ou meio eletrônico ou mecânico, incluindo fotocópia, gravação ou sistema de armazenagem e recuperação de informação, sem a permissão escrita do editor.

Direitos para a língua portuguesa reservados
com exclusividade para o Brasil à
EDITORA ROCCO LTDA.
Rua Evaristo da Veiga, 65 – 11º andar
Passeio Corporate – Torre 1
20031-040 – Rio de Janeiro – RJ
Tel.: (21) 3525-2000 – Fax: (21) 3525-2001
rocco@rocco.com.br
www.rocco.com.br

Printed in Brazil/Impresso no Brasil

Revisão técnica
MARCOS MENDES

Preparação de originais
FÁTIMA FADEL

CIP-Brasil. Catalogação na fonte.
Sindicato Nacional dos Editores de Livros, RJ.

J15o
    Jackson, Phil
        Onze anéis: a alma do sucesso / Phil Jackson, Hugh Delehanty; tradução de Márcia Frazão. – 1. ed. – Rio de Janeiro: Rocco, 2014.

        Tradução de: Eleven rings
        ISBN 978-85-325-2896-4

        1. Basquetebol. 2. Treinadores de basquete – Estados Unidos – Biografia. 3. Treinamento (Atletismo) – Filosofia. 4. Sucesso. 5. Liderança. I. Delehanty, Hugh, 1949-. II. Título.

14-09289   CDD – 796.323092
                                                   CDU – 796.323(092)

O texto deste livro obedece às normas do
Acordo Ortográfico da Língua Portuguesa.

Para Red Holzman, Tex Winter
e todos os jogadores que treinei
e que me ensinaram tantas lições.

Quando você faz as coisas com alma,
você sente um rio fluir por dentro, uma alegria.
RUMI

SUMÁRIO

1 O CÍRCULO DE AMOR 11
2 OS ONZE DE JACKSON 20
3 RED 33
4 A JORNADA 48
5 DANÇA COM OS BULLS 67
6 ESPÍRITO GUERREIRO 82
7 OUVINDO O INAUDÍVEL 92
8 UMA QUESTÃO DE CARÁTER 111
9 VITÓRIA AGRIDOCE 120
10 MUNDO EM FLUXO 132
11 POÉTICA DO BASQUETE 145
12 O RETORNO DO VERME 178
13 A ÚLTIMA DANÇA 192
14 UMA RESPIRAÇÃO, UMA MENTE 208
15 ATAQUE ÓCTUPLO 218
16 O PRAZER DE NÃO FAZER NADA 235
17 UM-DOIS-TRÊS-LAKERS! 251
18 A SABEDORIA DA RAIVA 263
19 CORTAR LENHA, CARREGAR ÁGUA 278
20 CRIANÇAS DO DESTINO 291
21 LIBERTAÇÃO 308
22 ESTE JOGO ESTÁ NA GELADEIRA 319

AGRADECIMENTOS 331

1
O CÍRCULO DE AMOR

A vida é uma jornada. O tempo é um rio.
A porta está entreaberta.
JIM BUTCHER

Cecil B. DeMille teria amado esse momento.
    Lá estava eu naquela limusine sobre a rampa que conduz ao Memorial Coliseum de Los Angeles, esperando que meu time chegasse enquanto uma multidão de 95 mil torcedores em êxtase com roupas de todas as combinações possíveis de púrpura e dourado dos Lakers seguia em direção ao estádio. Mulheres em tutus, homens fantasiados de soldados de *Guerra nas estrelas* e crianças agitando cartazes de "Kobe Diem". Mas, apesar de toda a algazarra, emanava algo inspirador em relação a esse antigo ritual com um toque decididamente de L.A. Como disse Jeff Weiss, um colunista do *LA Weekly*: "Foi o mais perto que qualquer um poderia imaginar sobre o que seria assistir ao retorno das legiões romanas para casa depois de uma temporada na Gália."

Na verdade, nunca me senti muito confortável nas celebrações de vitória, embora isso seja estranho para uma profissão como a minha. O fato é que tenho fobia de grandes multidões. Isso não me incomoda durante os jogos, mas às vezes me deixa enjoado em situações de menor controle. E, além do mais, nunca gostei de ser o centro das atenções. Talvez por uma timidez inerente ou pelas mensagens conflitantes recebidas dos meus pais quando criança. Ambos eram ministros da igreja – mamãe foi uma das pessoas mais ferozmente competitivas que já conheci – e achavam que era bom ganhar, mas que era um insulto a Deus rejubilar-se com o próprio sucesso. Ou como eles próprios diziam: "A glória pertence a Ele."

De todo modo, as celebrações não tinham nada a ver comigo. Só tinham a ver com a notável transformação vivenciada pelos jogadores durante o percurso do campeonato de 2009 da National Basketball Association (NBA), principal liga profissional de basquetebol norte-americano. Isso era visível no rosto deles enquanto desciam pela escada púrpura e dourada até o Coliseu. Eles sorriam e brincavam com alegria, com seus bonés e camisetas da competição, enquanto a torcida vibrava de prazer. Quatro anos antes, os Lakers nem tinham chegado às finais. E agora eram mestres do universo do basquete. Alguns técnicos são obcecados por ganhar troféus; outros gostam de ver os próprios rostos na TV. O que me motiva é apreciar a união dos jovens e tocar a magia que aflora quando se devotam – de todo o coração e toda a alma – a algo maior que eles próprios. Depois que se experimenta isso, nunca mais se esquece.

O símbolo é o anel.

Na NBA, os anéis simbolizam status e poder. Não importa o quão berrante ou pesado seja um anel de campeão, o sonho de ganhá-lo é o que instiga os jogadores a disputar a longa temporada da NBA. Quem entendia isso era Jerry Krause, ex-gerente-geral do Chicago Bulls. Quando entrei na equipe como assistente técnico em 1987, ele pediu para que eu usasse um dos dois anéis que ganhei quando participei do campeonato como jogador pelo New York Knicks para inspirar os jogadores dos Bulls. Isso era o que eu também fazia durante as finais nos meus tempos de treinador na Associação Continental de Basquete, mas a cada dia a ideia de ostentar aquele enorme pedaço de ouro no dedo me parecia um pouco demais. Um mês depois da grande experiência de Jerry, a pedra central do anel caiu enquanto eu jantava no Bennigan's, em Chicago, e nunca mais a recuperei. E depois disso só usava os anéis durante as finais e em ocasiões especiais, como nessa triunfante confraternização no Coliseu.

No nível psicológico, o simbolismo do anel é mais profundo: o eu em busca de harmonia, conexão e completude. Na cultura indígena norte-americana, por exemplo, o poder unificador do círculo era de tal modo significativo que nações inteiras eram concebidas como uma sequência de anéis (ou aros) interligados. A tenda era um anel, tal como o eram a fogueira, a aldeia e a representação da nação em si – círculos dentro de círculos, sem começo nem fim.

A maioria dos jogadores não era tão familiarizada com a psicologia indígena norte-americana, mas entendiam intuitivamente o significado mais profundo do anel. No início da temporada, os jogadores tinham criado um refrão que passaram a gritar antes de cada jogo, com as mãos juntas e em círculo.

Um, dois, três – ANEL!

Depois que tomaram seus lugares no palco – uma réplica da quadra dos Lakers, no Staples Center – me levantei e me dirigi à multidão.

– Qual foi nosso lema nesta equipe? O anel – disse e exibi o conquistado no último campeonato, em 2002. – O anel. Foi esse o lema. Não é apenas um aro de ouro. É um círculo que representa o vínculo entre todos os jogadores. Um grande amor de um pelo outro.

Círculo de amor.

Não é assim que a maioria dos torcedores do basquete encara o esporte. Mas depois de mais de quarenta anos envolvido por esse jogo no mais alto nível, tanto como jogador quanto como treinador, não consigo pensar em outra expressão mais significativa para descrever a misteriosa alquimia que une os jogadores em busca do impossível.

Claro que não estamos falando aqui do amor romântico e nem mesmo do amor fraternal no sentido tradicional da cristandade. A melhor analogia que me ocorre a respeito é a intensa conexão emocional entre os grandes guerreiros no calor da batalha.

Alguns anos atrás o jornalista Sebastian Junger se incorporou a um pelotão de soldados norte-americanos baseados em uma das regiões mais perigosas do Afeganistão, a fim de entender o que impulsionava aqueles jovens incrivelmente corajosos a lutar em condições tão adversas. O que ele descobriu, conforme narrado no livro *War*, é que a coragem necessária para o engajamento na batalha era indistinguível do amor. A irmandade entre os soldados era tamanha que estavam mais preocupados com o destino dos amigos do que consigo próprios. Segundo Junger, um soldado chegou a declarar que seria capaz de se jogar sobre uma granada em defesa de qualquer companheiro, mesmo daquele de quem não gostava tanto assim. E, quando Junger o inquiriu sobre a razão disso, o soldado respondeu: "Porque realmente amo esses meus irmãos. Quer dizer, é uma fraternidade. É gratificante quando se salva a vida de um companheiro e ele sobrevive. Qualquer um deles faria o mesmo por mim."

Esse tipo de vínculo praticamente impossível de ser reproduzido na vida civil é fundamental para o sucesso, diz Junger, porque sem isso nada mais é possível.

Não quero levar a analogia longe demais. Os jogadores de basquetebol não arriscam diariamente a própria vida, como os soldados no Afeganistão, mas em muitos aspectos aplica-se o mesmo princípio. É preciso uma série de fatores críticos para se conquistar um campeonato da NBA, incluindo uma combinação certa de talento, criatividade, inteligência, tenacidade e, claro, sorte. Mas, se uma equipe não tem o ingrediente essencial – amor –, nenhum dos outros fatores importa.

Não se forma um tipo de consciência como essa da noite para o dia. São necessários anos de abnegação para que os jovens atletas deixem de lado os próprios egos e se engajem de corpo e alma na experiência de grupo. E a NBA não é exatamente o ambiente mais amigável para o aprendizado da abnegação. Embora o jogo em si seja um esporte com equipes de cinco jogadores, a cultura circundante celebra o comportamento egoísta e acentua a realização individual acima da união da equipe.

Mas não era esse o caso quando comecei a jogar para os Knicks, em 1967. Naquele tempo a maioria dos jogadores ganhava um salário modesto e no verão precisava de um trabalho de meio expediente para fazer face às despesas. Raramente os jogos eram televisionados e nenhum de nós jamais ouvira falar de vídeo dos melhores momentos e muito menos de Twitter. Isso mudou na década de 1980, impulsionado em grande parte pela popularidade da rivalidade entre Magic Johnson e Larry Bird e pelo surgimento de Michael Jordan como fenômeno global. Hoje, o jogo tornou-se uma indústria de bilhões de dólares, com torcedores pelo mundo afora e uma sofisticada máquina midiática que transmite todos os acontecimentos dentro e fora das quadras cada dia da semana e 24 horas por dia. O subproduto lamentável disso é a obsessão marqueteira com o estrelato que afaga os egos de um punhado de jogadores de basquete e que prejudica o aspecto fundamental que atrai o grande público ao basquete: a beleza inerente ao jogo.

Como a maioria dos outros times da competição da NBA – os Lakers de 2008-09 lutaram por anos a fio para fazer a transição de um time desconectado e guiado pelo ego para um sistema unificado e abnegado, mas não constituíram o time mais transcendente já treinado por mim – essa honra pertence ao Chicago Bulls de 1995-96, liderado por Michael Jordan e Scottie Pippen. E também não eram tão talentosos quanto o time dos Lakers de 1999-2000, carregado por arremessadores precisos do naipe de Shaquille O'Neal, Kobe Bryant, Glen Rice, Robert Horry, Rick Fox e Derek Fisher. No entanto, os Lakers de 2008-09 tinham as sementes da grandeza no seu DNA coletivo.

Os jogadores pareciam mais ávidos do que nunca quando se apresentaram ao centro de treinamento, em agosto de 2008. No final da temporada anterior tinham feito uma última corrida milagrosa até as finais contra os Celtics, apenas para serem humilhados em Boston e derrotados no sexto jogo decisivo por 39 pontos. Claro que aquela surra que tomamos nas mãos de Kevin Garnett e companhia – e a torturante viagem de volta ao hotel por entre multidões de torcedores dos Celtics – acabou sendo uma experiência brutal, especialmente para os jogadores mais jovens que ainda não tinham provado o veneno de Boston.

Alguns times se sentem desmoralizados depois de derrotas como aquela, mas, depois de tanta energização, aquele time jovem e animado chegara tão perto da conquista apenas para vê-la detonada por um adversário fisicamente mais intimidante e mais difícil. Kobe, que tinha sido nomeado o melhor jogador do ano da NBA, estava particularmente em primeiro plano. Eu sempre me impressionei com a capacidade de recuperação e a autoconfiança inquebrantável de Kobe. Ao contrário de Shaq, que às vezes era corroído pela indecisão, Kobe nunca se permitia esse tipo de pensamento. Se colocassem uma barra de salto em altura a três metros e meio, ele pularia quatro metros e meio, mesmo que nunca tivesse feito isso. Foi com essa atitude que chegou ao centro de treinamento naquele outono, causando um poderoso impacto nos companheiros de time.

Ainda assim, o que mais me surpreendia não era a implacável determinação de Kobe, mas sim a mudança no relacionamento que tinha com os companheiros. Ele já não era mais o jovem impetuoso que se consumia para ser o melhor jogador e absorvia a alegria de jogar dos outros jogadores. O novo Kobe que surgiu naquela temporada acabou por cumprir o papel de um líder de time apaixonado. Quando cheguei pela primeira vez a Los Angeles alguns anos antes, tratei de encorajá-lo a se juntar mais aos companheiros do time e se esconder menos no quarto de hotel para estudar as reprises das partidas. Mas Kobe zombava da ideia e dizia que os outros só estavam interessados em carros e mulheres. E agora se esforçava para se ligar aos outros jogadores de maneira que pudessem construir um time mais coeso.

Claro, isso ajudou para que outro cocapitão do time – Derek Fisher – se tornasse um líder natural com excepcional inteligência emocional e afinadas habilidades de gestão. Fiquei satisfeito quando Fish, que desempenhara um papel fundamental como armador em nossa campanha anterior de três campeonatos consecutivos, decidiu voltar para Los Angeles depois de jogar para o Golden State Warriors e o Utah Jazz. Fish não era tão rápido nem tão criativo como outros armadores mais jovens da liga, mas era forte, determinado e destemido, e tinha um caráter sólido como uma rocha. E apesar da pouca velocidade tinha o dom de conduzir a bola até o ataque e de fazer o sistema funcionar com eficiência. Também era um excelente arremessador de três pontos quando o tempo de jogo expirava. Acima de tudo, mantinha com Kobe um vínculo sólido. Kobe respeitava a disciplina mental e a autoconfiança de Fish em momentos de grande pressão, e Fish sabia como chegar a Kobe de um jeito que ninguém mais chegava.

No primeiro dia de treino, Kobe e Fish deram uma palestra para o time na qual disseram que a temporada seguinte seria uma maratona e não uma corrida, e que o time precisava se concentrar no confronto homem a homem sem se deixar intimidar pelo contato físico. Ironicamente, a cada dia Kobe se parecia mais e mais comigo.

Na obra inovadora *Tribal Leadership,* os consultores de gestão Dave Logan, John King e Halee Fischer-Wright apontam as cinco etapas de desenvolvimento tribal, formuladas após a realização de uma extensa pesquisa sobre organizações de pequeno e médio portes. As equipes de basquete não são oficialmente tribais, mas compartilham muitas características iguais e se desenvolvem em muitas das mesmas linhas:

ETAPA 1 – compartilhada pela maioria das gangues de rua e caracterizada pelo desespero, a hostilidade e o sentimento coletivo de que "a vida é uma merda".

ETAPA 2 – ocupada principalmente por pessoas apáticas que se percebem como vítimas e que são passivamente antagônicas, com a ideia de que "minha vida é uma merda". Pense na série televisiva *The Office* ou na tira de quadrinhos *Dilbert*.

ETAPA 3 – concentrada principalmente na realização individual e impulsionada pelo lema "eu sou o máximo (e você não é)". Segundo os autores, as pessoas organizadas nesta etapa "têm que vencer, e assim a vitória é uma questão pessoal. Trabalham mais e avaliam os concorrentes em base individual, clima que resulta em um conjunto de 'guerreiros solitários'".

ETAPA 4 – dedicada ao orgulho tribal e à convicção primordial de que "nós somos o máximo (e vocês não são)". Este tipo de equipe requer um adversário forte, e quanto maior o é mais poderosa é a tribo.

ETAPA 5 – além de rara, se caracteriza pelo sentido inocente de divagação e pela forte convicção de que "a vida é o máximo". (Ver Bulls, Chicago, 1995-98.)

Se todas as coisas são iguais, afirmam Logan e seus colegas, a cultura da etapa 5 supera a da etapa 4, que, por sua vez, supera a da 3, e assim por diante. Afora isso, as regras mudam quando nos deslocamos de uma cultura para outra. Por isso, os proclamados princípios universais que aparecem na maioria dos livros de liderança raramente se sustentam. Caso se queira mudar a cultura de uma etapa para outra, é necessário encontrar as alavancas apropriadas para essa fase especial no desenvolvimento do grupo.

Durante a temporada de 2008-09, os Lakers precisavam que o time mudasse da etapa 3 para a 4 se quisessem vencer. A chave era pegar um grupo de jogadores essenciais à equipe que assumissem uma abordagem mais coletiva e menos egoísta do jogo. Eu não me preocupava muito com Kobe, mas, quando ele se sentia frustrado, a qualquer momento disparava uma metralhadora de arremessos. De qualquer forma, ele já entendia àquela altura da carreira que era uma loucura tentar pontuar cada vez que colocava as mãos na bola. Eu também não me preocupava com Fish ou com Pau Gasol, porque tinham uma inclinação para ser jogadores de equipe. O que me preocupava eram alguns jogadores mais jovens que estavam ansiosos em fazer fama com o pessoal do *SportsCenter* da ESPN.

Mas, para minha surpresa, no início da temporada notei que até mesmo os jogadores mais imaturos da equipe estavam concentrados em uma única ideia.

– Estávamos em uma missão séria e não deixaríamos que a peteca caísse – diz o ala Luke Walton. – Quando chegamos à final, a derrota não era uma opção.

Tivemos um começo eletrizante ao ganhar 21 dos primeiros 25 jogos, e quando no Natal enfrentamos os Celtics em casa já éramos uma equipe muito mais animada do que a das finais do ano anterior. Jogávamos da maneira que os "deuses do basquete" ordenavam: observando o movimento das defesas e reagindo em uníssono como uma afinada banda de jazz. Aqueles novos Lakers bateram os Celtics com folga, 92-83, e depois dançaram ao longo da temporada até o melhor recorde da Conferência Oeste (65 vitórias e 17 derrotas).

A ameaça mais preocupante se deu na segunda rodada das finais contra o Houston Rockets, que levou a série para sete jogos, mesmo tendo perdido a estrela Yao Ming com uma fratura no pé durante o terceiro jogo. Em contrapartida, nosso grande ponto fraco era a ilusão de que poderíamos velejar o talento a sós. Porém, o fato de terem sido levados ao limite da série por um time que estava sem as suas três maiores estrelas mostrou aos nossos jogadores que as finais podiam ser muito traiçoeiras. A disputa acirrada os fez acordar e os ajudou a se aproximarem e se tornarem um time unido da etapa 4.

Sem dúvida alguma, o time que saiu da quadra em Orlando depois de vencer as finais do campeonato em cinco jogos era diferente daquele outro time que no ano anterior desmoronara na quadra do TD Garden, em Boston. Não era apenas um time mais resistente e mais confiante, e sim agraciado por um forte vínculo.

– Era apenas uma fraternidade – diz Kobe. – Era tudo que era... uma fraternidade.

Quase todos os técnicos que conheço passam muito tempo concentrados no X disso e no O daquilo. E reconheço que algumas vezes também me enredei nessa armadilha. No entanto, o que fascina a maioria dos aficionados de esportes não é a interminável tagarelice sobre as estratégias que preenchem as transmissões de rádio e TV. É o que gosto de chamar de natureza espiritual do jogo.

Não posso fingir que sou um especialista em teoria de liderança; entretanto, sei que a arte de transformar um grupo de jovens ambiciosos em time integrado e campeão não é processo mecanicista. É um misterioso ato de malabarismo que requer não apenas profundo conhecimento das leis consagradas pelo tempo do jogo, mas também coração aberto, mente clara e aquela curiosidade atenta aos caminhos do espírito humano.

Este livro aborda a minha jornada na tentativa de desvendar esse mistério.

2
OS ONZE DE JACKSON

*Você não pode quebrar as regras até que saiba
como jogar o jogo.*
RICKI LEE JONES

Antes de seguirmos gostaria de apresentar uma visão dos princípios básicos de liderança consciente que fiz evoluírem ao longo dos anos para ajudar a transformar equipes desorganizadas em equipes campeãs, o que não quer dizer que você vai encontrar aqui uma alta teoria de gestão. Como para a maioria das coisas na vida, a melhor abordagem para a liderança é sempre a mais simples.

1. LIDERE DE DENTRO PARA FORA

Alguns treinadores gostam de correr com os lemingues, ou seja, despendem boa parte do tempo estudando o que os outros treinadores fazem e empregando novas técnicas estonteantes para obter vantagem sobre os adversários. Esse tipo de estratégia de fora para dentro pode funcionar no curto prazo, quando você tem uma personalidade carismática e sólida, mas inevitavelmente sai pela culatra quando os jogadores se cansam de serem intimidados e sintonizados ou, o mais provável, quando os oponentes se tornam sábios e descobrem um jeito inteligente para se contraporem ao seu último movimento.

Sou um antilemingue por natureza. Isso remonta aos meus tempos de infância, porque meus pais eram ministros pentecostais e me obrigavam a engolir dogmas religiosos. Queriam que eu pensasse e agisse de um modo rigidamente prescrito. Já adulto tratei de me libertar desse condicionamento de infância e desenvolver uma forma pessoal mais aberta e significativa de estar no mundo.

Durante um longo tempo acreditei que tinha de separar as convicções pessoais da vida profissional. Na busca para chegar a um acordo com meu próprio anseio espiritual experimentei uma ampla gama de ideias e práticas, desde o misticismo cristão e a meditação zen até os rituais indígenas norte-americanos. E cheguei casualmente a uma síntese que me soou autêntica. Embora a princípio temesse que talvez os jogadores achassem minhas opiniões heterodoxas ou um pouco amalucadas, com o tempo acabei descobrindo que, quanto mais falava com o coração, mais me ouviam e se beneficiavam do que era colhido por mim.

2. BANCO DO EGO

Certa vez um repórter perguntou para Bill Fitch, meu treinador na Universidade de Dakota do Norte, se dava azia lidar com temperamentos difíceis, e ele respondeu: "Eu é que dou azia neles e não eles em mim." Fitch, que mais tarde se tornou um bem-sucedido treinador da NBA, representa um dos estilos mais comuns de treinador: o dominador, aquele tipo de líder "do meu jeito ou rua" (que no caso de Bill era temperado por um senso de humor diabólico). Outro tipo clássico é o treinador puxa-saco que tenta acalmar as estrelas do time e ser o melhor amigo – um exercício tolo, na melhor das hipóteses.

Eu tomei um rumo diferente. Depois de anos de experiência acabei por descobrir que, quanto mais tentava exercer o poder diretamente, menos poderoso me tornava. Aprendi a deixar o ego de lado e a distribuir energia o mais amplamente possível sem rendições à autoridade final. Paradoxalmente, essa abordagem, além de reforçar minha eficácia, me propiciou uma concentração no trabalho como guardião da visão da equipe.

Alguns treinadores insistem em ter a última palavra, mas sempre tentei promover um ambiente em que todos desempenhavam papel de liderança, do estreante mais novato até o astro mais veterano. Se o objetivo é levar a equipe a um estado de harmonia e unidade, não faz sentido impor a autoridade com rigidez.

Deixar o ego de lado não significa ser ingênuo. Aprendi essa lição com meu mentor Red Holzman, ex-treinador dos Knicks e um dos líderes mais altruístas que já conheci. Certa vez a equipe estava voando para uma série de jogos fora de casa, e a caixa de som de um jogador ecoou um rock pesado em volume máximo. Red se dirigiu ao rapaz e disse:

– Ei, você tem Glenn Miller nesse seu repertório? – O cara arregalou os olhos como se Red estivesse louco. – Bem, se tiver, talvez possa tocar um pouco da minha música e um pouco da sua. Se não tiver, desligue logo essa porcaria. – Red sentou-se depois ao meu lado e acrescentou: – Sabe, os jogadores têm egos, mas às vezes se esquecem de que os treinadores também têm.

3. DEIXE CADA JOGADOR DESCOBRIR O PRÓPRIO DESTINO

Uma coisa que aprendi como treinador é que você não pode impor sua vontade sobre os outros. Se você quer que ajam de maneira diferente, inspire-os para que se transformem.

A maioria dos jogadores deixa que o treinador pense por eles. Quando se deparam com um problema na quadra, olham para o lado com nervosismo, esperando que o treinador tenha uma resposta. Muitos treinadores sentem prazer em acomodar o problema. Mas eu não. Sempre procurei fazer com que os jogadores pensassem por si mesmos para que pudessem tomar decisões difíceis no calor da batalha.

A regra padrão de ouro na NBA é que se deve pedir tempo quando o time adversário faz 6-0. Para a grande consternação de minha comissão técnica, nesse momento muitas vezes eu deixava o relógio correndo para que os próprios jogadores reagissem e fossem para cima com uma solução. Isso gerava solidariedade e ampliava o que Michael Jordan chamava de "poder do pensamento" do espírito coletivo da equipe.

Em outro nível, sempre dei a cada jogador a liberdade de encontrar um papel para desempenhar dentro da estrutura da equipe. Já vi dezenas de jogadores que brilharam e que depois desapareceram. Não porque lhes faltava talento e sim porque não descobriam como se encaixar no modelo de basquete custo-benefício que permeia a NBA.

Sempre me relacionei com cada jogador como um indivíduo completo e não como uma simples peça na engrenagem da máquina de basquete. E com isso os levava a descobrir quais eram as qualidades distintas que poderiam trazer para o jogo além de arremessos e passes. Quanto de coragem eles tinham? Ou de resistência? Que tipo de caráter aflorava sob a pressão do jogo? Muitos jogadores que treinei não pareciam especiais no papel que cumpriam, mas no processo de criação de um papel para si mesmos se tornaram campeões formidáveis. Derek Fisher é um excelente exemplo. Começou como um armador reserva dos Lakers que era mediano na velocidade dos pés e no fundamento do arremesso. Mas trabalhou incansavelmente e acabou por se tornar um jogador decisivo e um dos melhores líderes que já treinei.

4. A ESTRADA PARA A LIBERDADE É UM LINDO SISTEMA

Quando comecei nos Bulls como assistente técnico, em 1987, o companheiro Tex Winter me ensinou um sistema conhecido como *triângulo ofensivo*, que se alinhava perfeitamente com os valores de abnegação e consciência atenta aos quais me dedicava com o estudo do zen-budismo. Tex aprendeu os fundamentos desse triângulo quando estudante da Universidade do Sul da Califórnia sob o comando do lendário treinador Sam Barry. Como treinador principal da Universidade do Estado do Kansas, Tex refinou a tática e levou os Wildcats a oito títulos da conferência e a duas aparições no Final Four (os quatro times finalistas do Campeonato Universitário de Basquetebol Norte-Americano). E contou com esse mesmo sistema quando técnico principal do Houston Rockets. (Bill Sharman e Alex Hannum, companheiros de Tex na Universidade do Sul da Califórnia, usaram suas versões do triângulo para vencer campeonatos com os Lakers e os 76ers, respectivamente.)

Apesar do êxito de Tex e do extraordinário sucesso que tive com esse triângulo nos Bulls e nos Lakers, ainda há alguns equívocos sobre o funcionamento dessa tática. Os críticos o chamam de rígido e ultrapassado e de complicado para aprender, mas nada disso é verdadeiro. Na verdade, o triângulo ofensivo é o mais simples em comparação aos outros sistemas ofensivos utilizados por grande parte dos times da NBA.

E com a vantagem de estimular automaticamente a criatividade e o trabalho em equipe, e de liberar os jogadores da obrigação de memorizar dezenas de jogadas.

O que me atraía era o caminho que o triângulo abria para os jogadores, propiciando-lhes um papel vital a desempenhar, bem como um elevado nível de criatividade dentro de uma estrutura clara e bem definida. O segredo é treinar cada jogador de maneira que possa fazer a leitura da defesa adversária e reagir de modo adequado. Isso permite que o time se movimente de maneira sincrônica e coordenada – dependendo da ação a cada momento. Com o triângulo você não pode ficar parado e esperar que jogadores como Michael Jordan e Kobe Bryant façam mágica. Ou os cinco jogadores estão perfeitamente sincronizados a cada segundo, ou o sistema inteiro não funciona, o que propicia um contínuo processo de resolução de problemas em grupo e em tempo real, e não apenas na prancheta do treinador durante os pedidos de tempo. Quando o triângulo funciona, é praticamente impossível detê-lo, porque ninguém sabe o que virá em seguida, nem os próprios jogadores que o executam.

5. TORNAR O MUNDANO EM SAGRADO

Quando menino, eu me maravilhava com a forma como meus pais organizavam a comunidade, transformando a vida difícil das planícies de Montana e Dakota do Norte em experiência sagrada.

Todos conhecem este hino:

> *Bendito seja o laço a unir*
> *Nossos corações em amor cristão;*
> *A comunhão de mentes afins a fluir*
> *É como aquela na imensidão.*

Essa é a essência do que significa reunir indivíduos e interligá-los a algo maior do que todos. Ouvi esse hino milhares de vezes enquanto crescia, e testemunhei o que acontece quando o espírito toca as pessoas e as une. Os rituais tiveram um efeito profundo sobre mim – e na minha abordagem para a liderança. E isso até mesmo depois que me afastei da fé pentecostal e encontrei uma nova direção espiritual.

Certa vez os Bulls estavam no ônibus da equipe depois de uma difícil vitória de virada quando o fisioterapeuta Chip Schaefer comentou que queria poder engarrafar a energia final do jogo como uma poção mágica para que pudéssemos usá-la sempre que necessário. Era uma boa ideia, mas o que acabei aprendendo é que as forças que unem harmoniosamente as pessoas não são tão claras assim. Mas, se não podem ser fabricadas à vontade, você pode dar o melhor de si para criar condições que levem a essa transformação – algo semelhante ao que meus pais tentavam fazer na igreja a cada domingo.

Acho que, como técnico, transformei uma das atividades mais mundanas do planeta – o basquete profissional – em algo significativo. Apesar de todo o glamour em torno do esporte, jogar dia após dia em cidade após cidade pode ser um exercício de entorpecimento da alma. Foi daí que comecei a introduzir a meditação nos treinos. Queria que os jogadores se concentrassem em algo mais do que apenas em estratégias. Além disso, muitas vezes inventávamos nossos próprios rituais para infundir o sentido do sagrado nos treinamentos.

No início dos treinos da temporada, por exemplo, realizávamos um ritual que peguei emprestado do grande Vince Lombardi do futebol americano. Enquanto os jogadores se enfileiravam na linha do fundo da quadra, induzia-os a se comprometerem com o treinamento naquela fase.

– Deus me ordenou que treinasse vocês, rapazes, e abraço esse papel que me foi dado – eu dizia. – Os que também querem abraçar um papel e seguir minha orientação para o jogo atravessem a linha como sinal de comprometimento. – Maravilha das maravilhas, sempre atravessavam.

Agíamos assim de modo divertido, mas com uma intenção séria. A essência do treinamento é fazer com que os jogadores aceitem o trabalho de corpo e alma, além de lhes oferecer um sentido, um destino enquanto time.

6. UMA RESPIRAÇÃO = UMA MENTE

Quando assumi os Lakers em 1999, eles formavam um time talentoso, mas totalmente sem foco. Geralmente desmoronavam nas finais porque o ataque era muito confuso e indisciplinado, e os melhores times, como o San Antonio Spurs e o Utah Jazz, já tinham descoberto como neutralizar a mais potente arma dos Lakers: Shaquille O'Neal.

Claro, podíamos criar uma série de situações táticas para contrabalançar essa vulnerabilidade, mas do que os jogadores realmente precisavam era de um jeito para acalmar o falatório mental e se concentrar em vencer o jogo. No tempo dos Bulls, os jogadores sempre tinham que lidar com a caravana midiática que acompanhava Michael Jordan, o que não era nada em comparação com as distrações que os Lakers enfrentavam no seio da cultura das celebridades. Então, para acalmar os jogadores, apresentei uma das ferramentas que usara com sucesso com os Bulls: meditação de atenção plena.

Sofri muita gozação de outros técnicos por conta da experiência com a meditação. Uma vez os técnicos de basquetebol universitário, Dean Smith e Bobby Knight, compareceram a um jogo dos Lakers e me perguntaram:

– É verdade, Phil, que você e seus jogadores se sentam numa sala escura em círculo e de mãos dadas antes dos jogos?

Só me restou sorrir. Embora a meditação de atenção plena tenha raízes no budismo, também é uma técnica de fácil acesso para aquietar a mente e fixar a atenção nos acontecimentos presentes, já que é extremamente útil aos jogadores de basquete que muitas vezes precisam tomar decisões rápidas sob enorme pressão. Descobri também que, quando os jogadores se sentavam um ao lado do outro em silêncio e respiravam em sincronia, isso os alinhava em um nível não verbal muito mais eficaz do que as palavras. A respiração é igual à mente.

Outro aspecto dos ensinamentos budistas que me influenciaram era a ênfase à abertura e à liberdade. O professor zen Shunryu Suzuki observou a mente dos bovinos em diferentes pastos. Quando colocados em terrenos pequenos, tornavam-se nervosos e frustrados, e começavam a comer a grama do vizinho. No entanto, quando se movimentavam em amplos pastos, se sentiam satisfeitos e menos propensos a escapar. Esse tipo de disciplina mental me tem sido extremamente revigorante em comparação com a forma restrita de pensar que me impuseram quando pequeno.

Mas a metáfora de Suzuki também pode ser aplicada à gestão de um time. Se você impõe muitas restrições, os jogadores passam uma boa parte do tempo tentando reverter o sistema. Como qualquer um de nós, também precisam de uma vida com certo grau de estrutura, mas também exigem uma latitude suficiente para se expressarem criativamente. Caso contrário, comportam-se como os bovinos descritos.

7. A CHAVE DO SUCESSO É A COMPAIXÃO

Em uma nova adaptação do *Tao Te Ching*, texto sagrado chinês, Stephen Mitchell oferece uma tirada provocante em relação à abordagem de Lao-Tsé para a liderança:

> *Só tenho três coisas a ensinar:*
> *simplicidade, paciência, compaixão.*
> *São os três maiores tesouros.*
> *Simples nas ações e nos pensamentos,*
> *você retorna à fonte do ser.*
> *Paciente com amigos e inimigos,*
> *você aceita as coisas do jeito que são.*
> *Compassivo em relação a si mesmo,*
> *você reconcilia todos os seres do mundo.*

Tais "tesouros" são fundamentais no meu treinamento, mas certamente a compaixão é o mais importante. No Ocidente tendemos a encará-la como um ato de caridade, mas compartilho a visão de Lao-Tsé de que a compaixão por todos os seres – e não apenas por si mesmo – é a chave para quebrar todas as barreiras.

Mas, se a palavra *compaixão* não era muito cogitada nos vestiários, acabei por descobrir que algumas palavras atenciosas podiam surtir um grande efeito transformador nas relações, mesmo com os homens mais difíceis de lidar da equipe.

Na condição de ex-jogador, sempre fui capaz de criar empatia com os jovens que enfrentam a dura realidade da vida na NBA. A maioria dos jogadores vive em constante estado de ansiedade, com medo de acabarem contundidos, humilhados, cortados, negociados ou, pior ainda, de cometerem um erro tolo que poderá amedrontá-los pelo resto da vida.

Nos meus tempos com os Knicks fiquei à margem das quadras por mais de um ano devido a uma lesão debilitante nas costas. Essa experiência me permitia ter um diálogo de igual para igual com os jogadores sobre o que era sofrer uma lesão e ter que aplicar gelo em cada junta depois de cada jogo ou mesmo sentar-se no banco por uma temporada inteira.

Além disso, acho essencial que os atletas aprendam a abrir o coração porque isso os leva a colaborar uns com os outros de maneira significativa. Quando Michael retornou ao Bulls em 1995, depois de uma temporada de um ano e meio em uma equipe da liga menor de beisebol, ele já não conhecia a maior parte dos jogadores e sentiu-se totalmente fora de sincronia com o time. Só depois que teve uma briga com Steve Kerr durante um treino é que se deu conta de que precisava conhecer melhor os companheiros. Foi preciso que entendesse o que motivava os outros para que pudesse trabalhar coletivamente de forma mais produtiva. Foi esse despertar que ajudou Michael a tornar-se um líder de compaixão e que por fim o ajudou a transformar o time em um dos maiores de todos os tempos.

8. OLHE PARA O ESPÍRITO, NÃO PARA O PLACAR

Stephen Covey, o guru da gestão, narra um velho conto japonês sobre um guerreiro samurai e seus três filhos: o samurai queria ensinar aos filhos o poder do trabalho em equipe. Então, estendeu uma flecha para cada um e pediu que as quebrassem. Sem problemas. Os três filhos quebraram as flechas com facilidade. Em seguida, o samurai estendeu um feixe de três flechas unidas e pediu para que repetissem o processo. Mas nenhum deles conseguiu.

– Essa é a lição de vocês – disse o samurai. – Se os três se unirem, nunca serão derrotados.

O conto traduz a força das equipes nas quais os integrantes abdicam do interesse pessoal em prol de um bem maior. As habilidades do atleta que não força os arremessos nem tenta se impor individualmente para a equipe manifestam-se com mais plenitude. E paradoxalmente ao jogar com suas habilidades naturais ativa as potencialidades da equipe, fazendo-a transcender os próprios limites, e também ajuda cada companheiro a transcender os seus. E, como resultado, a soma do todo é maior do que a soma das partes.

Exemplo: tínhamos um jogador nos Lakers que era excelente ladrão de bola na defesa. Quando se concentrava em marcar pontos no outro extremo da quadra e não se preocupava em defender, não executava bem nenhuma das duas funções. Só depois que se comprometeu a se dedicar mais na defesa, é que passou a receber ajuda no outro extremo da quadra, porque agora os companheiros sabiam por instinto o que faria. Dessa maneira, de repente todos encontraram o próprio ritmo, e as coisas começaram a funcionar muito bem.

Curiosamente, os outros jogadores não se davam conta de que antecipavam a ação do companheiro de equipe, o que não era uma experiência sobrenatural ou algo assim. Eles simplesmente de alguma forma misteriosa percebiam o que viria daí e também se ajustavam nesse sentido.

A maioria dos técnicos queima os miolos com táticas, mas o que sempre me interessou era se os jogadores se movimentavam em conjunto e motivados. Michael Jordan costumava dizer que gostava do meu estilo de técnico porque eu não perdia a calma nos minutos finais da partida, o que o fazia se lembrar de Dean Smith, seu técnico na universidade.

Isso não era uma pose. Eu me sentia confiante naqueles momentos porque sabia que, se o espírito dos atletas estava certo e jogavam em sintonia, o jogo provavelmente se desdobraria a nosso favor.

9. ÀS VEZES A VARA É NECESSÁRIA

No estilo mais estrito do zen, os monitores percorrem a sala de meditação e atingem os meditadores dorminhocos e apáticos com uma vara de madeira chamada *keisaku* para fazê-los prestar atenção. Isso não é propriamente uma punição. Pois a *keisaku* também é chamada de "vara compassiva". O objetivo do golpe é revigorar o praticante e despertá-lo em momentos pontuais.

Eu não empunhava uma *keisaku* nos treinos, mas em certos momentos sonhava em ter uma na mão. De todo modo, às vezes me valia de alguns outros truques para acordar e elevar o nível de consciência dos atletas. Uma vez treinei os Bulls em completo silêncio, e em outra ocasião os fiz treinar com as luzes apagadas. Gosto de agitar as coisas e estimular a curiosidade dos jogadores. Claro que não para infelicitar a vida de ninguém, mas para deixá-los preparados para o inevitável caos que sobrevém ao instante em que pisam numa quadra de basquete.

Um dos meus truques prediletos no treino era dividir os jogadores em dois times e não assinalar as faltas do time mais fraco. Isso era para observar a reação dos jogadores do time mais forte a quem apontava todas as faltas quando os oponentes estavam com uma vantagem de 30 pontos. Esse esquema enlouquecia Michael, que não suportava perder, nem quando sabia que se tratava de um jogo fraudulento.

Luke Walton era um dos jogadores dos Lakers que me eram especialmente difíceis. Às vezes o fazia jogar mentalmente comigo para que experimentasse a sensação de estar sob pressão. Uma vez o coloquei para realizar uma série de exercícios particularmente frustrantes, e a reação dele me fez concluir que o tinha pressionado demais. Então, sentei-me com ele e disse:

– Sei que você aspira ser um técnico um dia. Acho uma boa ideia, mas treinar não é só se divertir e jogar. Às vezes não importa se você é um cara muito legal. Em certos momentos você tem que ser sórdido, antipático e desagradável. Você nunca será um técnico se tem necessidade de ser amado.

10. NO CASO DE DÚVIDA, NÃO FAÇA NADA

O basquetebol é um esporte de ação praticado por pessoas vigorosas que fazem de tudo – *qualquer coisa* – para resolver os problemas. Mas em certas ocasiões o melhor a fazer é não realizar absolutamente nada.

Isso é particularmente verdadeiro quando a mídia está envolvida. Frequentemente os repórteres zombavam de mim porque eu não confrontava os jogadores quando agiam com imaturidade ou diziam alguma estupidez para a imprensa. Certa vez o colunista T. J. Simers do *Los Angeles Times* escreveu uma matéria engraçada sobre minha inclinação para a inatividade e concluiu com ironia que "ninguém faz nada melhor do que o Phil". Saquei a piada. Acontece que sempre fui cauteloso com as autoafirmações levianas justamente para que os repórteres tivessem o que escrever.

Em um nível mais profundo, o foco em outra coisa que não seja o negócio que se tem em mãos pode ser a maneira mais eficaz de resolver problemas complexos. Quando a mente relaxa, geralmente a inspiração a acompanha. Isso já está sendo provado pelas pesquisas. Em comentário na CNNMoney.com, a jornalista da *Fortune,* Anne Fisher, relatou que os cientistas começam a perceber "que as pessoas podem pensar melhor quando não estão concentradas no próprio trabalho". Ela cita estudos publicados na revista *Science* de psicólogos holandeses que concluíram que "a mente inconsciente é uma ótima solucionadora de problemas complexos quando a mente consciente está voltada para outra coisa ou não está sobrecarregada".

Por isso, subscrevo o que disse o saudoso filósofo Satchel Paige: "Às vezes, sento-me e penso, e outras vezes simplesmente sento-me."

11. ESQUEÇA O ANEL

Odeio perder. Sempre odiei. Ainda menino era tão competitivo que frequentemente irrompia em lágrimas e quebrava o placar quando era derrotado por um dos meus irmãos mais velhos, Charles ou Joe. Eles me provocavam quando eu fazia birra de mau perdedor, e isso me deixava ainda mais determinado a vencer na próxima vez. Treinei e treinei até que descobri um jeito de vencê-los e tirar o sorriso presunçoso da cara deles.

Mesmo depois de adulto era conhecido pelas minhas cenas. Uma vez, depois de uma derrota particularmente embaraçosa para o Orlando nas finais, arranquei chumaços do meu cabelo e bati os pés no meu quarto por quase uma hora para arrefecer a raiva.

Mas como técnico sei muito bem que a ideia fixa na vitória (ou mesmo em não ser derrotado) é contraproducente, sobretudo quando o faz perder o controle das próprias emoções. Além do mais, a obsessão na vitória é um jogo de perdedor: o máximo que podemos fazer é criar as melhores condições possíveis para o sucesso e deixar rolar o resultado. O passeio se torna mais divertido dessa maneira. Bill Russell, o grande astro do Boston Celtics que ganhou mais anéis (11) de campeão como jogador do que qualquer outro, revelou no *Second Wind,* seu livro de memórias, que nos grandes jogos às vezes torcia secretamente para os adversários porque, caso se saíssem bem, a experiência do jogo seria mais elevada.

Lao-Tsé encarava isso de outra maneira. Segundo ele, quando somos muito competitivos, às vezes nos golpeamos espiritualmente:

> *O melhor atleta*
> *quer o melhor do adversário.*
> *O melhor general*
> *entra na mente do inimigo...*
> *Todos eles cultivam*
> *uma virtude oposta à competição.*
> *Não que não gostem de competir,*
> *já que fazem isso no espírito do jogo.*

Por isso mesmo, no início de cada temporada sempre incentivava os atletas a se concentrarem na jornada e não na meta. O que mais importa é jogar do jeito certo e ter a coragem de evoluir, tanto como seres humanos quanto como jogadores de basquetebol. Se você age assim, o anel cuida de si mesmo.

3
RED

O maior entalhador faz o mínimo de corte.
LAO-TSÉ

A primeira impressão que tive da NBA é que se tratava de uma bagunça desestruturada.
Em 1967, Red Holzman me recrutou para o New York Knicks. Ainda não tinha visto um jogo sequer da NBA, exceto alguns das finais entre Boston Celtics e Philadelphia Warriors pela TV. Em 1966, Red me enviara o filme de um jogo entre os Knicks e os Lakers a que assisti junto com um grupo de colegas de faculdade.

Fiquei impressionado com o desleixo e a indisciplina das duas equipes. Nós da Universidade de Dakota do Norte tínhamos orgulho de jogar de maneira sistemática. No meu último ano, o treinador Bill Fitch introduzira um sistema de movimentação de bola de que gostei muito e que mais tarde soube que era uma versão do triângulo de Tex Winter adaptado por ele.

Pelo que assistíamos não parecia haver qualquer lógica no jogo dos Knicks. Aos meus olhos não passavam de um grupo de jogadores talentosos que corriam de um lado a outro na quadra à procura de arremessos.

Então, iniciou-se a contenda.

Willis Reed, um ala de força dos Knicks, partiu para cima com seus 2,06 metros de altura e 106 quilos de potência e enroscou-se com Rudy LaRusso, próximo ao banco dos Lakers. Seguiu-se uma pausa no filme que recomeçou com Willis tirando alguns jogadores dos Lakers de cima das costas, depois derrubando o pivô Darrall Imhoff e dando dois socos na cara de LaRusso. Quando finalmente o subjugaram, Willis também já tinha quebrado o nariz do ala John Block e arremessado o pivô Hank Finkel ao chão.

Uau. Enquanto pulávamos aos gritos de "retorne a fita outra vez!", eu pensava comigo mesmo: *Onde é que fui me meter? Esse é o cara que todo dia terei que enfrentar nos treinos!*

Na verdade, quando o conheci naquele verão, me dei conta de que, além de simpático, acolhedor, digno e generoso, ele também era um líder natural e respeitado por todos. Willis tinha uma presença dominante na quadra e sentia que cabia a ele o trabalho de proteger os companheiros. Os Knicks achavam que Willis seria suspenso por conta do incidente no jogo contra os Lakers, mas naquele tempo a liga era mais tolerante em relação às brigas e fez vista grossa. A partir daquele jogo os grandalhões das outras equipes passaram a pensar duas vezes antes de entrar na quadra e procurar briga com Willis.

Reed não era o único grande líder dos Knicks. O fato é que jogar pelo New York durante o campeonato era como se graduar em uma escola de liderança. O ala Dave DeBusschere, ex-jogador e técnico dos Detroit Pistons antes de ingressar nos Knicks, era um astuto general na quadra. O ala Bill Bradley, futuro senador dos EUA, era dotado da capacidade de suscitar consenso entre os jogadores e ajudá-los a fundir-se em um time. O armador Dick Barnett, que mais tarde obteve um Ph.D. em educação, se valia de uma sagacidade mordaz para que o grupo não o levasse muito a sério. E Walt Frazier, meu companheiro de quarto na primeira temporada, era um armador magistral que servia como um comandante do time na quadra.

Mas o homem que mais me ensinou como liderar acabou sendo o mais modesto de todos: o próprio Holzman.

Quando Red me viu jogar pela primeira vez, tive um dos piores desempenhos de minha carreira universitária. Fiquei carregado de faltas no início do jogo e não encontrei mais o ritmo enquanto éramos batidos pelo Louisiana Tech na primeira rodada do campeonato universitário da segunda divisão da NCAA*. Marquei 51 pontos no jogo de consolação contra os Parsons, mas Red não estava presente. Mas talvez tenha visto alguma coisa que lhe agradou, porque depois do jogo contra o Louisiana Tech perguntou a Bill Fitch:

---

* National Collegiate Athletic Association é uma associação não lucrativa que organiza o programa de esportes universitários nos Estados Unidos e no Canadá. (N. do R.T.)

– Você acha que Jackson pode jogar para mim?

Fitch não hesitou.

– Claro que pode.

Fitch disse isso porque achou que Red estava à procura de jogadores que pudessem pressionar na defesa por toda a quadra. Só depois é que percebeu o que Red realmente queria saber: esse caipira de Dakota do Norte consegue encarar a vida na Big Apple? De qualquer maneira, a resposta de Fitch teria sido a mesma.

Fitch era um treinador durão – ex-fuzileiro naval – que conduzia os treinos como se estivéssemos na base de Parris Island. Ele estava muito longe da boa educação do treinador Bob Peterson de minha escola de Williston (Dakota do Norte), mas eu gostava de jogar para ele porque era um sujeito duro e honesto e sempre me impelia a fazer o melhor. No meu primeiro ano, uma vez bebi na semana de juramento e fiz papel de bobo ao tentar liderar um grupo de estudantes nas congratulações escolares. Fitch soube da história e cada vez que me via no campus me obrigava a fazer flexões de braço.

Mesmo assim, floresci no sistema Fitch. Jogávamos com uma defesa homem a homem e isso me agradava demais. Meus 2,04 metros de altura me capacitavam a jogar de pivô, mas além da envergadura eu também era rápido e arrojado, o que me ajudava na marcação e no roubo de bolas. Eu tenho braços tão longos que podia me sentar no banco de trás de um carro e abrir as duas portas da frente ao mesmo tempo sem precisar me inclinar para a frente. Na faculdade me chamavam de "Esfregão" porque sempre me jogava na quadra ao correr atrás das bolas perdidas.

No meu terceiro ano alcancei a média de 21,8 pontos e 12,9 rebotes por jogo, e me incluíram na seleção dos cinco melhores jogadores do país. Ganhamos o título da conferência naquele ano e chegamos aos quatro finalistas da segunda divisão universitária norte-americana pelo segundo ano consecutivo, perdendo o jogo em uma semifinal apertada contra Southern Illinois. No ano seguinte alcancei a média de 27,4 pontos e 14,4 rebotes, marcando 50 pontos duas vezes na trajetória, e acabei por ser outra vez incluído na seleção dos cinco melhores.

A princípio, pensei que caso fosse para a NBA seria escolhido pelos Baltimore Bullets, cujo olheiro principal e meu futuro patrão, Jerry Krause, já estava de olho em mim. No entanto, os Knicks foram mais espertos do que os Bullets e me selecionaram no início da segunda rodada do Draft* da NBA, a 17ª escolha no geral, e com isso Krause, que apostara que não me escolheriam até a terceira rodada, arrancou os cabelos por alguns anos.

Também fui recrutado pelo Minnesota Muskies, da Associação Americana de Basquete (ABA), e isso me atraiu porque ficava perto de casa. Mas Holzman não deixaria os Muskies ganharem. Naquele verão fez uma oferta melhor para mim em Fargo, Dakota do Norte, onde eu trabalhava como orientador de acampamento. Ele me perguntou se eu tinha alguma reserva em assinar com os Knicks, e respondi que estava pensando em me graduar na universidade para me tornar pastor. Ele então me disse que haveria tempo de sobra para perseguir os sonhos depois que terminasse minha carreira profissional e me assegurou que poderia contar com ele se eu tivesse alguma dificuldade em lidar com a cidade de Nova York.

Naquele mesmo dia, o prefeito de Nova York, John Lindsay, dava uma palestra em Fargo, na mesma organização onde eu trabalhava. Red considerou o sincronismo curioso e comentou quando assinei o contrato:

– Já imaginou? O prefeito de Nova York está aqui e todo mundo sabe disso. E você assinando o contrato aqui e ninguém sabe disso.

Foi quando me dei conta de que tinha encontrado um mentor.

Quando cheguei ao centro de treinamento em outubro, os Knicks estavam no compasso de espera, aguardando o ala Bill Bradley, a nova estrela que se apresentaria depois que terminasse de servir no centro dos reservistas da Força Aérea. Na verdade, o time treinava na base McGuire da Força Aérea na expectativa de que ele poderia aparecer a qualquer momento para os treinos.

Embora o plantel estivesse carregado de talentos, a estrutura de liderança ainda não estava estabelecida. O mais cogitado para isso era Walt Bellamy, pivô de pontuação alta e futuro membro do Hall da Fama. Mas Walt sempre estava em atrito com Willis, que era bem mais talhado para assumir o papel. Em dado momento da temporada anterior, eles

---

* Loteria e recrutamento de jogadores para a NBA. (N. do R.T.)

haviam se enfrentado e literalmente se engalfinhado para estabelecer a posição de titular de pivô do time. Dick Van Arsdale era o ala, mas muitos achavam que Cazzie Russell era mais talentoso. Por outro lado, Dick Barnett e Howard Komives constituíam uma sólida dupla no fundo da quadra, mas Barnett ainda se recuperava de uma lesão no tendão de aquiles adquirida no ano anterior.

Acima de tudo, tornou-se claro que os jogadores tinham perdido a confiança no treinador Dick McGuire, cujo apelido "Resmungão" traduzia uma incapacidade para se comunicar com o time. De modo que não surpreendeu a ninguém quando no mês de dezembro o presidente dos Knicks, Ned Irish, passou McGuire para olheiro e nomeou Red Holzman como treinador do time. Red era um nova-iorquino que, além de durão e reservado, tinha um senso de humor debochado e um tremendo nome no basquete. Duas vezes armador na seleção dos cinco melhores do país, pela Faculdade da Cidade de Nova York, jogara como profissional no Rochester Royals, vencendo dois campeonatos da liga, e depois se tornara treinador do Milwaukee/St. Louis Hawks.

Red era um mestre da simplicidade. Não adotava um sistema em particular e não passava a noite acordado para inventar as jogadas. Sua convicção consistia em jogar da maneira certa e isso significava movimentação da bola no ataque e uma sólida defesa coletiva. Red aprendeu o jogo na era do pré-arremesso com pulo, quando a movimentação da bola por parte dos cinco jogadores era de longe mais predominante do que a criatividade do jogo mano a mano. Ele cultivava duas regras simples que gritava à margem da linha lateral durante os jogos:

De olho na bola. Nos treinos, Red dava mais atenção à parte defensiva porque acreditava que uma defesa forte era a chave de tudo. Embora por vezes com um estilo extremamente gráfico, uma vez fingiu que limpava a bunda com as cópias de nossas jogadas durante um treino.

– Isso é só para mostrar o quanto essas coisas podem ser boas – disse e jogou as páginas no chão.

Red então insistia em aprimorar a defesa coletiva porque, a partir daí, o ataque seguiria o próprio curso. Segundo ele, o segredo para uma boa defesa era o discernimento. Era preciso estar de olho na bola o tempo todo e sintonizado com o que estava acontecendo na quadra. Os Knicks não eram tão altos quanto os jogadores dos outros times e não tinham um potente bloqueador de arremessos como Bill Russell dos Celtics. Mas sob a direção de Red desenvolvemos um estilo defensivo altamente integrado que contava com o discernimento coletivo dos cinco jogadores e não com o brilhantismo individual de um cestinha no ataque. Os cinco defendiam em bloco e, assim, podiam encurralar com facilidade quem tinha a posse da bola, interceptar os passes e explorar os erros do adversário para disparar no contra-ataque antes que o outro time descobrisse o que estava acontecendo.

Red adorava fazer pressão por toda a quadra para tirar os adversários do jogo. Já no meu primeiro treino coletivo fizemos pressão pela quadra. Isso foi perfeito tanto para Walt Frazier e Emmett Bryant como para mim, porque era assim que defendíamos nos tempos de faculdade. Os companheiros de time me chamavam de "Cabide de Casaco" e "Cabeça e Ombro" pelo formato do meu corpo, mas me agradava mais a expressão que o locutor Marv Albert usava para mim: "Jackson Ação". Eu sabia que se jogasse como ala e não como pivô abriria mão da maior força que tinha – jogar dentro do garrafão –, mas se me concentrasse na defesa ajudaria o time e ficaria mais tempo na quadra. Além disso, ainda não tinha um bom arremesso de meia distância e deixava a desejar no manejo de bola. Foi quando Red me passou a regra dos dois dribles.

Passe para quem estiver livre. Se Red ainda fosse técnico, ficaria horrorizado com o egoísmo que envolve o jogo atualmente. Para ele, o companheirismo era o santo graal do basquete.

– O basquete não é uma ciência exata – ele proclamava, e acrescentava que a melhor estratégia ofensiva era movimentar a bola entre os cinco jogadores para criar oportunidades de arremessos e dificultar a concentração do adversário em um ou dois cestinhas. Embora tivéssemos alguns dos melhores arremessadores no basquete – notoriamente Frazier e Earl, "a Pérola" Monroe –, Red fazia questão que todos trabalhassem juntos para que a bola chegasse aos jogadores com o melhor índice de arremesso. Quando alguém decidia fazer uma jogada por conta própria, o que alguns tentavam, na mesma hora ele se via exilado na ponta do banco.

– Em um bom time não há superestrelas – insistia Red. – Há grandes jogadores que se mostram como grandes por sua capacidade de jogar com os companheiros como um time. E mesmo com as qualidades das superestrelas encaixam-se no bom time e se sacrificam, fazendo de tudo para ajudá-lo a vencer. O que interessa não são os números em salários ou estatísticas, e sim se os jogadores atuam em conjunto.

Poucas equipes da NBA foram tão equilibradas ofensivamente como os Knicks de 1969-70. Tivemos seis jogadores que pontuavam constantemente em dois dígitos e nenhum com uma média muito superior a 20 pontos por jogo. O que dificultava a defesa do adversário é que os cinco titulares do nosso time eram arremessadores muito precisos; assim, se o que estava com melhor desempenho recebesse marcação dupla, abriria espaço para os outros quatro que sempre estavam preparados para arremessos decisivos.

O que me fascinava em Red era o fato de que praticamente deixava o ataque por conta dos jogadores. Ele nos deixava arquitetar inúmeras jogadas e entrava em sintonia ativa com o que pensávamos a respeito das jogadas a serem executadas nos jogos importantes. Muitos técnicos têm dificuldade em conceder poder aos jogadores, mas Red nos ouvia atentamente porque sabia que estávamos mais intimamente conectados ao que acontecia na quadra.

Entretanto, o dom singular de Red era uma incrível capacidade de liderar homens adultos e levá-los a uma união para uma missão comum. E para isso não precisava de técnicas motivacionais sofisticadas, uma vez que era simplesmente direto e honesto. Ao contrário de outros técnicos, ele nunca interferia na vida pessoal dos jogadores, a menos que fizessem algo que surtisse efeito negativo para a equipe.

Quando Red assumiu como técnico, os treinos eram ridiculamente caóticos. Geralmente os jogadores chegavam atrasados e acompanhados de amigos e parentes como espectadores. As instalações tinham pisos quebrados, tabelas de madeira entortadas e chuveiros sem água quente, e os próprios treinos eram verdadeiras peladas sem nenhum trabalho educativo dos fundamentos ou preparação física. Red pôs fim a tudo. Instituiu o que chamava de "multas bobas" para os atrasos e baniu dos treinos os que não faziam parte da equipe, incluindo a imprensa. Passou a conduzir os treinos de maneira disciplinada e concentrada principalmente na defesa.

– Treinar não o torna perfeito – ele sempre dizia. – O treino perfeito é que o torna assim.

Quando jogávamos na casa do adversário, não havia toque de recolher nem checagem de cama. Red só tinha uma regra: o bar do hotel pertencia a ele, de modo que não importava para onde você ia ou o que você fazia, caso não o interrompesse no uísque de fim de noite que partilhava com o treinador fisioterapeuta Danny Whelan e alguns colunistas de plantão. Embora mais acessível do que outros treinadores, Red sabia da importância de manter certa distância dos jogadores porque um dia talvez tivesse que cortar ou trocar alguns.

Quando precisava punir alguém, raramente o fazia na frente do time, a menos que o assunto se relacionasse com o jogo, o que era feito no seu "escritório particular": o banheiro do vestiário. Às vezes eu fazia alguma crítica ao time para a imprensa e ele geralmente me chamava para o banheiro. Como eu tinha um bom relacionamento com os jornalistas depois de anos de carteados juntos, de vez em quando tendia a ser excessivamente simplista. Red era mais cauteloso.

– Você não percebe que amanhã os jornais estarão engaiolando alguém? – dizia.

Red era notoriamente enigmático com a mídia. Jantava com os jornalistas e conversava por horas a fio, mas raramente deixava escapar alguma coisa que pudesse ser usada. Nunca fazia críticas aos seus jogadores ou aos adversários. Pelo contrário, brincava com os repórteres e se divertia com os absurdos publicados. Uma vez tivemos uma derrota particularmente difícil, e um repórter quis saber por que Red estava tão calmo. Ele respondeu:

– Porque sei que a única e verdadeira catástrofe é chegar lá em casa e descobrir que acabou o uísque. – Claro que os jornais do dia seguinte estamparam a frase.

O que eu mais gostava em Red era a sua capacidade de colocar o basquete em perspectiva. No início da temporada de 1969-70 tivemos 18 vitórias consecutivas que nos distanciaram do resto da matilha. Quando a maré abaixou com uma derrota decepcionante em casa, os repórteres perguntaram o que Red faria se os Knicks tivessem vencido. Ele respondeu:

– Iria para casa, tomaria um uísque e saborearia a ótima refeição que Selma [esposa dele] está cozinhando. – E o que faria agora que o time tinha perdido? – Irei para casa, tomarei um uísque e saborearei a ótima refeição que Selma está cozinhando.

O ponto de virada para os Knicks se deu em outra briga, dessa vez em novembro de 1968, em Atlanta, durante um jogo televisionado contra os Hawks. Lou Hudson, do Atlanta, tornou-se o estopim da briga quando tentou se esquivar de um forte corta-luz de Willis Reed no segundo tempo e acabou atingido no rosto. Todos dos Knicks se levantaram e partiram para a briga (ou pelo menos fingiram), exceto um jogador, Walt Bellamy.

No dia seguinte, o time se reuniu para discutir o incidente. A controvérsia girou em torno da recusa de Bellamy de participar da briga, e todos chegaram ao consenso de que não tinha sido solidário. Red então quis saber por que não apoiara os companheiros na quadra, e Bellamy respondeu:

– Não acho que brigas sejam apropriadas para o basquete.

Embora muitos concordassem teoricamente, as brigas eram cotidianas na NBA, e a falta de apoio de nosso grande homem nos deixou desconfiados.

Algumas semanas mais tarde os Knicks trocaram Bellamy e Komives por Dave DeBusschere, dos Pistons – uma mudança que consolidou o time titular e nos deu flexibilidade e profundidade, além de nos levar à conquista de dois campeonatos da NBA. Willis assumiu como pivô e se estabeleceu como líder da equipe e sargento de Red. DeBusschere era um rompedor de 1,98 metro de altura e 100 quilos cuja grande visão de quadra e o suave arremesso de longa distância o fizeram entrar como titular na posição de ala de força. Walt Frazier substituiu Komives como armador, em dupla com Barnett, que era um jogador talentoso no ataque no jogo de um contra um. Bill Bradley e Cazzie Russell dividiam a última posição – ala –, porque o titular Dick Van Arsdale tinha sido selecionado pelo Phoenix Suns no projeto de expansão daquele ano. Mas Bill teve uma chance quando Cazzie quebrou o tornozelo dois meses após a troca de DeBusschere.

Foi interessante assistir à competição entre Bill e Cazzie pela posição quando Russell retornou no ano seguinte. Ambos tinham sido estrelas na faculdade e aquisições premiadas na loteria de recrutamento da NBA. (Bill, uma seleção territorial, em 1965, e Cazzie, a primeira escolha na loteria de recrutamento em 1966.)* Bradley, que era apelidado de "Dollar Bill" por conta de um impressionante (para a época) contrato de 500 mil dólares por quatro anos, teve em três anos consecutivos na Universidade de Princeton uma média de mais de 30 pontos por jogo, colocando os Tigers entre os quatro finalistas do Campeonato Universitário de Basquetebol Norte-Americano da primeira divisão, sendo então nomeado o melhor jogador da competição. Depois de ter sido convocado pelos Knicks, em 1965, ele resolveu frequentar Oxford por dois anos como bolsista intelectual de Rhodes antes de juntar-se à equipe. Circularam tantos exageros a respeito de Bradley que Barnett passou a se referir sarcasticamente a ele como "o homem que podia pular por cima de prédios com um único pulo".

Cazzie, que também recebia muitas provocações, também havia conseguido um grande contrato (200 mil dólares por dois anos) e era um cestinha tão dinâmico em Michigan que se referiam ao ginásio da escola como "a casa que Cazzie construiu". Ninguém lhe questionava a habilidade: era um excelente arremessador que liderara os Wolverines em três títulos consecutivos na conferência Big Ten. Os jogadores se divertiam com a obsessão de Cazzie pelos alimentos saudáveis e as terapias alternativas. Era a primeira vez que alguém tinha mais apelidos que eu na equipe. Ele era chamado de "Garoto Maravilha", "Russell Musculoso", "Molusco Musculoso" e, meu favorito, "Max Factor", isso porque adorava passar óleo de massagem no corpo após os treinos. Ele tinha tantos vidros de vitaminas e suplementos que seu companheiro de

---

* Utilizada até meados da década de 1960, a seleção territorial era um processo regional de escolha de jogadores na loteria da NBA que permitia às equipes profissionais uma seleção dos atletas que mais se destacavam nos campeonatos universitários de suas respectivas regiões. Segundo Phil Jackson, Bill Bradley foi o último jogador a passar por esse processo de escolha. (N. do R.T.)

quarto Barnett dizia em tom de brincadeira que era preciso apresentar uma receita farmacêutica assinada antes de entrar lá dentro.

O que me impressionava na intensa competição entre Bill e Cazzie é que faziam isso sem envolvimento em batalhas de egos. No início, Bill passou por um período difícil de adaptação ao jogo porque não era veloz e não pulava, mas depois compensou as limitações com deslocamentos rápidos sem a bola e sendo mais esperto do que os defensores na movimentação. Eu me desesperava quando tinha que marcá-lo no treino – o que fiz muitas vezes. Justamente quando você achava que o tinha encurralado no canto, ele se livrava de fininho e aparecia do outro lado da quadra para um arremesso livre.

O problema com Cazzie era diferente. Ele era ótimo nas fintas e penetrações, e tinha um corte forte em direção à cesta, mas a equipe funcionava melhor quando começava com Bradley na quadra. Red então fez de Cazzie um sexto homem que podia sair do banco e incendiar uma virada no placar do jogo. Com o tempo, Cazzie ajustou-se ao papel e se orgulhava por liderar o time reserva, no qual se incluíram ao longo de 1969-70 o pivô Nate Bowman, o armador Mike Riordan e o ala Dave Stallworth (que se afastara por um ano e meio em recuperação de um acidente vascular cerebral), além dos substitutos John Warren, Donnie May e Bill Hosket. Cazzie apelidou o grupo de "Homens-minutos".

Não muito tempo antes, Bill participava de uma reunião dos Knicks e de repente se viu surpreendido por Cazzie, a essa altura ministro, que se aproximou e pediu desculpas pelo seu comportamento egoísta nos tempos em que ambos competiam pela mesma posição. Bill disse que as desculpas não eram necessárias porque sabia que a obstinação de Cazzie nunca colocava a própria ambição acima da equipe.

Infelizmente, não pude ser um dos Homens-minutos de Cazzie durante 1969-70. Em dezembro de 1968 sofri uma séria lesão nas costas que me custou uma cirurgia de fusão espinhal na coluna e me deixou fora das quadras por cerca de um ano e meio. Afora a terrível recuperação, usei uma cinta durante seis meses e nesse período tive que limitar as atividades físicas, incluindo sexo. Meus companheiros me perguntavam se meu plano era obrigar minha esposa a usar um cinto de castidade. Eu ria, mas isso não era nada engraçado.

Até que eu poderia ter retornado à ação na temporada de 1969-70, mas a equipe tinha feito um grande começo e os dirigentes acharam melhor me deixar na lista dos lesionados pelo resto do ano para que não me pegassem no projeto de expansão da NBA.

O dinheiro não me preocupava porque eu já tinha assinado um contrato de mais dois anos com o clube depois do meu ano de estreia. Mas precisava me ocupar com alguma coisa e por isso fiz alguns comentários na TV, preparei um livro sobre os Knicks – *Take It All!* – com George Kalinsky, o fotógrafo do time, e viajei com a equipe como assistente técnico informal de Red. Naquela época os técnicos não costumavam ter assistentes, mas Red sabia que eu estava interessado em aprender mais sobre o jogo e ele também queria alguém com quem trocar ideias novas. A atribuição me permitiu observar o jogo com o olhar dos técnicos.

Red era respeitável comunicador verbal, mas não era bom em visualizar e raramente desenhava diagramas de jogadas no quadro durante as preleções antes do jogo. Para manter os jogadores concentrados, pedia para que balançassem a cabeça cada vez que ouvissem a palavra "defesa" – o que ocorria a cada quatro palavras. Isso não impedia que os jogadores se dispersassem durante a preleção, e ele então me incumbiu de observar os pontos fortes e fracos das equipes adversárias e de desenhar suas principais jogadas no quadro. Foi assim que passei a pensar o basquete como problemas estratégicos e não táticos. Como jogador ainda jovem, minha tendência era me concentrar em como levar vantagem sobre o adversário em cada partida. Os jogadores mais jovens tendem a prestar mais atenção na marcação a ser feita em determinados adversários em cada partida. Mas de repente comecei a conceber o basquete como um jogo dinâmico de xadrez, onde todas as peças se movimentavam. Foi emocionante.

E também aprendi outra lição sobre a importância dos rituais que antecediam o jogo. Ainda não tinham inventado o aquecimento com arremessos antes do jogo, o *shoot around*, de modo que a maioria dos técnicos se excedia em instruções nos 15 ou 20 minutos que antecediam a entrada dos jogadores na quadra. Mas na verdade os jogadores absorvem muito pouco quando o corpo pulsa de adrenalina. Se antes de partir para a batalha não é um bom momento para preleções que envolvem o lado esquerdo do cérebro, por outro lado é um bom momento para apaziguar a mente e estreitar a ligação espiritual entre os jogadores.

Red prestava muita atenção nos jogadores do banco, até porque desempenhavam um papel vital em nossa equipe atormentada por muitos desfalques por lesões. Na cabeça de Red era importante que os jogadores reservas estivessem engajados ativamente no jogo tal como os titulares. Para se certificar de que os reservas estavam preparados mentalmente, passava diversas instruções durante alguns minutos antes de colocá-los no jogo. E também os instigava seguidamente a prestar atenção no cronômetro de 24 segundos,* para que pudessem entrar no jogo a qualquer instante sem deixar a intensidade cair. Red fazia questão de que cada jogador se sentisse importante para a equipe, quer jogasse por quatro ou por quarenta minutos, e com isso os Knicks transformaram-se em uma equipe coesa e rápida na quadra.

Os Knicks pareciam imbatíveis quando chegaram às finais de 1969-70. Terminamos a temporada com um recorde de 60 vitórias e 22 derrotas, e abrimos caminho nas primeiras rodadas passando por Baltimore e Milwaukee. Felizmente, não tivemos que nos preocupar com os Celtics, já que Bill Russell tinha se aposentado e Boston estava contendo os gastos.

Nosso adversário nas finais do campeonato acabou sendo os Lakers, um time com muitas estrelas, liderado por Wilt Chamberlain, Elgin Baylor e Jerry West, e com uma ânsia impiedosa de ganhar um anel depois de ter perdido seis das últimas oito finais da NBA para o time de Boston. Mas não eram tão velozes ou articulados quanto nós, e Chamberlain, a maior arma deles, passara grande parte da temporada em recuperação de uma cirurgia no joelho.

Com a série empatada em 2-2, Willis saiu com uma lesão no músculo da coxa no jogo 5, em Nova York, e tivemos que recorrer a uma formação de baixa estatura e sem pivô pelo resto da partida. E com isso DeBusschere e Stallworth – um com 1,98 metro e o outro com 2 metros – tiveram que se valer de espertezas e malandragens para lidar com os 2,15 metros e 125 quilos de Chamberlain, provavelmente o pivô mais

---

* Tempo para o time arremessar a bola na cesta. (N. do R.T.)

dominante que já existiu. Naquela época, era ilegal abandonar por mais de dois passos o homem que você estava marcando para poder ajudar na defesa em cima de outro adversário, de modo que tivemos que instituir uma defesa por zona também ilegal, porém menos provável de ser assinalada pelos árbitros, frente à torcida furiosa dos Knicks na nossa própria casa. Lá no ataque, DeBusschere atraía Chamberlain para longe da cesta com arremessos certeiros de cinco metros de distância, e com isso o resto da equipe se movimentava com mais liberdade dentro do garrafão. Isso nos levou a uma vitória decisiva de 107-100.

Os Lakers voltaram para casa e empataram a série no jogo 6, estabelecendo um dos momentos mais dramáticos da história da NBA. A grande questão era se Willis seria capaz de voltar para o jogo 7, no Madison Square Garden. Os médicos nos deixaram no escuro até o último minuto. Willis não poderia flexionar a perna devido à lesão muscular, e pular estava fora de questão, mas se vestiu para o jogo e fez uns arremessos de aquecimento antes de se retirar para a sala de fisioterapia, onde continuou o tratamento. Fui até lá com uma câmera e tirei uma boa foto quando ele recebeu uma injeção com uma dose descomunal de carbocaína no quadril, mas Red me impediu de publicá-la, alegando que seria injusto com os fotógrafos da imprensa que tinham sido proibidos de entrar naquele vestiário.

O jogo estava prestes a começar quando Willis atravessou o corredor do vestiário mancando em direção à quadra, e a multidão simplesmente enlouqueceu. O futuro locutor Steve Albert, convidado honorário do jogo, declarou que estava de olho nos jogadores dos Lakers quando Willis surgiu na quadra, e "todos, todos interromperam o aquecimento e se viraram a fim de olhar para Willis. E ficaram de queixo caído. O jogo acabou antes de começar".

Ao iniciar o jogo Frazier conduziu a bola pela quadra à frente e passou para Willis que perto da cesta pontuou com um arremesso curto. Ele pontuou novamente em nossa segunda arremetida ao ataque e de repente os Knicks faziam uma vantagem de 7-2, o que geralmente não significa muito na NBA, mas nesse caso significou. A presença dominante de Willis tirou os Lakers do jogo logo no início e não se recuperaram mais.

Claro que não doeu o fato de que Frazier tenha tido uma das grandes performances menos celebradas na história das finais, com 36 pontos, 19 assistências e sete rebotes. Embora desapontado por ter sido ofuscado por Willis, ele também tirou o chapéu para o capitão.

– Agora, um monte de gente me diz: Uau, eu não sabia que você tinha feito um jogo assim – disse Frazier mais tarde. – Mas sei que não teria sido capaz de jogar da maneira que joguei se Willis não tivesse feito o que fez. Ele envolveu os torcedores no jogo e nos deu confiança apenas com sua entrada na quadra.

Os Knicks venceram por 113-99 e da noite para o dia todos nos tornamos celebridades. Mas para mim foi uma vitória agridoce. Embora agradecido por ter sido reconhecido pelos companheiros como um dos integrantes na vitória das finais e merecedor de ganhar meu primeiro anel de campeão, o fato é que quando o champanhe parou de borbulhar me senti culpado pela minha irrisória contribuição na conquista do campeonato. Eu já estava morrendo de vontade de voltar para o jogo.

4
A JORNADA

O privilégio de uma vida é você ser quem é.
JOSEPH CAMPBELL

No verão de 1972 fiz uma viagem de motocicleta pelo Oeste com meu irmão Joe, que mudou o rumo de minha vida.

Já tinha voltado para o basquete dois anos antes, mas ainda me sentia hesitante na quadra e sem ritmo. E meu casamento com Maxine, namorada dos tempos de faculdade, estava afundando. A reabilitação de seis meses após a minha cirurgia não ajudou em nada e acabamos por separar nossos caminhos – informalmente – no início daquele ano. Joe que era professor de psicologia na Universidade Estadual de Nova York, em Buffalo, também havia se separado da esposa. Achei então que era uma boa hora para pegar a estrada.

Comprei uma BMW 750 usada e me encontrei com Joe nas Great Falls, Montana, não muito distante da residência paroquial dos meus pais. Partimos em uma jornada de cerca de um mês ao longo de Great Divide até British Columbia. Fizemos uma viagem sem pressa, aproximadamente de cinco a seis horas pela manhã e montando acampamento na parte da tarde. À noite nos sentávamos ao redor de uma fogueira com duas cervejas e conversávamos.

Uma noite, Joe não mediu as palavras.

– Quando o vejo jogar, tenho a impressão de que você está com medo. Parece que está com medo de voltar a se machucar e não está se empenhando no jogo como antes. Acha mesmo que está totalmente recuperado?

– Acho, mas com uma diferença – respondi. – Já não posso mais jogar no mesmo nível. Ainda tenho alguma rapidez, mas não tenho mais tanta potência nas pernas.

– Bem – continuou Joe –, você terá que conseguir isso de volta.

Comentei que em relação ao casamento, a cada dia, Maxine e eu nos separávamos ainda mais. Ela não se interessava pelo mundo do basquete que tanto me envolvia, e eu não estava a fim de me estabelecer e me tornar um pacato cidadão de família do subúrbio. Além do mais, ela estava pronta para seguir em frente e prosseguir na carreira de advogada.

Joe retrucou em tom contundente que nos dois anos anteriores eu não tinha me envolvido nem com o casamento, nem com a carreira, nem com qualquer outra coisa.

– Você morre de medo de fazer um esforço verdadeiro – acrescentou –, e com isso acabará perdendo o único relacionamento amoroso que sempre teve... o basquete. Você precisa ser mais determinante em relação à vida.

Era a mensagem que eu precisava ouvir. Ao retornar para Nova York resolvi concentrar as energias na carreira, e nas três temporadas seguintes joguei o melhor basquete de minha vida. Separei-me oficialmente de Maxine e entramos com o pedido de divórcio. Enquanto me mudava para um apartamento em cima de uma oficina mecânica no bairro de Chelsea, em Manhattan, Maxine instalava-se com Elizabeth, nossa filha de quatro anos de idade, em um apartamento no Upper West Side.

Foi um tempo selvagem e revelador que me levou ao estilo de vida renascentista dos anos 1960, assumindo o cabelo comprido, a calça jeans e o fascínio pela exploração de uma nova forma de olhar o mundo. Eu adorava a liberdade e o idealismo, e também a música e a onda da contracultura que varriam Nova York e o resto do país. Comprei uma bicicleta e pedalava de um lado para outro a fim de me conectar com a *verdadeira* cidade de Nova York. Mas, por mais tempo que passasse no Central Park, viver na cidade era o mesmo que estar trancafiado dentro de casa. Eu precisava ir para algum lugar onde pudesse me ligar estreitamente com a terra.

Também me sentia impelido a me conectar com o núcleo espiritual que deixara para trás. Já tinha estudado as religiões durante a faculdade e me intrigara com a ampla gama de tradições espirituais pelo mundo afora. Mas isso não tinha passado de um exercício intelectual e não um exercício espiritualmente significativo. E agora me sentia impelido a ir mais fundo.

Fiz então uma jornada de autodescoberta com muitas incertezas, mas também pulsante de promessas. Se por um lado a abordagem da espiritualidade repleta de regras dos meus pais não me convencia, por outro lado o poder do espírito humano ainda me intrigava.

Durante a infância tive uma série de problemas curiosos de saúde. Ali pelos meus dois anos de idade minha garganta inchou e isso deixou os médicos confusos e meus pais extremamente preocupados. Fizeram um tratamento com penicilina, e o inchaço se dissipou, mas à medida que crescia me dava conta de que havia alguma coisa errada comigo. Assim, quando entrei no ensino fundamental me diagnosticaram um sopro no coração e me recomendaram um afastamento das atividades físicas durante um ano, o que era torturante porque eu era muito ativo quando pequeno.

Com cerca de 11 ou 12 anos de idade, uma noite adoeci com uma febre alta. Já vinha dormindo irregularmente quando de repente ouvi um rugido, como o som de um trem de ferro amplificado de maneira a parecer que entrava pelo quarto. Era uma sensação avassaladora, mas por alguma razão não senti medo. À medida que a zoeira aumentava, uma poderosa onda de energia se espraiava pelo meu corpo, muito mais intensa e mais desgastante do que qualquer outra coisa que já experimentara.

Até hoje não sei de onde esse poder emanava, mas no dia seguinte acordei me sentindo forte, confiante e cheio de energia. A febre se foi e, depois que recuperei a saúde dramaticamente, quase nunca pegava resfriados ou gripes.

Mas o impacto mais importante dessa experiência espontânea não foi físico e sim psicológico. Depois daquela noite passei a acreditar mais em mim e a nutrir a serena convicção de que tudo daria certo para melhor. E também passei a usufruir uma nova fonte de energia interna até então desconhecida para mim. Daquele momento em diante adquiri confiança para me jogar de mente, corpo e alma naquilo que amava – o que tem sido o segredo do meu sucesso nos esportes e em outras coisas mais.

Sempre me perguntei qual era a origem desse poder e se era possível apreendê-lo em outros aspectos da vida quando quisesse e não apenas na quadra de basquete.

Esse era um dos objetivos que pretendia alcançar quando parti para aquela jornada de autodescoberta, mesmo sem saber para onde estava indo e que armadilhas me fariam tropeçar ao longo do caminho. Mas estes versos da canção "Ripple" do Grateful Dead me encorajaram.

> *Há uma estrada, não uma simples rodovia,*
> *Entre a madrugada e a penumbra da noite,*
> *E se você segui-la ninguém poderá segui-la,*
> *Pois é uma senda para você trilhar sozinho.*

Para ser honesto, eu já estava a meio caminho, uma vez que meus pais eram ministros religiosos, e tanto eu como meus irmãos tínhamos que ser duplamente perfeitos. Frequentávamos a igreja duas vezes aos domingos, pela manhã para ouvir o sermão do meu pai e à noite para ouvir o sermão de minha mãe. E também tínhamos que frequentar um outro serviço no meio da semana e sermos alunos exemplares na escola dominical, cujas aulas eram dadas pela minha mãe. Toda manhã orávamos antes do café e, por vezes, à noite decorávamos passagens da Bíblia.

Mamãe e papai se conheceram enquanto estudavam para o ministério em uma escola episcopal, em Winnipeg. Eles haviam tomado caminhos diferentes para chegar até lá. Meu pai, Charles, era um homem alto e bonito, com cabelo encaracolado e olhos castanhos, cujo comportamento era reservado e sossegado. Nossos ancestrais conservadores do partido Tóri, que haviam optado pelo lado errado na Revolução Americana, migraram para Ontário após a guerra, onde receberam uma doação de terras do rei George III que mais tarde se tornaram a fazenda da família Jackson. Papai sempre quis entrar na faculdade, mas não se saiu bem nos exames – em grande parte devido a problemas de saúde – e acabou deixando a escola no ensino médio para trabalhar na fazenda. Ao longo do caminho também passou algum tempo como lenhador em Hudson Bay. Até que certo dia, quando ordenhava as vacas no celeiro, de repente recebeu um chamamento para participar do ministério.

Minha mãe Elisabeth era carismática e uma mulher impressionante de cabelos louros e olhos azuis como cristais, com características germânicas marcantes. Cresceu em Wolf Point, Montana, para onde seu avô

Funk se mudara com a família após a Primeira Guerra Mundial para fugir do intenso sentimento antigermânico no Canadá. Embora todos os irmãos tivessem sido oradores na formatura de escola, mamãe se viu excluída por dois décimos de ponto porque teve que faltar seis semanas de aula para trabalhar na colheita de outono. Mais tarde, passou a ensinar em uma escola com uma única sala, e um dia participou de um encontro pentecostal e se deixou levar. Ali pelos trinta e poucos anos estava estabelecida como pregadora itinerante nas pequenas cidades do leste de Montana.

Papai era viúvo quando começaram a namorar. Sua primeira esposa falecera alguns anos antes durante a gravidez do segundo filho. (O primeiro filho era minha meia-irmã Joan.) Meus pais se sentiram atraídos um pelo outro muito mais por uma ligação espiritual profunda do que por uma ligação romântica. Ambos eram cativos do movimento pentecostal que se disseminou rapidamente pelas regiões rurais durante os anos de 1920 e 1930, com a ideia fundamental de que a salvação podia se dar através de uma ligação direta com o Espírito Santo. Também eram influenciados por uma profecia do Livro das Revelações sobre a segunda vinda de Cristo, e por isso proclamavam a importância de uma preparação espiritual para o novo advento de Cristo que poderia ocorrer a qualquer momento. O medo mais profundo que sentiam era o de não estar bem com Deus.

– Se você morresse hoje – perguntava mamãe seguidamente –, encontraria o seu criador no céu? – Esse era o grande tema em nossa casa.

Meus pais também eram tocados intensamente pelos ensinamentos de São Paulo que proclamavam a necessidade de uma separação da sociedade materialista de maneira que se pudesse estar *neste* mundo sem propriamente pertencer a *este* mundo. Éramos então proibidos de assistir à TV, de ir ao cinema e a bailes, de ler revistas de quadrinhos ou até mesmo de conviver com os amigos da escola na cantina local. Joan era proibida de usar shorts ou maiô, e eu e meus irmãos usávamos camisas brancas em todos os lugares, menos quando praticávamos esportes. Quando recentemente perguntei a Joe o que o assustava quando criança, respondeu que era ser ridicularizado na escola quando cometia erros. Éramos incansavelmente provocados pelos outros garotos que nos chamavam de "roladores santos" e debochavam daquilo que a eles parecia ser uma forma de vida estranha e antiquada.

Eu estava com uns 11 anos quando minha mãe me disse que era hora de "me preencher com o Espírito Santo". Meus irmãos e minha irmã já tinham sido "batizados" no Espírito Santo e falavam em línguas, um aspecto importante da fé pentecostal. Eu já tinha visto outras pessoas fazendo o mesmo ritual ao longo dos anos, mas nunca me pareceu algo que quisesse experimentar. Acontece que meus pais realmente queriam que eu também o fizesse, e assim, cada noite de domingo, oravam comigo após os serviços, ocasião em que me empenhava ativamente em busca do dom das línguas.

Passados alguns anos de oração devota e suplicante, decidi que isso não era para mim. Saí então em uma busca desesperada de atividades escolares para me afastar daquela vida de quase todo dia e quase toda semana na igreja. Atuei em peças de teatro, cantei no coro, ensinei natação e fui locutor esportivo no programa de rádio da escola. Já estava no último ano do ensino médio quando meu irmão Joe me levou para assistir ao meu primeiro filme, *Sete noivas para sete irmãos*, por ocasião de uma viagem de nossos pais para uma conferência.

Mas o basquete é que realmente me salvou. No primeiro ano cresci quatro centímetros e atingi a altura de 1,96 metro e o peso de 72,5 quilos, e comecei realmente a melhorar como jogador. A estatura e os braços longos me davam uma enorme vantagem, e assim obtive uma média de 21,3 pontos por jogo naquele ano, ajudando meu time Williston High a chegar à final do campeonato de Dakota do Norte, mas tínhamos perdido duas vezes durante a temporada regular para o Rugby, nosso adversário. Como eu estava pendurado por faltas em ambos os jogos, o treinador Bob Peterson resolveu fazer marcação por zona no jogo final. Refreamos Paul Presthus, meu rival da escola, mas o Rugby fez bons arremessos e venceu por 12 pontos.

O que me atraía no basquete é que tudo estava interligado. O jogo era uma complexa dança de ações e reações que o tornava muito mais vivo do que os outros esportes que já tinha praticado. Além do mais, o basquete exigia um elevado grau de sinergia. O sucesso dependia da confiança em todos na quadra e não apenas em si mesmo, fator que dava ao esporte uma beleza transcendente que me soava profundamente gratificante.

O basquete também me salvou da presença nos cultos na maioria dos fins de semana. Nosso rival mais próximo ficava a 200 quilômetros de distância, e muitas vezes viajávamos nos fins de semana à noite para regiões distantes do estado, o que significava que geralmente eu perdia os serviços das sextas-feiras e das manhãs de domingo.

No último ano me tornei uma pequena celebridade no estado. Mantive a média de 23 pontos por jogo, e chegamos novamente à final estadual, mesmo sem termos atingido o ótimo recorde do ano anterior. O jogo final contra o Grand Forks Red River foi televisionado, e na metade do primeiro período roubei uma bola e saí em disparada para enterrá-la. Isso me tornou uma espécie de herói popular no estado, pois a maioria dos espectadores nunca tinha visto uma enterrada antes. Terminei a partida com 35 pontos e fui eleito o melhor jogador do campeonato em nosso trajeto para a conquista do título.

Após o jogo conheci Bill Fitch, que acabara de ser contratado como técnico da Universidade de Dakota do Norte e que me prometeu um lugar em sua equipe, caso estivesse interessado. Algumas semanas depois ele apareceu em Williston para fazer o discurso de abertura da cerimônia anual de premiação das equipes. No final do discurso chamou a mim e a um companheiro de equipe até o palco e nos algemou um ao outro.

– Assim que eu terminar este discurso – ele disse em tom de brincadeira –, levarei esses meninos comigo de volta à UND.

Mamãe, que nunca assistia aos jogos de minha escola, me perguntou casualmente se estava progredindo espiritualmente, e tive que lhe dizer que estava lutando com minha fé. Foi um momento devastador para ela porque os filhos mais velhos já estavam "perdidos" da igreja. Eu ainda era bebê quando meus pais fizeram uma promessa à congregação de que me criariam como um servo do Senhor, assim como Charles e Joe antes de mim. E deve ter sido doloroso para eles que nenhum de nós tivesse abraçado essas expectativas. Por isso, talvez nunca tenham perdido a esperança de que um dos filhos pudesse retornar à verdadeira vocação, o ministério.

Eu ainda estava na faculdade quando tive outro despertar espiritual intenso. Como tinha sido educado na leitura literal da Bíblia, me desconcertei com a teoria da evolução de Darwin nas aulas de biologia, até porque de acordo com as melhores estimativas fazia mais de quatro milhões de anos que os seres humanos andavam de pé no planeta. Essa revelação me fez questionar grande parte do que tinha aprendido quando pequeno e me inspirou a tentar resolver – pelo menos em minha mente – algumas das contradições inerentes ao dogma religioso e à investigação científica.

Foi quando decidi passar da ciência política para um misto de psicologia, religião e filosofia a fim de explorar uma ampla gama de abordagens espirituais, tanto do Oriente como do Ocidente. Fui particularmente atraído pela visão humanista de Nikos Kazantzakis, em *A última tentação de Cristo*, que se assemelhava em muito às minhas leituras sobre Buda, mas também me senti motivado pela obra *As variedades da experiência religiosa*, de William James, que além de me ajudar a colocar a experiência da infância em perspectiva também me mostrou que minha busca de uma nova e mais autêntica identidade espiritual encaixava-se no amplo cenário da cultura americana.

Coloquei essa busca em banho-maria durante os primeiros anos na NBA. Depois me mudei para Chelsea e fiz amizade com um estudante de psicologia chamado Hakim, que era um muçulmano devoto e reacendeu meu interesse na espiritualidade, instigando-me a explorar a meditação.

Certo verão, em Montana, pedi ajuda a Ron Fetveit, um vizinho cristão praticante, para consertar as goteiras do meu telhado. Enquanto consertávamos as telhas, iniciamos uma longa conversa que girou em torno da espiritualidade, e acabei confessando que passara por um momento difícil em relação à fé que ele professava por conta de uma experiência de infância.

– Sei bem de onde você veio – ele disse –, mas, se quer saber, não existe essa coisa de ser neto de Deus. Você é você e não seus pais. Só você poderá desenvolver uma relação pessoal com Deus.

A partir daí comecei a procurar com mais serenidade as práticas espirituais que funcionavam melhor para mim. E uma de minhas primeiras descobertas acabou sendo Joel S. Goldsmith, autor inovador do misticismo e antigo curandeiro da Christian Science que fundara seu próprio movimento conhecido como o Caminho Infinito. O que me atraía nesse trabalho era a rejeição à instituição, ao ritual e ao dogma. Para esse autor a espiritualidade era uma jornada pessoal, e por essa razão ministrava as palestras de maneira que fossem interpretadas a partir de um amplo leque de perspectivas. Fiquei especialmente intrigado com o fato de que Goldsmith assumia a meditação e a entendia como uma forma de vivenciar o silêncio interior e de se ligar à sabedoria intuitiva. Eu pensava a meditação como uma técnica terapêutica para aquietar a mente e trazer o equilíbrio, mas com Goldsmith compreendi que também podia ser um substituto para a oração, uma porta para o divino.

Com o tempo experimentei outras práticas, mas o Caminho Infinito é que me abriu os olhos. Foi uma passagem da espiritualidade rígida da educação recebida na infância para uma visão mais ampla da prática espiritual. Quando jovem, mamãe diariamente me fazia mergulhar de cabeça nas escrituras bíblicas porque para ela uma mente ociosa era oficina do diabo. Mas de repente a recíproca era verdadeira para mim. Já não me interessava mais encher minha cabeça de barulho. O que me interessava agora era deixar a mente quieta e me permitir apenas ser.

Nessa mesma ocasião conheci minha futura esposa June, durante um dos meus constantes jogos de cartas em Nova York. Além de calorosa, divertida e carinhosa era formada em ciências sociais na Universidade de Connecticut. O romance floresceu no verão, durante uma viagem de motocicleta pelo noroeste, e nos casamos em 1974. Nossa primeira filha Chelsea nasceu um ano depois, seguida pela nossa filha Brooke e pelos gêmeos Charley e Ben.

No verão que se seguiu ao nascimento de Chelsea saí em viagem com June para visitar meu irmão Joe e sua nova parceira, Deborah, irmã de June, os quais tinham uma vida em comum em uma comunidade em Taos, Novo México. Fazia alguns anos que Joe se ligara à prática sufi depois de ter largado o trabalho de professor em Buffalo para viver na Fundação Lama, uma comunidade dedicada a integrar as práticas espirituais de um amplo espectro de tradições.

O sufismo é uma modalidade de misticismo islâmico cujo fundamento principal é a mudança de consciência do plano individual para o divino. Segundo os sufis, só nos libertamos da identificação com nosso eu inferior e individual quando nos entregamos ao poder do sagrado. Isso significa render-se ao que o mestre sufi Pir Vilayat Inayat Khan denomina "o feitiço mágico do amor incondicional – o mesmo abraço em êxtase que suprime a separação entre amante e amado".

Durante boa parte do dia os sufis da Fundação Lama tentavam se interligar ao divino pela meditação e devoção, e com cânticos extáticos acompanhados de inclinações de corpo que chamam de *zikers*. O que atraía Joe era a materialidade da prática, cujos movimentos repetitivos parecidos com danças se destinavam a transformar a consciência.

Entretanto, depois de participar dos rituais por algumas semanas, cheguei à conclusão de que o sufismo não era o caminho certo para mim. Eu procurava uma prática que me ajudasse a controlar minha mente hiperativa.

Alguns anos depois contratei Joe para me ajudar a construir uma nova casa, em Flathead Lake, Montana. Depois que terminamos a estrutura requisitamos a ajuda de um trabalhador da construção civil para terminar a obra. Ele tinha estudado zen-budismo no mosteiro de Mount Shasta, no norte da Califórnia, e trabalhava de maneira serena, concentrada e objetiva. Eu já estava interessado em me aprofundar no zen-budismo desde a leitura do clássico *Zen Mind, Beginner's Mind*, de Shunryu Suzuki, um mestre japonês que desempenhou papel fundamental na migração do zen-budismo para o Ocidente e que recomendava que se abordasse cada momento com mente curiosa e livre de julgamento. "A mente vazia está sempre pronta e sempre aberta para tudo", ele escreve. "Existem muitas possibilidades na mente do iniciante e poucas na mente do especialista."

Naquele verão me juntei com Joe ao grupo do nosso amigo, e começamos a praticar o *zazen* – uma forma de meditação – uma vez por semana. O que me atraía era a simplicidade inerente à prática zen. Ao contrário de outras práticas que experimentara antes, o zen não recorria ao cântico de mantras ou à visualização de imagens complexas. Era pragmático, de pés na terra e aberto à exploração. Em vez de exigir que os praticantes se inscrevessem em um determinado conjunto de princípios ou que assumissem alguma fé, o zen os incentivava a questionar *tudo*. Segundo Steve Hagen, um mestre zen: "O budismo tem a ver com *olhar*. E tem a ver com saber e não com acreditar ou esperar ou desejar, mas também tem a ver com o destemor que examina cada coisa e tudo o mais, incluindo as agendas pessoais de cada um."

As instruções de Shunryu Suzuki a respeito de como meditar são muito simples:

1. Sente-se com a coluna ereta, os ombros relaxados e o queixo esticado, "como se apoiando o céu com a cabeça".
2. Acompanhe a respiração com a mente enquanto é movida para dentro e para fora como uma porta de vaivém.
3. Não tente deter o pensamento. Se algum pensamento irromper, deixe-o fluir e depois volte a prestar atenção na respiração. A ideia não é tentar controlar a mente, e sim deixar que os pensamentos apareçam e desapareçam naturalmente e repetidas vezes. Com a prática os pensamentos passam a flutuar como nuvens que se dissipam e perdem o poder de dominar a consciência.

De acordo com Suzuki, a meditação nos ajuda a fazer as coisas "com um tipo de mente mais simples e mais clara", sem "noções ou sombras". A maioria de nós se vê às voltas com duas ou três ideias que nos passam pela cabeça quando fazemos alguma coisa e que deixam "rastros" de pensamentos confusos e são difíceis de abandonar. "Se não quiser deixar qualquer rastro quando fizer alguma coisa", ele escreve, "faça-o com todo o corpo e a mente, concentrando-se no que faz. Faça-o plenamente, como se fizesse uma boa fogueira."

Levei anos de prática para aquietar minha mente ocupada, mas no processo descobri que, quanto mais me conscientizava do que ocorria dentro de mim, mais me interligava com o mundo exterior. Fiquei mais paciente com os outros e mais calmo sob pressão, qualidades que me ajudaram demais quando me tornei treinador.

Três aspectos do zen me têm sido fundamentais enquanto líder:

1. ABRIR MÃO DO CONTROLE

Suzuki escreve: "Se você deseja obter uma calma perfeita no *zazen*, não deve se incomodar com as diversas imagens que fluem na mente. Deixe-as vir e deixe-as ir, pois logo estarão sob controle."

A melhor maneira de controlar as pessoas, acrescenta, é dar a elas muito espaço e observá-las. "Não é bom ignorá-las; isso é a pior política", continua. "A segunda pior política é tentar controlá-las. É melhor observá-las, apenas observá-las, sem tentar controlá-las."

Um conselho que mais tarde veio a calhar quando tive que lidar com Dennis Rodman.

2. CONFIAR NO MOMENTO

A maioria de nós passa a maior parte do tempo apegado aos pensamentos do passado ou do futuro – o que pode ser perigoso quando seu trabalho consiste em ganhar jogos de basquete. O ritmo do basquete se assemelha tanto ao de um raio que é fácil cometer erros e se obcecar com o que aconteceu ou com o que acontecerá em seguida, o que pode desviá-lo daquilo que realmente importa – *este* exato momento.

Além de me ajudar a me tornar mais consciente do que ocorria no momento presente, a prática do zen também abrandou minha experiência do tempo ao aplacar minha tendência de me projetar no futuro ou de me perder no passado. O mestre vietnamita zen Thich Nhat Hanh cita a "morada feliz do momento presente", um lugar onde tudo de que precisamos está sempre disponível. "A vida só pode ser encontrada no momento presente", comenta. "O passado já se foi, e o futuro ainda está por vir, de modo que se não nos voltarmos para nós mesmos no momento presente nunca estaremos em contato com a vida."

3. VIVER COM COMPAIXÃO

Os ensinamentos sobre a compaixão eram um dos aspectos do budismo que me pareciam especialmente interessantes. Buda era conhecido como "O compassivo" e, segundo os estudiosos da religião, os seus preceitos morais apresentam uma estreita semelhança com os de Jesus, que assim se dirigiu aos apóstolos na Última Ceia: "Este é o meu mandamento: que vos amem uns aos outros como vos amei. Não existe um amor maior que o de dar a própria vida por um amigo." Seguindo uma vertente similar, assim diz Buda: "Da mesma forma que a mãe protege o filho com o risco da própria vida, cultive um coração sem limites para com todos os seres. Faça com que seus pensamentos de amor sem limites permeiem todo o mundo."

Na visão budista a melhor maneira de cultivar a compaixão é vivenciar plenamente o momento. "Meditar", diz Buda, "é ouvir com um coração receptivo." No seu livro *Start Where You Are*, a mestre budista Pema Chodron sustenta que a prática da meditação rompe as fronteiras tradicionais entre o eu e os outros. "O que você faz em favor de si mesmo – qualquer gesto de bondade, qualquer gesto de gentileza, qualquer gesto de honestidade e a visão clara de si mesmo – o influencia na forma de experimentar o mundo", escreve. "O que você faz em favor de si mesmo também faz em favor dos outros, e o que você faz em favor dos outros também faz em favor de si mesmo."

Essa ideia acabaria se tornando um alicerce fundamental no meu trabalho como treinador.

Nesse meio-tempo ainda tinha um trabalho a fazer como jogador.

Na temporada de 1971-72, Red Holzman, na ocasião gerente-geral do basquete e técnico da equipe, fez uma série de mudanças que transformaram os Knicks. Primeiro, trocou Cazzie Russell por Jerry Lucas, do San Francisco Warriors, que além de sua grande estatura era forte e ativo, tinha um bom arremesso de sete metros e meio de distância e poderia lidar com pivôs poderosos como Dave Cowens e Kareem Abdul-Jabbar. Depois, Red mandou Mike Riordan e Dave Stallworth para Baltimore em troca de Earl "a Pérola" Monroe, talvez o mais criativo no manejo de bola do basquete da época. Red também contratou Dean "o Sonho" Meminger, um armador de pernas longas e velozes de Marquette que era um terror na defesa.

Com essa nova injeção de talentos nos transformamos em uma equipe versátil como nunca. Passamos a ter mais estatura e mais banco, e um leque de alternativas de pontuação mais amplo do que o da equipe de 1969-70, além de um equilíbrio perfeito entre habilidade individual e consciência de equipe. Apesar da preocupação de alguns de nós que Monroe pudesse tentar ofuscar Frazier na armação das jogadas, Earl adaptou-se ao jogo de Walt e acrescentou uma estonteante dimensão ao ataque. Com Lucas, o mágico dos passes, como pivô, passamos de uma equipe de força para uma equipe multifacetada que pontuava com arremessos precisos de cinco metros do perímetro e também nas bandejas dentro do garrafão. Red fez de mim um substituto privilegiado para Dave DeBusschere e Bill Bradley, e empreguei toda a minha energia nesse novo papel. Aquela equipe era a nata do mais puro basquete e me encaixei como uma luva.

A única equipe que nos preocupava em 1972-73 era os Celtics, que dominou a Conferência Leste com um recorde de 68 vitórias e 14 derrotas. Nos quatro anos que se seguiram à saída de Bill Russell, o gerente-geral Red Auerbach recriara a equipe na clássica tradição dos Celtics, com um pivô forte e ativo (Dave Cowens), um arremessador de longa distância astuto (Jo Jo White) e um dos jogadores mais completos à época (John Havlicek).

Holzman não era um grande fã de Auerbach porque este se valia de todos os truques para favorecer sua equipe. Auerbach era um mestre nas malandragens do jogo. Uma de suas manobras marcantes era acender um charuto em sinal de que sua equipe venceria a partida, o que enfurecia os adversários, sobretudo quando o placar estava apertado.

Todavia, Auerbach extrapolou nas finais de 1973, e o seu tiro acabou saindo pela culatra. Enfrentamos os Celtics na final da Conferência Leste depois de uma vitória sobre o Baltimore por 4-1 na primeira rodada. Boston teve a vantagem de decidir as séries em casa, e Auerbach aproveitou-se disso. Quando jogávamos em Boston, ele sempre tornava nossa vida um inferno: éramos colocados em vestiários onde as chaves não funcionavam, as toalhas faltavam e o aquecedor era regulado acima de quarenta graus, isso sem que pudéssemos abrir as janelas. Nessa série, ele nos colocou em vestiários diferentes a cada jogo, e o último – no jogo 7 – era um quartinho apertado do zelador, sem armários e com um teto tão baixo que a maioria de nós tinha que se abaixar para se vestir. Em vez de nos humilhar, o que certamente Auerbach queria, o minúsculo vestiário nos enraiveceu tanto que nos fortalecemos ainda mais.

Até então ninguém jamais vencera os Celtics em casa no jogo 7, mas continuávamos confiantes porque tínhamos dominado o Boston com uma marcação pressão quadra toda no início da série. Estávamos assistindo ao filme do jogo 6 na noite que antecedeu o grande jogo quando notei que Jo Jo White tinha nos matado com os corta-luzes. Meminger, que marcara Jo Jo, se pôs na defensiva e Holzman então se manifestou:

– Estou me lixando para o corta-luz. Encontre uma forma de furar o corta-luz e de parar esse cara. Não reclame do corta-luz. Faça apenas o seu trabalho.

No dia seguinte, Dean era um homem possuído. Partiu para cima de Jo Jo White e o anulou completamente, desestabilizando assim o plano ofensivo de jogo dos Celtics. Em seguida, Dean cresceu no ataque, furando a defesa por pressão de quadra inteira dos Celtics e incendiando uma vitória decisiva de 37-22 no segundo tempo. E, depois disso, o Boston não se recuperou mais. O placar final foi Knicks 94 e Celtics 78.

Nunca vi Red Holzman mais feliz do que naquela noite em Boston, naquele quartinho do zelador. Vencer Auerbach no próprio domínio era uma nêmesis muito importante para ele. Por isso, aproximou-se radiante de alegria e me disse com um sorriso irônico:

– Sabe, Phil, às vezes o mistério da vida o impede de dizer claramente a diferença entre o bem e o mal. Mas este é um daqueles momentos em que definitivamente o bem triunfa sobre o mal.

A série do campeonato contra os Lakers se tornou um anticlímax. Eles nos surpreenderam no primeiro jogo, mas depois freamos o jogo de velocidade que imprimiam e ganhamos a série final em cinco jogos. A celebração após o jogo em Los Angeles acabou sendo um fiasco: apenas um punhado de repórteres parados e em busca de frases feitas. Mas não me importei. Finalmente, tinha um anel que podia chamar de meu.

A temporada seguinte – 1973-74 – tornou-se uma das melhores de minha carreira. Adaptei-me ao papel de sexto homem e fiz uma média de 11,1 pontos e 5,8 rebotes por jogo, mas o time estava passando por uma transformação que me preocupava.

A marca dos Knicks no campeonato era o extraordinário vínculo entre nós jogadores e a forma coletiva com que trabalhávamos unidos enquanto time. Essa ligação tinha sido particularmente estreita em nosso avanço para o primeiro campeonato em 1970. Após a chegada de Earl Monroe, Jerry Lucas e Dean Meminger em 1971, o time assumiu outra química com um novo vínculo de natureza mais estritamente profissional, embora não menos eficaz. Não passávamos muito tempo juntos fora da quadra, mas nos entendíamos às maravilhas dentro dela. Agora, o time passava por outra mudança radical, mas dessa vez o efeito seria mais perturbador.

Lutamos para manter a união durante a temporada de 1973-74, com Reed, Lucas e DeBusschere prejudicados por lesões, e entramos capengas nas finais da Conferência Leste contra os Celtics depois de termos sobrevivido a sete jogos duros com os Bullets. O momento crucial se deu no jogo 4, no Madison Square Garden, com os Celtics à frente por 2-1 na série e o jovem pivô reserva John Gianelli e eu tentando compensar a deficiência de altura na ausência dos nossos homens grandes. Mas dessa vez não haveria a mágica epifania de Willis Reed. Dave Cowens e John Havlicek, do Boston, souberam como tirar proveito da falta de uma liderança firme em nossa linha de frente e no segundo tempo nos manobraram cada vez que tentávamos uma reação. Boston venceu por 98-91.

Os Celtics acabaram conosco três dias depois em Boston a caminho de mais um campeonato bem-sucedido contra Milwaukee Bucks. Lembro que depois da derrota sentei no aeroporto de Logan com meus companheiros, achando que a gloriosa dinastia de nosso time tinha chegado ao fim. Lucas e DeBusschere já haviam anunciado que estavam pensando em se aposentar. E, quando começou a temporada seguinte, Reed e Barnett já estavam fora e Meminger tinha sido contratado pelo New Orleans no projeto de expansão da loteria de recrutamento da NBA e negociado para Atlanta.

Nada foi o mesmo depois disso. Passei a ser titular no ano seguinte em substituição a DeBusschere e joguei muito bem, mas apenas três outros atletas do núcleo do time permaneceram – Walt Frazier, Bill Bradley e Earl Monroe –, e acabou sendo difícil manter a unidade que adquirimos. Os tempos mudavam, e os novos jogadores que inundavam a NBA estavam mais interessados em exibir o brilho de suas habilidades e desfrutar a vida de luxo da NBA do que em trabalhar duro para conservar o time unido.

Ao longo dos dois anos seguintes adicionamos alguns jogadores talentosos à lista, incluindo a estrela da NBA, Spencer Haywood, e o tricampeão em pontuação da NBA, Bob McAdoo, contudo, nenhum deles se mostrou muito interessado em assimilar a tradicional combinação dos Knicks de defesa forte e trabalho coletivo de equipe.

Cada dia a diferença entre as gerações se tornava mais evidente. Os novos jogadores acostumados aos mimos da faculdade reclamavam que ninguém cuidava da lavagem dos uniformes ou que o assistente técnico não fazia direito o trabalho de filmagens dos jogos. Os velhos Knicks assumiam a responsabilidade pela lavagem dos próprios uniformes porque não havia um gerente de equipamentos, mas por mais estranho que pareça essa lavagem dos uniformes surtia um efeito unificador no time. Os recém-chegados não estavam dispostos a lavar o próprio uniforme, o que nos levava a perguntar se assumiriam a responsabilidade pelo que teriam que fazer na quadra.

Logo descobrimos a resposta. Passado algum tempo, os Knicks se transformaram em uma equipe de dupla personalidade, capaz de obter uma vantagem de 15 pontos para entrar em colapso no final da partida porque não conseguia mobilizar um ataque coordenado. Fizemos várias reuniões da equipe para discutir o problema, mas não conseguimos chegar a um acordo sobre como preencher a lacuna. Nada que Red fazia para motivar a equipe funcionava.

Em 1976, pela primeira vez em nove anos os Knicks não chegaram às séries das finais do campeonato. Um ano depois, Bradley se aposentou e Frazier foi negociado para o Cleveland Cavaliers. Red saiu em seguida e Willis Reed o substituiu.

Cheguei a pensar que minha última temporada seria a de 1977-78, mas antes dela os Knicks fizeram um acordo e me mandaram para o New Jersey Nets. Fiquei relutante a princípio, mas aceitei quando o técnico Kevin Loughery me ligou e disse que precisava de minha ajuda para trabalhar com os jogadores mais jovens.

– Sei que você está em fim de carreira, mas a vinda para New Jersey poderá ser uma boa ponte entre jogar e se tornar técnico.

Eu não estava muito interessado em me tornar técnico, mas fiquei intrigado com o estilo dissidente de Loughery na liderança. Após a pré-temporada no centro de treinamento, Loughery disse que queria me tornar assistente técnico, mas, antes que isso pudesse acontecer, o ala Bob Elliott se contundiu e fui efetivado como jogador. Mas naquele ano acabei tendo a chance de trabalhar com grandes homens, parte do tempo como assistente técnico e também assumindo o lugar de Kevin como técnico quando os árbitros o tiravam dos jogos, o que ocorreu 14 vezes naquela temporada.

Loughery além de ter um olho excepcional para o jogo tinha um dom para explorar os erros durante a partida e já havia vencido dois campeonatos da ABA. Mas com ele aprendi que era preciso se arriscar para se dar bem. Loughery foi o primeiro treinador que conheci que fazia marcação dupla no jogador que ia repor a bola no meio da quadra, uma estratégia de alto risco que muitas vezes dava certo. Ele também adotava a tática de Hubie Brown, de fazer marcação dupla no jogador com a posse da bola e fazia disso uma regularidade na defesa, se bem que isso não era estritamente legal. Uma de suas maiores inovações era a criação de jogadas improvisadas e isoladas para liberar os melhores arremessadores. Essa tática não se encaixava bem no modelo de Holzman de cinco homens solidários no ataque, mas se encaixava perfeitamente nos Nets, que era um time carregado de bons arremessadores, e abriu caminho para novas formas de criatividade que floresceram nos anos posteriores.

O craque do time era Bernard King, um ala explosivo de baixa estatura com arremesso super-rápido cuja média como novato no ano anterior tinha sido de 24,2 pontos e 9,5 rebotes por jogo. Infelizmente, tinha um problema com o consumo de substâncias ilegais. Naquela temporada uma noite o flagraram adormecido ao volante em frente a um sinal luminoso e o prenderam por dirigir embriagado e por posse de cocaína. (Retiraram as acusações mais tarde.) O incidente foi demais para Loughery. Embora conhecido por ser bom na gestão de estrelas egocêntricas, ele achou que não estava fazendo progressos com King e que estava perdendo o controle do time. Foi quando ameaçou se retirar. E quando o gerente-geral Charlie Theokas lhe pediu que sugerisse um substituto, Loughery citou o meu nome de imediato. Fiquei um pouco atordoado quando soube disso, mas era bom saber que alguém da estatura de Kevin me achava capaz de fazer o trabalho. De qualquer forma, Loughery recuou. E, alguns meses depois, os Nets negociaram King para o Utah Jazz, onde passou a maior parte da temporada na reabilitação.

No início da temporada de 1979-80, Loughery me cortou do plantel dos jogadores da equipe, mas me ofereceu um emprego como assistente técnico, com um corte substancial de salário. Era o momento que sempre temi. Lembro que quando dirigi o carro até o centro de treinamento dos Nets em Piscataway, New Jersey, pensei comigo que nunca mais sentiria a emoção da batalha. Claro que também pensei que poderia ter alguns grandes momentos no futuro, mas, a menos que tivesse que passar por alguma crise de vida ou morte, talvez nunca mais tivesse outra experiência com a mesma intensidade que tivera como jogador da NBA.

Ser técnico não seria o mesmo ou pelo menos era assim que me sentia na ocasião. Ganhando ou perdendo, sempre estaria a um passo de ser removido da ação.

Em algum lugar nos arredores de Piscataway me flagrei em uma conversa imaginária com meu pai falecido poucos meses antes.

– Pai, o que devo fazer? – eu disse. – Será que passarei o resto da vida em um trabalho enfadonho e remoendo emoções?

Pausa.

– Como poderei fazer outra coisa na vida que não me seja tão significante como jogar basquete? Onde é que poderei encontrar um novo objetivo de vida?

Levei alguns anos para encontrar a resposta.

5
DANÇA COM OS BULLS

Não toque o saxofone.
Deixe que ele toque você.
CHARLIE PARKER

Não era a primeira vez que Jerry Krause me chamava para conversar sobre um trabalho com os Bulls. Três anos antes, Stan Albeck era técnico e Jerry me chamara para entrevista por conta de uma vaga de assistente técnico. À época era técnico em Porto Rico, de modo que cheguei barbado a Chicago e vestido ao estilo dos trópicos. No alto da cabeça ostentava um chapéu de palha equatoriano com uma pena de papagaio azul – muito em voga e prático nas ilhas. Albeck me olhou e invocou o seu poder de veto. Jerry havia rejeitado a primeira escolha de Stan para assistente técnico, e o veto de Stan talvez tivesse sido um troco. De qualquer forma, não me deram o trabalho.

Na segunda vez, Krause me aconselhou a fazer a barba e vestir um terno esporte e gravata. O novo técnico era Doug Collins, a quem muitas vezes enfrentara quando ele jogava como armador-ala e estrela do Philadelphia 76ers. Tratava-se de um técnico inteligente e enérgico contratado por Krause para substituir Albeck em 1986. Krause estava à procura de alguém capaz de motivar os jovens jogadores dos Bulls a tornarem-se uma equipe disposta a ganhar campeonatos – e Doug fez isso. Johnny Bach, que conhecia Doug dos seus dias com a equipe olímpica de 1972, dizia que ele o fazia se lembrar do conhecido pronunciamento do treinador Adolph Rupp, segundo o qual só existem dois tipos de técnico: o que lidera as equipes à vitória e o que apenas as *conduz*. Doug definitivamente encontrava-se na segunda categoria. Embora sem uma formação consistente como técnico, tinha uma energia ilimitada da qual se valia para incentivar os jogadores durante os grandes jogos.

Eu e Doug nos entendemos bem de imediato. No trajeto de volta ao meu hotel depois de um jantar com Jerry, Doug disse que estava procurando alguém que tivesse uma história de títulos conquistados nos campeonatos para inspirar os jogadores. Dois dias depois, Jerry me ofereceu um trabalho como assistente técnico e me deu outro conselho sobre algo que estava na moda. Era para que eu levasse os meus anéis de campeão na próxima vez que fosse a Chicago.

O time dos Bulls estava prestes a explodir. Ainda tinha alguns buracos na formação: o pivô Dave Corzine não era rápido nem habilidoso nos rebotes, e Brad Sellers era um ala de 2,10 metros que tinha problemas de lesões crônicas. Porém, o time tinha Charles Oakley, sólido ala de força e respeitável arremessador de longa distância, John Paxson e ainda Scottie Pippen e Horace Grant, dois alas novatos promissores que eram chamados por Bach de "os Dobermans", pois além de rápidos e agressivos conseguiam exercer uma defesa por pressão sufocante por toda a quadra.

A estrela, claro, era Michael Jordan, que florescera no ano anterior como o jogador mais transcendente do basquete. Além de ter conquistado o título de cestinha, com a média de 37,1 pontos por jogo, também testava os limites do desempenho humano com acrobacias no ar de tirar o fôlego. Pelo que eu sabia, Julius Erving era o único jogador que se aproximara dos saltos de Jordan, mas Dr. J. não tinha a extraordinária energia de Jordan, que era capaz de ter um grande desempenho em um jogo, um ainda mais inenarrável no dia seguinte e fazer tudo de novo dois dias depois.

Os Detroit Pistons eram o principal rival dos Bulls e tinham um time durão que orgulhosamente se referia a si mesmo como "os Bad Boys". Liderados pelo armador Isiah Thomas, os Pistons estavam sempre prontos para uma luta e tinham um time completo de brutamontes, entre os quais Bill Laimbeer, Rick Mahorn, Dennis Rodman e John Salley. No início de minha primeira temporada irrompeu uma briga entre Mahorn e Charles Oakley dos Bulls que gerou uma baita confusão. Doug Collins correu até a quadra para acalmar os ânimos e o arremessaram em cima da mesa do apontador. Johnny Bach também torceu o punho na tentativa de pacificar o clima. Mais tarde, Thomas se gabou de que os Pistons eram "o último time de gladiadores".

O time dos Pistons era composto de veteranos com astúcia e habilidade para explorar as fraquezas dos adversários. Frente aos Bulls isso implicava intimidação física e golpes sujos para desestabilizar emocionalmente os jogadores mais jovens e menos experientes. Mas essa tática não funcionava com Jordan, que não era facilmente intimidado. Para contê-lo, o técnico Chuck Daly bolou uma estratégia denominada "as Regras de Jordan", arquitetada para desgastá-lo com a rotação de diversos defensores que o batiam toda vez que estava com a bola. Jordan era um jogador extremamente resistente que em geral fazia cestas com dois ou três jogadores pendurados em cima dele, mas a estratégia dos Pistons funcionou – pelo menos inicialmente – porque os Bulls não tinham muitas outras opções ofensivas.

Meu trabalho consistia em viajar pelo país como olheiro das equipes que enfrentariam os Bulls nas semanas seguintes. Isso me deu a chance de observar em primeira mão a rivalidade dramática entre Magic Johnson, dos Lakers, e Larry Bird, dos Celtics, que havia transformado a NBA. Apenas alguns anos antes a liga passara por sérios apuros sob o peso de abuso de drogas e de egos incontroláveis. Mas agora voltava a decolar com jovens estrelas carismáticas e com duas das mais célebres franquias da liga que propiciavam um novo e excitante estilo ao basquete que era divertido de assistir.

O mais importante para mim é que esse trabalho era uma chance de fazer uma escola de pós-graduação de basquete, com duas das melhores mentes do jogo: Johnny Bach e Tex Winter. Eu já tinha experimentado nos cinco anos anteriores como treinador do Albany Patroons uma variedade de conceitos sobre como tornar o jogo mais justo e colaborativo, e um exemplo disso era o pagamento igualitário para todos os jogadores. Na conquista do campeonato na minha primeira temporada como técnico já me dera conta de que tinha o dom de fazer ajustes durante os jogos e de tirar o máximo proveito do talento do plantel. No entanto, passado algum tempo, percebi que meu ponto fraco como treinador era a falta de um treinamento formal. Eu não tinha frequentado a Hoops U nem qualquer das clínicas de verão onde os técnicos compartilhavam segredos técnicos e táticos. De modo que trabalhar com Johnny e Tex era uma chance de conseguir isso. E nesse processo acabei por perceber que algumas estratégias já esquecidas poderiam se revitalizar e se tornar relevantes para o jogo da atualidade.

Bach era um mestre no estilo agressivo do basquete cara a cara do Leste norte-americano – versão de jogo de tudo que se passa ao leste do Mississippi. Ele havia crescido no Brooklyn e jogado basquete e beisebol em Fordham e Brown, antes de ingressar na Marinha e servir no Pacífico durante a Segunda Guerra Mundial. Depois de curtas passagens pelo Boston Celtics e o New York Yankees, em 1950 foi nomeado um dos mais jovens técnicos de um grande time universitário de basquete, no Fordham. Em seguida, tornou-se um bem-sucedido técnico da Universidade do Estado da Pennsylvania por dez anos. Depois passou a ser assistente técnico na NBA e atuou brevemente como técnico do Golden State Warriors. Em 1972, já como assistente técnico da equipe olímpica dos EUA, Johnny se deu muito bem com Collins, que desempenhou um papel fundamental no controverso jogo da medalha de ouro. Collins marcou os dois lances livres que teriam vencido o jogo, se inexplicavelmente um funcionário do COI não decidisse colocar três segundos de volta no cronômetro depois que soou a campainha.

Ao contrário de Tex, Johnny não se detêve em qualquer sistema particular de jogo. Ele era uma enciclopédia ambulante de estratégias de basquete, que se baseava na rapidez do próprio raciocínio e na memória fotográfica para inventar maneiras criativas de ganhar os jogos. Muitas vezes eu estava à mesa do escritório e de repente Johnny aparecia com livros surrados de treinadores geniais que me eram desconhecidos e com videoteipes de equipes da NBA que ainda usavam movimentos de anos passados.

Uma vez eu estava sentado em frente ao meu videocassete, tentando decifrar o tipo de ataque utilizado pelo Milwaukee Bucks, e pedi a Johnny que olhasse o vídeo.

– Ora, isso é o ataque "cata-vento", do Garland Pinholster – ele disse depois que olhou, e acrescentou que Pinholster tinha sido um dos técnicos mais inovadores do país nas décadas de 1950 e 1960. Fora treinador no pequeno College Oglethorpe, na Geórgia, e acumulara um recorde de

180 vitórias e 68 derrotas, utilizando o *"continuous-motion offense"*, um ataque de movimentação contínua, que inventara antes de perder o interesse pelo basquete e passar a ingressar no negócio de armazéns e política de estado.

Johnny Bach, que se concentrava principalmente na defesa, cultivava um gosto especial pelo uso de imagens militares e a reprodução de clipes de filmes antigos de guerra para preparar os jogadores para a batalha. Um de seus símbolos favoritos era o ás de espadas, utilizado pelos fuzileiros navais na Segunda Guerra Mundial e que segundo Johnny era para honrar os camaradas abatidos. Quando Johnny desenhava um ás de espadas na prancheta, ao lado do nome de um jogador adversário, isso significava que a defesa dos Bulls teria que "matar" esse jogador cada vez que estivesse com a bola.

Eu não era tão empolgado com as imagens de guerra como Johnny, e então comecei a usar vídeos de músicas (e mais tarde clipes de filmes) durante minhas preleções. Comecei com a interpretação de "The Star-Spangled Banner", de Jimi Hendrix, e depois passei para as canções de David Byrne e para "We Are the Champions", de Freddie Mercury. Aprendi casualmente a usar os vídeos para passar mensagens sutis. Durante uma partida das finais produzi um vídeo com o hino dos Talking Heads, "Once in a Lifetime", uma canção sobre os perigos de perder o momento presente.

Sempre senti uma ligação estreita entre a música e o basquete. O jogo é rítmico por natureza e exige o mesmo altruísmo, uma comunicação não verbal encontrada nas melhores bandas de jazz. Certa vez, John Coltrane executava um longo solo na banda de Miles Davis que deixou o líder furioso.

– Que porra é essa? – gritou Miles.

– Meu eixo não queria parar; só isso, amigo – disse Coltrane. – Ele foi indo por si só.

– Tudo bem, mas sossega esse filho da puta.

Steve Lacy, que tocou com Thelonious Monk, fez uma lista dos conselhos de Monk para os membros da banda.

Eis a seleção:

- Só porque você não é baterista, não significa que não tenha que manter o tempo.
- Pare de tocar todas essas notas esquisitas (porcarias) e toque a melodia!
- Faça o baterista soar bem.
- Não toque a parte piano, eu a toco.
- Não toque tudo (ou toda vez); deixe algumas coisas no ar... O que você não toca pode ser mais importante do que o que está tocando.
- Se estiver no balanço, balance um pouco mais.
- Qualquer coisa que você ache que não pode ser feita logo será feita por alguém. O gênio é aquele que mais se parece consigo mesmo.
- Você tem que cavar e cavar; você cava?

O que amo na lista de Monk é a mensagem básica sobre a importância dos papéis claramente definidos de conscientização e colaboração, fatores que se aplicam tanto ao basquete como ao jazz. Descobri cedo que a melhor maneira de levar os jogadores a coordenar as ações era fazer com que jogassem no tempo de 4/4. A regra básica era que o jogador tinha que fazer alguma coisa com a bola antes da terceira batida: ou passar, ou arremessar ou driblar. Quando todos mantêm o tempo, torna-se mais fácil harmonizar um com o outro, batida por batida.

Quem compreendeu isso melhor que ninguém foi Tex Winter, outra grande mente do basquete do time dos Bulls. Além de especialista no ritmo do jogo ao estilo do basquete norte-americano do Oeste, Tex é mais conhecido pelo seu trabalho com o triângulo ofensivo – ou ataque triplo, como o chamava – que assimilou quando jogou para o treinador Sam Barry, da Universidade do Sul da Califórnia, USC. Embora não tenha inventado o triângulo ofensivo, Tex o expandiu com diversas inovações importantes, incluindo a criação de uma sequência de passes que propiciavam um movimento coordenado entre os jogadores. Tex também era um professor talentoso que projetava os próprios treinos de fundamentos para tornar os jogadores mais profícuos nas ações básicas.

Aos 29 anos ele conseguiu trabalho na Universidade de Marquette e tornou-se o mais jovem técnico da primeira divisão do campeonato universitário americano. Dois anos depois assumiu a equipe masculina da

Universidade do Estado do Kansas, quando implantou o triângulo e levou os Wildcats a constantes aparições nas finais das temporadas da NCAA. Foi nesse período que Jerry Krause, à época olheiro, fez amizade com Tex e com ele aprendeu estratégias de basquete em Manhattan, Kansas. Foi também nessa época que Jerry disse para Tex que caso se tornasse gerente-geral de uma franquia da NBA o contrataria antes de qualquer outra aquisição. Tex não deu importância na hora. Mas alguns anos depois era técnico na Universidade de Louisiana, e ao saber pela ESPN que Krause seria o gerente-geral de basquete dos Bulls disse para sua esposa Nancy que logo receberia um telefonema de Jerry. E estava certo.

Eu já estava à procura de um sistema ofensivo que se assemelhasse à movimentação de bola coletiva e não egoísta usada pelas equipes vencedoras dos Knicks desde que comecei como técnico na CBA (Associação Continental de Basquetebol). Fiz algumas tentativas com o flex, um sistema ofensivo de movimentação rápida e sequencial muito popular na Argentina e na Europa, mas limitado. Eu não gostava da forma como os jogadores se posicionavam entre si no ataque, além de que era difícil de improvisar e de criar situações diferentes quando a circunstância assim exigia. Em contrapartida, o triângulo não apenas requeria um elevado nível de desprendimento, como também era flexível e permitia aos jogadores uma grande dose de criatividade individual. Isso me serviu perfeitamente.

O triângulo recebe esse nome devido a um dos seus principais recursos – um triângulo lateral composto de três jogadores no "lado forte"* da quadra. Mas prefiro pensá-lo como "tai chi de cinco homens" porque envolve o deslocamento em conjunto dos cinco jogadores em resposta ao posicionamento defensivo. A ideia não é confrontar a defesa, mas fazer a leitura do posicionamento defensivo e responder adequadamente. Quando, por exemplo, a defesa se concentrava em cima de Michael Jordan em um lado da quadra, isso abria inúmeras opções para os outros quatro jogadores. Mas todos precisavam estar conscientes do que acontecia e coordenados em movimento sincronizado para tirar proveito das aberturas proporcionadas pela defesa. É aí que entrava a música.

---

* Lado direito ou esquerdo do ataque ou da defesa onde se encontra a bola. (N. do R.T.)

Quando todos se moviam em harmonia, era praticamente impossível detê-los. Talvez um dos maiores convertidos ao triângulo tenha sido Kobe Bryant, que amava a imprevisibilidade do sistema.

– Nosso time era difícil de enfrentar – diz Kobe. – Isso porque o adversário não sabia o que íamos fazer. Por quê? Porque *nós*, de momento a momento, também não sabíamos o que íamos fazer. Todos observavam e reagiam uns aos outros. Era uma grande orquestra.

Existem muitos equívocos a respeito do triângulo. Segundo alguns críticos, é preciso ter jogadores do calibre de Michael e Kobe para fazê-lo funcionar. Na verdade, o inverso é verdadeiro. O triângulo não foi projetado para as estrelas que a despeito do sistema usado sempre encontram um jeito de pontuar, mas sim para os outros jogadores que não conseguem criar os próprios arremessos. O triângulo também proporciona um papel vital no ataque a todos os jogadores, quer acabem arremessando ou não.

Outro equívoco é que o aprendizado do triângulo é complicado para a maioria dos jogadores. Na verdade, uma vez dominados os fundamentos do jogo, é bem mais fácil assimilar o triângulo do que os complexos sistemas ofensivos que predominam. O fundamental é saber como passar a bola e fazer a leitura da defesa adversária com precisão. Embora sejam habilidades que a maioria dos jogadores aprende na escola ou na faculdade, isso não se aplica a muitos dos jovens que entram na NBA em nossos dias. Como resultado, perde-se muito tempo até que aprendam a jogar corretamente, a começar pelos fundamentos básicos, como o drible com controle e a coordenação dos pés e dos passes.

Tex era um mestre nisso. Já tinha desenvolvido uma série de exercícios para que os jogadores aprendessem a executar os fundamentos. Ele os treinava de modo que soubessem manter uma distância apropriada entre eles na quadra e coordenar os movimentos segundo um conjunto de regras básicas. De acordo com Tex a genialidade estava nos detalhes, e não importava se você era Michael Jordan ou um calouro qualquer da equipe; ele ficava em cima até que você fizesse direito.

Tex amava os provérbios inspiradores e, cada ano, recitava para o time um provérbio que acentua a importância de estar atento aos detalhes:

Por falta de um prego perdeu-se a ferradura.
Por falta de uma ferradura perdeu-se o cavalo.
Por falta de um cavalo perdeu-se o cavaleiro.
Por falta de um cavaleiro perdeu-se a mensagem.
Por falta de uma mensagem perdeu-se a batalha.
Por falta de uma batalha perdeu-se o reino.
E tudo por falta de um prego na ferradura.

Um aspecto no sistema de Tex que me agradava era o fato de que sob a perspectiva da liderança *despersonalizava-se o criticismo*. Só era permitido criticar o desempenho dos jogadores se eles não pensassem que estavam sendo atacados pessoalmente. Os jogadores de basquete profissional são altamente sensíveis à crítica, mesmo porque quase tudo que fazem é julgado diariamente pelos técnicos e a mídia e por todos que possuem uma TV. A beleza do sistema – o que se aplica aos sistemas em geral e não apenas ao triângulo – é o de transformar qualquer equipe em uma *organização de aprendizagem*. Todos, de Michael para baixo, tinham algo a aprender, sem diferenciação entre os talentosos e os sem talento. Dessa maneira, quando eu pegava pesado com algum jogador no treino, ele sabia que era apenas para fazê-lo entender o funcionamento do triângulo ofensivo. Como já disse, o caminho para a liberdade é um sistema maravilhoso.

Outro aspecto que me agradava era a segurança do sistema que servia de apoio aos jogadores quando estavam sob estresse. Eles não tinham a pretensão de ser como Mike e de inventar cada movimento que fazia. Só tinham que fazer a parte deles no sistema, conscientes de que inevitavelmente isso produziria boas oportunidades de converter pontos.

Além de propiciar um objetivo claro aos jogadores como grupo, o sistema também estabelecia um alto padrão de desempenho para todos. Ainda mais importante, ajudava a transformá-los em líderes à medida que uns ensinavam para os outros a dominar o sistema. E, quando isso acontecia, o grupo se unia de tal maneira que até mesmo os momentos mais emocionantes de glória individual eram deixados de lado.

* * *

Doug Collins não se encantava tanto com o sistema quanto eu. Ao assumir os Bulls, em 1986, ele se esforçou para incrementá-lo, mas logo o abandonou porque não se encaixava bem na armação defensiva que queria que o time executasse. Collins professava com fervor uma das principais regras de Hank Iba: os armadores deviam voltar para o meio da quadra com propósito defensivo assim que houvesse rebotes ou reposições da bola. O desafio do triângulo ofensivo é que geralmente esse sistema requer que o armador se mova para um dos cantos para compor um triângulo com outros dois jogadores. E isso dificulta a volta deles para defender contra-ataques rápidos do adversário.

Enfim, Doug deixou o triângulo de lado, mas não o substituiu por outro sistema. Preferiu fazer com que os jogadores aprendessem um repertório de quarenta a cinquenta jogadas que estivessem em constante fluxo. E com base ao que assistia na quadra cantava as jogadas à margem da linha lateral à medida que o jogo avançava. Um estilo de jogo comum na NBA e muito bem-adaptado por Doug. Ele tinha uma visão excepcional da quadra e se eletrizava durante os jogos, o que tinha a desvantagem de deixar os jogadores excessivamente dependentes das ininterruptas instruções do treinador que transformava a todos em atores coadjuvantes, exceto Michael, uma vez que inúmeras jogadas eram projetadas para capitalizar sua genialidade como cestinha. Geralmente o ataque dos Bulls consistia em quatro jogadores que abriam espaços e depois observavam enquanto Michael Jordan operava a magia. A imprensa já começava a se referir sarcasticamente aos Bulls como Jordan e os Jordanetes.

No meu primeiro ano no centro de treinamento comentei com Doug que Michael fazia demais por conta própria e que era preciso se mirar no exemplo de Magic Johnson e Larry Bird, que trabalhavam juntos com os outros para formar um time. E acrescentei que, segundo Red Holzman, "a verdadeira marca da estrela é o quanto faz para melhorar os companheiros".

– Isso é ótimo, Phil – retrucou Doug. – Mas é preciso dizer isso para o Michael. Por que não diz isso para ele agora?

Hesitei.

– Só estou aqui há um mês, Doug. Não sei se já tenho intimidade suficiente com Michael para lhe dizer o que Red dizia.

Mas Doug insistiu para que eu explicasse "a marca da estrela" para Michael.

Então, dirigi-me à sala de imprensa onde Michael conversava com os repórteres e o puxei de lado. Era minha primeira conversa de verdade com ele e me sentia um pouco acabrunhado. Falei que Doug achava que ele deveria ouvir o que Red Holzman pensava a respeito de uma estrela e depois repeti a conhecida frase. Michael me observou por alguns segundos.

– Tudo bem, obrigado – disse e afastou-se.

Não faço ideia do que Michael Jordan achou daquele meu pronunciamento, mas o que aprendi mais tarde é que era muito mais treinável do que outras estrelas porque tinha um profundo respeito pelo seu técnico da universidade, Dean Smith. E também tinha um grande interesse em fazer o que fosse para ganhar seu primeiro campeonato na NBA.

O único outro momento em que tive uma troca pessoal com Michael ainda como assistente técnico foi durante um almoço informal com os sócios torcedores do Chicago. Meu filho Ben, que ainda cursava o ensino médio, era um fã ardoroso de Michael. Tinha muitas fotos dele no quarto e um dia chegou a dizer para um dos professores que o maior sonho de sua vida era conhecer o seu ídolo. No ano anterior ainda residíamos em Woodstock quando levei Ben para assistir a um jogo dos Bulls contra os Celtics em Boston, e após o jogo ele esperou por um longo tempo para conseguir um autógrafo do seu ídolo. E quando finalmente Michael saiu do vestiário passou direto em outra direção. Mas agora com os Bulls resolvi levar Ben para o almoço e apresentá-lo pessoalmente ao seu ídolo. Durante a conversa mencionei para Michael a longa espera de Ben no Boston Garden. Ele sorriu e foi muito gentil com Ben, mas me senti desconfortável por tê-lo colocado no pedestal.

Depois disso, me obriguei a não pedir qualquer favor especial a M. J. Eu queria que tivéssemos um relacionamento bem claro. E não queria me tornar um instrumento dele. Mais tarde, quando assumi o cargo de técnico do time, adotei a política de dar bastante espaço para Michael. Estabeleci um ambiente protetor de maneira que pudesse ser ele mesmo e tivesse um relacionamento livre com os companheiros de time sem se preocupar com os intrusos do mundo exterior. Mesmo naqueles primeiros dias o clamor dos torcedores que tentavam arrancar um pedacinho de

Michael Jordan era incompreensível. Ele era perseguido nos restaurantes, e na maioria dos hotéis os funcionários se perfilavam do lado de fora do quarto à espera de autógrafos. Uma noite, após um jogo em Vancouver, tivemos que literalmente jogar dezenas de adoradores de Jordan para fora do ônibus do time para que pudéssemos sair do estacionamento.

Um dos jogadores com quem trabalhava mais de perto no meu tempo de assistente técnico era Scottie Pippen. Ambos começamos na equipe no mesmo ano e passei um bom tempo ajudando-o a arremessar após o drible. Scottie aprendia com rapidez e se dedicava a absorver o funcionamento do triângulo. Ele tinha sido um armador na faculdade antes de se tornar um ala e possuía uma noção inata de como todas as peças se encaixavam na quadra. Scottie tinha braços longos e uma excelente visão de quadra, o que o tornava ideal para capitanear nossa defesa agressiva.

Mas o que mais me impressionou acabou sendo o desenvolvimento de Scottie ao longo do tempo como líder – sem imitar Michael, ensinava os companheiros de equipe a jogar dentro do sistema e sempre oferecia um ouvido compassivo quando tinham problemas. Isso foi crucial porque Michael não era muito acessível aos outros atletas que muitas vezes se sentiam intimidados com a presença dele. Scottie era alguém a quem podiam recorrer e que sempre estava de olho neles na quadra. Como dizia Steve Kerr: "Scottie era o educador, e Michael, o executor."

Os Bulls começaram a decolar durante a minha primeira temporada com a equipe, em 1987-88. Ganhamos 50 jogos e terminamos empatados em segundo lugar na dura Divisão Central. Michael continuou subindo e conquistou o seu segundo título como cestinha e o seu primeiro MVP (Most Valuable Player), prêmio de melhor jogador da temporada. O sinal relevante surgiu com a vitória de 3-2 sobre o Cleveland Cavaliers na primeira rodada das finais. Mas os Pistons derrotaram os Bulls em cinco jogos na disputa da Conferência Leste e seguiram até as finais do campeonato contra os Los Angeles Lakers.

Durante as férias, Jerry Krause negociou Charles Oakley para os Knicks em troca de Bill Cartwright, uma mudança que enfureceu Jordan porque Oakley o protegia na quadra. Jordan passou a fazer piadas com os "dedos de manteiga" de Cartwright e o apelidou de "Medical Bill" por conta de constantes problemas clínicos nos pés. Mas, apesar de seus ombros pequenos e de sua constituição estreita, Bill era inteligente e um defensor sólido como uma rocha que poderia anular Patrick Ewing e outros grandalhões. Uma vez fizemos um exercício no treino que acabou por colocar o 1,98 metro de Jordan contra os 2,15 metros de Cartwright em uma batalha de desejos. Jordan estava determinado a enterrar a bola na cesta por cima da cabeça de Cartwright, e este por sua vez estava igualmente determinado a não deixar que isso acontecesse. Até que os dois se chocaram no ar e todos prenderam a respiração quando Bill desceu Michael com suavidade até o chão. Depois disso, Jordan mudou de atitude com Cartwright.

Cartwright não era a única arma que a equipe precisava para alcançar um nível acima. Collins estava batalhando arduamente para que Krause encontrasse um armador forte que pudesse orquestrar o ataque tal como Isiah Thomas no Detroit. Mas alguns dos principais armadores – como Sedale Threatt, Steve Colter e Rory Sparrow – já tinham passado pela equipe e não haviam atendido às expectativas de Jordan. Sam Vincent, o último candidato, chegara de Seattle após uma troca e não durou muito tempo. Foi quando Doug decidiu fazer de Jordan o armador. Isso funcionou, mas reduziu as opções de cestas e o desgastou fisicamente durante a temporada regular.

A certa altura, Doug teve uma discussão acalorada com Tex sobre o dilema do armador. Tex argumentou que se Doug instituísse um sistema ofensivo – qualquer um e não necessariamente o triângulo – não seria preciso deixar tudo nas mãos do armador para executá-lo. Mas Doug já estava cansado de ouvir a constante ladainha de críticas de Tex e resolveu bani-lo para fora das linhas e reduzir o papel que ele tinha como assistente técnico.

Quando Krause soube disso, começou a perder a fé nas decisões de Doug. Por que alguém na posse da razão exilaria Tex Winter para a Sibéria? Os jogadores também pareciam perder a fé em Doug. Ele mudava as jogadas com muita frequência – muitas vezes modificando-as no meio dos jogos –, e o time levianamente começou a se referir às mudanças repentinas do ataque como "uma jogada por dia".

O ponto crítico ocorreu durante um jogo em Milwaukee antes do Natal. Doug discutiu com os árbitros e o tiraram da quadra no final do primeiro tempo. Ele me entregou a prancheta de jogo e deixou o time comigo. Os Bulls estavam muito atrás e lhes disse que fizessem pressão defensiva por toda a quadra e que tivessem a liberdade para atacar, deixando as jogadas de Doug de lado. O time rapidamente virou o jogo e venceu com folga.

Só depois fiquei sabendo que a TV Chicago transmitiu até o final do jogo a imagem de minha esposa June sentada ao lado de Krause e sua esposa Thelma. Isso e outras coisas mais produziram um ambiente tenso entre mim e Doug ao longo dos meses seguintes.

Algumas semanas depois estava me preparando para observar um jogo em Miami quando Krause me telefonou e disse que não me queria mais distante do time. Fiquei sabendo mais tarde que Doug e Jordan tinham tido um atrito e que Jerry me queria por perto para intervir caso houvesse mais atritos no time. Passado algum tempo, Jerry começou a confiar em mim.

As coisas se acalmaram como que por acaso, mas os Bulls tropeçaram pelo resto da temporada e terminaram em quinto lugar na conferência, com três vitórias a menos que no ano anterior. No entanto, com a inclusão de Cartwright e a ascensão de Pippen e Grant, o time posicionou-se bem melhor do que antes e iniciou uma forte corrida rumo às finais.

A primeira rodada das finais chegou a cinco jogos contra os Cavaliers, mas Jordan estava explodindo de confiança ao embarcar no ônibus para a final em Cleveland. Ele acendeu um charuto e disse:

– Sem preocupação, pessoal. Nós vamos ganhar.

Craig Ehlo, do Cleveland, quase o fez engolir essas palavras quando colocou os Cavs à frente por um ponto com poucos segundos restantes. Mas Jordan respondeu com um arremesso em dois tempos com Ehlo em sua cola e ganhamos o jogo por 101-100.

– Acho que agora eles não vão trocar de treinador tão cedo – disse-me Tex em seguida.

Sorri sem me importar com isso porque estávamos a caminho para as finais da Conferência Leste. Os Bulls haviam percorrido uma longa jornada desde o recorde de 40 vitórias e 42 derrotas do ano anterior quando me juntei ao time.

Em seguida, enfrentamos os Pistons e, como de costume, a coisa acabou feia. Chicago venceu o primeiro jogo no Silverdome, mas depois os Pistons dominaram os Bulls com uma defesa intimidadora e venceram a série por 4-2. Mais tarde, Krause me confidenciou que no meio da última série tinha dito para o proprietário Jerry Reinsdorf que o time precisava substituir Collins por um treinador capaz de conquistar um campeonato.

Após as finais compareci à vitrine de talentos da NBA em Chicago, um evento organizado pela liga onde os prováveis atletas elegíveis mostravam suas habilidades para técnicos e olheiros. A certa altura, Dick McGuire, que tinha sido o meu primeiro treinador com os Knicks, me perguntou se eu estava interessado em substituir o treinador Rick Pitino em Nova York, que passaria a treinar a Universidade de Kentucky. Falei que me interessava e de repente as rodas estavam em movimento.

Logo depois, Reinsdorf marcou um encontro comigo no aeroporto O'Hare. Sempre gostei de Krause porque ele tinha crescido no Brooklyn e era um adepto do estilo solidário de basquete dos Knicks. Enfim, ele já sabia do meu interesse em trabalhar em Nova York e me perguntou se eu queria ser técnico dos Bulls ou dos Knicks. Falei que tinha um grande apreço por Nova York porque já tinha jogado lá, mas que por outro lado achava que os Bulls estavam prestes a ganhar alguns campeonatos e que os Knicks só ganhariam um com muita sorte. Conclusão, respondi que preferia permanecer nos Bulls.

Algumas semanas depois, Krause telefonou para Montana e me pediu para procurar um telefone seguro. Saí de moto pela cidade e fiz a ligação de um telefone público. Krause me disse que ele e Reinsdorf tinham decidido fazer uma troca de técnicos e me ofereceu o cargo.

Fiquei emocionado, mas em Chicago os torcedores não ficaram nada satisfeitos. Collins era uma figura popular na cidade e nos três anos anteriores tinha levado o time a novas alturas. Os repórteres então quiseram saber por que Reinsdorf tinha feito uma jogada tão arriscada.

– Doug nos fez percorrer um longo caminho até onde estamos – ele respondeu. – Ninguém pode dizer que ele não foi produtivo. Mas agora temos um homem capaz de nos levar pelo resto do caminho.

Começava a pressão.

6

ESPÍRITO GUERREIRO

*Pense suavemente a respeito de si mesmo e
profundamente a respeito do mundo.*
MIYAMOTO MUSASHI

Naquele verão eu estava em Flathead Lake, Montana, e enquanto refletia sobre a próxima temporada me dei conta de que aquela era a hora e a vez dos Bulls. Nos últimos seis anos tínhamos lutado para compor uma equipe em torno de Michael Jordan. E agora reuníamos talentos suficientes para ganhar um campeonato, mas ainda faltava uma peça importante. Em uma palavra, os Bulls precisavam se tornar uma tribo.

Para termos sucesso seria necessário passar pelo Detroit Pistons, mas não poderíamos derrotá-los se não tivéssemos uma formação completamente diferente. Eles eram muito bons combatentes dentro da "cova do leão", como bem dizia Johnny Bach. E, quando tentávamos jogar o jogo à maneira deles, nossos jogadores acabavam frustrados e irritados, e isso era exatamente o que os Pistons queriam.

Mas nossa equipe teria que correr mais do que os Pistons – e também marcá-los melhor. Afora Dennis Rodman, ninguém nos Pistons era veloz o bastante para acompanhar Michael, Scottie e Horace em contra-ataques. E com a formidável presença de Bill Cartwright sob a cesta, tínhamos os ingredientes de uma das melhores equipes defensivas da liga. M. J. estava orgulhoso em ter recebido o prêmio de Melhor Jogador Defensivo do Ano que tinha conquistado na temporada anterior, e Scottie e Horace estavam se desenvolvendo rapidamente em defensores de primeira linha. Mas para explorar essas vantagens precisávamos estar mais conectados como equipe e adotar uma visão mais ampla do trabalho em conjunto do que simplesmente passar a bola para Michael e esperar pelo melhor.

Ainda como assistente técnico eu tinha produzido um vídeo para os jogadores, com clipes de *The Mystic Warrior*, uma minissérie de televisão sobre a cultura sioux baseada no romance best-seller *Hanta Yo*, de Ruth Beebe Hill. Desde pequeno eu era fascinado pelos sioux, até porque alguns viviam na pensão do meu avô situada nas proximidades de uma reserva em Montana. Nos meus tempos dos Knicks, um amigo lakota sioux da faculdade chamado Mike dos Muitos Cavalos Dela me pediu para que ministrasse uma série de clínicas de basquete na reserva Pine Ridge Indian, em Dakota do Sul. O objetivo era ajudar a curar a fissura causada em sua comunidade em 1973 pelo impasse entre policiais e ativistas indígenas norte-americanos no local do massacre de Wounded Knee. Acabei descobrindo durante essas aulas que ministrava junto com meus companheiros de equipe Bill Bradley e Willis Reed que o povo lakota amava o basquete e o jogava com um espírito de conexão ardoroso que era parte de sua tradição tribal.

Uma das coisas que me intrigavam a respeito da cultura lakota era a visão que tinha do *Eu*. Os guerreiros lakota eram muito mais autônomos do que seus correspondentes brancos, mas essa liberdade era assumida com um alto grau de responsabilidade. Segundo o estudioso dos nativos norte-americanos, George W. Linden, o guerreiro lakota era "um membro da tribo, e como tal nunca agia contra nem à margem ou *como* um todo sem uma boa razão". Para os sioux, a liberdade não significava estar ausente e sim estar presente, acrescenta Linden. Isso implicava "liberdade *para*, liberdade para realizar relacionamentos maiores".

Meu objetivo ao exibir o vídeo *The Mystic Warrior* era o de levar os jogadores a entender que uma conexão com algo para além de suas metas individuais poderia ser uma fonte de grande poder. O herói da série vagamente inspirado em Crazy Horse parte para a batalha a fim de salvar a tribo depois de vivenciar uma poderosa visão. No debate que tivemos após o vídeo, os jogadores se mostraram tocados com a ideia de se unirem como uma tribo, e pensei que poderia erigi-la enquanto nos preparávamos para a nova temporada.

Como mencionei no primeiro capítulo, os especialistas de gestão Dave Logan, John King e Halee Fischer-Wright descrevem as cinco etapas do desenvolvimento tribal no livro *Tribal Leadership*. Meu objetivo no primeiro ano como técnico principal era transformar os Bulls de um time que estava na etapa 3 dos guerreiros solitários empenhados no seu próprio sucesso individual ("*Eu sou* o máximo e você não é") em um time da etapa 4, na qual a ênfase no Nós ultrapassa a ênfase no Eu ("*Nós somos* o máximo e vocês não são").

Mas para fazer essa transição seria necessário mais do que simplesmente acalorar os ânimos. Eu queria uma cultura de não egoísmo e discernimento consciente para os Bulls. E para fazer isso não podia confiar apenas em uma ou duas técnicas motivacionais inovadoras. Era preciso inventar um programa multifacetado que incluísse o triângulo ofensivo e também as lições sobre a união de pessoas e o despertar do espírito que eu havia aprendido ao longo dos anos.

Meu primeiro passo foi conversar com Michael.

Eu sabia que Michael não era fã do triângulo. Ele se referia sarcasticamente ao sistema como "ataque das oportunidades iguais" projetada para uma geração de jogadores sem as habilidades criativas que ele tinha na quadra. Mas por outro lado eu sabia que Michael queria fazer parte de um time mais integrado e multidimensional do que a encarnação da equipe dos Bulls naquele momento.

Não seria uma conversa fácil. Michael acabara de ganhar o terceiro título consecutivo de pontuação na temporada anterior, com uma média de 32,5 pontos por jogo, e meu plano era basicamente lhe pedir que reduzisse o número de arremessos que fazia para que os outros atletas se envolvessem mais no ataque. Claro que isso seria um desafio: ele era o segundo jogador a conquistar o título de cestinha e o prêmio de melhor jogador da liga no mesmo ano, sendo o primeiro Kareem Abdul-Jabbar, em 1971.

Falei para Michael que estava planejando incrementar o triângulo, e com isso ele provavelmente não conquistaria outro título de pontuação.

– Você precisa dividir o palco com seus companheiros de equipe – acrescentei. – Se não fizer isso, eles não poderão crescer.

A reação dele foi surpreendentemente pragmática. Sua principal preocupação era a desconfiança que sentia em relação aos companheiros de equipe, sobretudo Cartwright, que tinha dificuldades em receber os passes, e Horace, que não era muito hábil em pensar e reagir com rapidez.

– O mais importante é que todos possam tocar na bola – repliquei –, para que não se sintam como espectadores. Não se pode vencer uma boa equipe defensiva com um único homem. Precisa ser o esforço de uma equipe.

– Tudo bem, eu acho que poderei fazer uma média de 32 pontos – ele disse. – São oito pontos por quarto de jogo. Nenhum outro jogador vai fazer isso.

– Bem, se você coloca dessa maneira, talvez você *possa* ganhar o título – eu disse. – Mas que tal marcar um pouco mais desses pontos no final do jogo?

Michael aceitou dar uma chance ao meu plano. Logo após a nossa conversa, fiquei sabendo que ele tinha dito para o repórter Sam Smith: "Eu vou dar para ele dois jogos." Mas quando percebeu que eu não voltaria atrás, dedicou-se a assimilar o sistema e a descobrir maneiras de tirar proveito dele, o que era exatamente o que esperava que ele fizesse.

Era divertido assistir à discussão de Tex e Jordan sobre o sistema. Tex admirava a habilidade de Jordan, mas era um purista quanto ao triângulo e não se intimidou em dar umas broncas quando Michael fugia do sistema. Mas Jordan também não se intimidou ao arquitetar variações na bela máquina de Tex. E pensava que o sistema funcionava melhor nos três primeiros quartos. Depois disso, a equipe precisaria improvisar e se valer do "poder do pensamento" para ganhar os jogos.

Foi um choque de visões. Tex achava que era teimosia para a equipe depender tanto de um único jogador, por mais talentoso que fosse. Jordan argumentou que sua criatividade abria novas possibilidades e entusiasmo para o jogo.

– Não existe o *Eu* na palavra "time" – disse Tex.

– Mas a palavra "venceu" inclui – replicou Jordan sorrindo.

Até onde sei ambos estavam com a razão – até certo ponto. Eu não acreditava que o triângulo em si era a resposta para os Bulls. O que estava procurando era o caminho do meio, entre o purismo de Tex e a criatividade de Michael. Isso levou algum tempo, mas depois que os jogadores assimilaram o básico adicionamos algumas variações no sistema que permitiram à equipe definir certas jogadas em movimento para romper a intensa pressão defensiva. E, quando isso aconteceu, o jogo dos Bulls realmente decolou.

Outra mudança que introduzi no sentido de tornar os Bulls menos centralizados em Jordan foi mexer na hierarquia da equipe. Embora tivesse uma poderosa presença na quadra, o estilo de liderança de Jordan era diferente do estilo de Larry Bird ou Magic Johnson, cujas lideranças galvanizavam a equipe com suas personalidades magnéticas. Como bem colocou Mark Heisler, colunista do *Los Angeles Times*, Jordan não era "um líder natural, era um fazedor natural". Ele dirigia a equipe com a força de sua vontade, como se dissesse para os outros: "Vou por aqui, pessoal, e vou chutar alguns traseiros. Vocês vão comigo?"

Michael também exigia dos companheiros o mesmo alto padrão de desempenho que exigia de si mesmo.

– Michael era um companheiro exigente – diz John Paxson. – Se você entrasse na quadra, teria que fazer o trabalho e fazer da maneira certa. Ele não aceitava que ninguém fizesse menos do que ele fazia.

Achei que precisávamos de outro líder na equipe para equilibrar o perfeccionismo de Jordan e nomeei Bill Cartwright como cocapitão. Apesar de agir com fala mansa, ele era astutamente forte quando queria ser e não se intimidava quando enfrentava Jordan, o que este respeitava.

– Bill era um líder caladão – diz Michael. – Não falava muito, mas quando falava todo mundo ouvia. Sempre me desafiava quando sacava que eu estava fora do propósito. Isso era bom. Tínhamos um relacionamento assim. Nós nos desafiávamos.

Os jogadores o chamavam de "Professor" porque Cartwright levava aqueles outros grandalhões para a escola quando tentavam passar por ele no garrafão.

– Bill era a rocha física de nossa equipe – diz Paxson. – Não recuava para ninguém... e assim o jogo tornava-se muito mais físico. Ele era como um irmão mais velho. Se alguém mexesse com você, ele o fazia saber que estava ali e que olhava por você.

Com 32 anos, Bill era o jogador mais velho do time. Ele sabia instintivamente o que estávamos tentando fazer com os Bulls e tinha um dom para explicar isso para os jogadores melhor do que eu. Um dos meus pontos fracos é que às vezes faço digressões quando estou falando. Bill trazia a conversa de volta à Terra.

O basquete é um grande mistério. Você pode fazer tudo certo. Pode ter a combinação perfeita de talentos e o melhor sistema ofensivo no jogo. Pode elaborar uma estratégia defensiva infalível e preparar os jogadores para cada eventualidade possível. Mas de nada valem os seus esforços quando os jogadores não têm um senso de unidade enquanto grupo. E o vínculo que une uma equipe pode ser muito frágil, muito fugaz.

Unidade não é algo que se pode ligar com um botão. É preciso criar um ambiente adequado para que floresça e alimentá-la com zelo a cada dia. Decidi então que os Bulls precisavam de um santuário, onde os jogadores estivessem protegidos de todas as distrações do mundo exterior e pudessem se unir como equipe. Eu os proibi de levar família e amigos para o centro de treinamento, salvo em ocasiões especiais. E também restringi a observação dos treinos pelos meios de comunicação. Isso era para que os jogadores pudessem agir naturalmente durante os treinos, sem que tivessem que se preocupar com o que era feito ou com o que era dito e possivelmente publicado nos jornais do dia seguinte.

À medida que a temporada progredia, eu introduzia pouco a pouco na equipe alguns costumes tribais dos lakota. Costumes que às vezes eram bem sutis. No início de cada treino, o núcleo da equipe – jogadores, técnicos e pessoal de apoio – fazia um círculo no centro da quadra para discutir os objetivos daquele dia. E encerrávamos o treino da mesma maneira.

Os guerreiros lakota se reuniam em formações circulares porque o círculo era um símbolo da harmonia fundamental do universo. Como disse Alce Negro, o conhecido sábio lakota:

"Tudo o que o Poder do Mundo faz se faz em círculos. O céu é redondo e soube que a Terra é redonda como uma bola, e também o são as estrelas... O sol aparece e desaparece em um círculo. A lua faz o mesmo, e ambos são redondos. Até as estações fazem um grande círculo quando mudam e sempre retornam para onde estavam. A vida do homem faz um círculo da infância para a infância, e isso se dá em tudo por onde o poder se move."

Para o povo lakota tudo é sagrado – até mesmo o inimigo. Isso porque para eles existe uma interconexão fundamental de toda a vida. E, por essa razão, os guerreiros lakota não visavam conquistar outras tribos. Estavam muito mais interessados em realizar atos de bravura, como o de contar os golpes (tocar no inimigo com uma vara), participar de rodeios para roubar cavalos ou resgatar outros guerreiros da tribo que tinham sido capturados. Para os lakota partir para a batalha era uma experiência tão jubilosa quanto a de participar de um jogo, se bem que as apostas eram obviamente bem maiores.

Outra prática lakota que adotei no time era de bater um tambor quando queria que os jogadores se reunissem na sala tribal para uma reunião. A sala tribal – na verdade, a sala de vídeo – era decorada com diversos totens indígenas que tinham me presenteado ao longo dos anos: um colar de garras de urso (para poder e sabedoria), uma pena de coruja (para equilíbrio e harmonia), um quadro que ilustrava a história da jornada de Cavalo Louco e fotos de um búfalo branco recém-nascido, símbolo de prosperidade e boa sorte. Quando a equipe perdia um jogo particularmente esquisito, às vezes eu acendia um bastão de ramos de sálvia – uma tradição lakota – e o sacudia jubilosamente no ar para purificar o vestiário. Na primeira vez que fiz isso, os jogadores me provocaram.

– Phil, que erva é essa que você está fumando aí?

A comissão técnica também desempenhou um papel fundamental nos esforços para a mudança do estado de consciência dos jogadores. Eu ainda era assistente técnico quando costumava me sentar com Tex e Johnny para conversar por horas a fio sobre a história do jogo e a maneira certa de jogar. Não concordávamos em tudo, mas fazíamos de tudo para assumir um alto nível de confiança e o compromisso de modelar o tipo de trabalho em equipe que queríamos que os jogadores abraçassem.

É desnecessário dizer que a profissão de técnico atrai um grande número de manipuladores malucos que sempre lembram a todos que eles são o próprio cão alfa do espaço. Fiquei conhecido por fazer isso por conta própria. Mas o que aprendi ao longo dos anos é que a abordagem mais eficaz é a de delegar autoridade tanto quanto possível e também cultivar as habilidades de liderança de todos os outros. Quando você consegue realizar isso, além de ajudar a construir a unidade da equipe e dar ensejo a que os outros se desenvolvam, paradoxalmente também reforça o seu papel como líder.

Alguns técnicos limitam a interferência da equipe porque querem ser eles próprios a voz dominante na sala. Mas eu encorajava todos a participar dos debates – técnicos e jogadores – para estimular a criatividade e definir um tom de inclusão. Isso é especialmente importante para os jogadores que não passam muito tempo no jogo. Eis o meu poema favorito sobre o poder de inclusão: "Círculo", de Edwin Markham.

> *Ele desenhou o círculo que me excluía –*
> *Herege, rebelde, algo a desprezar.*
> *Mas o amor e eu fomos espertos para vencer:*
> *Traçamos um círculo que o prendeu!*

A estratégia que adoto quando contrato a comissão técnica é me cercar dos mais fortes e mais experientes que encontro e dar espaço a todos para se expressarem. Logo depois que assumi como técnico, contratei Jim Cleamons, um ex-companheiro de equipe nos Knicks, para preencher o quadro. Além de ter sido um dos armadores mais qualificados no jogo, ele poderia ajudar a prover os nossos jovens talentos. Mas o que mais o tornava querido para mim é que ele treinara e jogara na Universidade do Estado de Ohio sob a orientação do técnico Fred Taylor, um dos melhores estrategistas de sistema de jogo na história do esporte. Tex e Johnny mal podiam esperar pelo cérebro de Jim.

Cada assistente técnico tinha um papel definido. Tex era encarregado de aprimorar as habilidades ofensivas de todos, bem como os fundamentos básicos do sistema do triângulo ofensivo. Johnny supervisionava a defesa e era especialista em fazer os jogadores ficarem ligados para cada novo adversário. E Jim trabalhava individualmente com os jogadores que mais precisavam de instrução. Toda manhã me encontrava com a comissão técnica no desjejum para discutir os detalhes do plano de treino, bem como as últimas estatísticas atualizadas. E com isso compartilhávamos informações uns com os outros e nos certificávamos se estávamos todos no mesmo passo em termos de estratégia do dia a dia. Cada membro da comissão tinha um alto grau de autonomia, mas quando conversávamos com os jogadores o fazíamos com uma única voz.

Naquele primeiro ano a equipe teve um início lento. A maioria dos jogadores ainda estava desconfiada do sistema.

– Foi frustrante – diz Scottie. – Não tínhamos um bom entrosamento entre nós. E no final dos jogos deixávamos o ataque de lado porque ainda não tínhamos confiança nele.

No entanto, na segunda metade da temporada, a equipe começou a se sentir mais confortável e fizemos uma sequência de 27 vitórias e oito derrotas. A maioria das equipes adversárias se atrapalhava na marcação de Michael, e ele já estava se movimentando mais sem a bola. Os adversários não podiam mais utilizar a marcação dupla e tripla que usavam quando ele tinha a posse da bola, mas também não podiam se dar ao luxo de tirar o olho de cima dele, sem que importasse onde ele estava, e isso propiciava muitas aberturas inesperadas para os outros jogadores.

Terminamos em segundo lugar em nossa divisão, com um recorde de 55-27, e passamos rapidamente pelas duas primeiras séries das finais, contra o Milwaukee e o Philadelphia. Mas o adversário seguinte, Detroit, não era tão acolhedor. Embora tivéssemos vencido os Pistons na temporada regular, as memórias da surra que havíamos tomado nas finais anteriores ainda assombravam alguns jogadores, especialmente Scottie, que saíra contundido do jogo 6 depois de ter sido atingido por trás pelo pivô Bill Laimbeer. Scottie também lidava com uma difícil questão pessoal. Ele tinha perdido grande parte da série em Filadélfia para assistir ao funeral do pai, e o estresse de ter que chorar em público era difícil de suportar.

Foi uma série brutal que chegou ao sétimo jogo no novo estádio dos Pistons, em Auburn Hills, Michigan. Nós estávamos nos esforçando. Paxson tinha torcido o tornozelo no jogo anterior, e Scottie estava sofrendo de uma terrível enxaqueca que lhe turvava a visão e não o deixava distinguir as cores das camisas. Mesmo assim, ambos entraram no sacrifício para o jogo, mas a equipe se desentrosou em um vergonhoso segundo quarto e não nos recuperamos mais. Perdemos por 19 pontos que pareciam 100.

Depois do jogo, Jerry Krause apareceu no vestiário e fez um discurso inflamado, o que era incomum. E Jordan estava tão bravo que caiu em prantos no último banco do ônibus da equipe.

– Prometi ali mesmo que aquilo nunca mais aconteceria – ele disse mais tarde.

Minha reação foi mais contida. Claro, era uma derrota difícil e um dos piores jogos que já tinha comandado. Contudo, terminado o barulho, notei que a dor da humilhante derrota galvanizara a equipe de um modo que jamais tinha visto na vida. Os Bulls começavam a se transformar em uma tribo.

7
OUVINDO O INAUDÍVEL

E, acima de tudo, observar todos à volta com um brilho nos olhos,
pois os maiores segredos estão sempre escondidos nos lugares mais improváveis.
Aqueles que não acreditam em magia nunca a encontram.
ROALD DAHL

Um quadro – quase um totem – dependurado no saguão de entrada de minha casa no sul da Califórnia estampa os principais jogadores que conquistaram os três primeiros campeonatos dos Bulls. Trata-se de uma série de retratos empilhados verticalmente, com Michael Jordan no topo seguido por outros titulares e mais abaixo os jogadores reservas. Com uma elegante borda vermelha, paleta de cores suave e destaque para cada jogador, a pintura mais parece um objeto sagrado do que um conjunto de imagens. O que me agrada é que o artista Tim Anderson não faz distinção alguma entre as estrelas e os coadjuvantes, exceto pela ordem em que aparecem. A imagem de cada um apresenta as mesmas proporções e o mesmo semblante tranquilo. Aos meus olhos é uma obra que honra o conceito de equipe.

Passada a dolorosa derrota para o time de Detroit naquelas finais, ainda tínhamos um longo caminho a percorrer antes de chegarmos a esse ideal. Mas definitivamente seguíamos na direção certa. Os jogadores começavam a abraçar o sistema e a mostrar sinais de que se voltavam para uma forma mais coletiva, uma equipe de etapa 4.

Durante o verão refleti sobre o que era preciso fazer para acelerar o processo. Para os titulares, teríamos que dosar o passo ao longo da exaustiva temporada de 82 jogos, como se participantes de uma maratona e não de uma série de corridas de velocidade. Para derrubarmos os Pistons, teríamos que garantir logo cedo a vantagem de decidir em casa e chegar ao auge no momento certo, tanto física como psicologicamente. Depois, teríamos que usar a nossa defesa sufocante e intensa de maneira mais eficaz, sobretudo nas finais, quando geralmente a defesa faz a diferença entre o sucesso e o fracasso. Finalmente, era importante conscientizar que cada jogo era significativo em termos do que planejávamos fazer enquanto equipe. Eu sempre relembrava aos jogadores que eles deviam se concentrar na jornada e não no final dos jogos, uma vez que passariam em branco pelo presente caso se concentrassem no futuro.

O mais importante era induzir os jogadores a desenvolver uma sólida inteligência de grupo para trabalhar de maneira mais harmoniosa. Uma passagem no *The Second Jungle Book*, de Rudyard Kipling, resume a dinâmica de grupo esperada dos jogadores. E que se tornou o lema da equipe durante a temporada de 1990-91.

> *Esta é a Lei da Floresta – tão antiga e verdadeira como o céu;*
> *E o Lobo que a guardar prosperará, mas o Lobo que a quebrar*
>   *morrerá.*
> *Assim como a trepadeira que reveste o tronco da árvore, a Lei*
>   *corre para a frente e para trás...*
> *Porque a força da Matilha está no Lobo, e a força do Lobo*
> *é a Matilha.*

Quando comecei a jogar nos Knicks, dediquei-me durante alguns verões ao estudo da psicologia na Universidade de Dakota do Norte. Foi naquele tempo que estudei o trabalho do psicólogo Carl Rogers, cujas ideias inovadoras na capacitação pessoal tiveram uma forte influência na minha forma de abordar a liderança. Além de ser um dos fundadores da psicologia humanista, Rogers é um médico inovador que depois de anos de experimentação desenvolveu algumas técnicas eficazes para cultivar o que ele chama de "verdadeiro eu", ao contrário do eu idealizado que muitas vezes se adota. Segundo o autor, a chave para o terapeuta consiste em estabelecer um relacionamento com o paciente no sentido de nutrir o crescimento pessoal e não de resolver problemas.

Para que isso aconteça, diz Rogers, o terapeuta precisa ser o mais honesto e autêntico possível e considerar o paciente um indivíduo de incondicional merecimento, seja qual for a sua condição. O paradoxo, ele escreve em sua obra básica, *On Becoming a Person*, "é que quanto mais simplesmente me disponho a ser eu mesmo, em toda a complexidade da vida, e mais me disponho a entender e aceitar as realidades em mim e nos outros, mais a transformação é revolvida".

Na visão de Rogers, a transformação é praticamente impossível quando a pessoa não se assume em tudo o que é. Da mesma forma que ela não desenvolverá relações bem-sucedidas com os outros se não descobrir o significado da própria experiência. Explica o autor: "Cada pessoa é uma ilha em si mesma, no sentido o mais concreto real possível, de modo que só poderá construir pontes para as outras ilhas se antes de tudo estiver disposta a ser ela mesma e se permitir ser ela mesma."

Não tenho a pretensão de ser um terapeuta. Mas o processo descrito por Rogers não é diferente do que procurei fazer como técnico. Em vez de comprimir os jogadores em papéis previamente designados, meu objetivo era sempre o de promover um ambiente onde pudessem crescer como indivíduos e se expressar criativamente dentro de uma estrutura de equipe. Eu não estava interessado em me tornar o melhor amigo dos jogadores; na verdade, acho até que é importante manter certa distância. Mas procurava manter um relacionamento genuíno e cuidadoso com cada jogador com base no respeito mútuo, compaixão e confiança.

Transparência é a chave. O que os jogadores não querem é um técnico que não seja honesto e direto com eles. No meu primeiro ano como técnico dos Bulls, B. J. Armstrong fez um lobby para substituir John Paxson como armador principal do time. B. J. argumentou que ele era melhor do que John tanto na armação quanto na velocidade do drible. Mas ele tinha relutado em aceitar o triângulo ofensivo porque achava que isso dificultaria sua capacidade de mostrar todo o seu potencial individual. Falei que apreciava o entusiasmo dele, mas que ele dividiria os minutos com John porque este trabalhava melhor com os titulares. Além do mais, precisávamos de B. J. para energizar a segunda unidade, e a equipe fluía mais coesa e mais eficaz quando John estava com os titulares. B. J. não ficou feliz com minha decisão, mas entendeu a mensagem. Só com o passar dos anos, quando ele mostrou que poderia coordenar o ataque e jogar cooperativamente, é que o tornamos titular.

Um dos trabalhos mais difíceis do técnico é evitar que os jogadores boicotem a química da equipe. Casey Stengel, gerente-geral do time de beisebol do New York Yankees, costumava dizer: "O segredo da gestão é manter os caras que o odeiam longe dos que estão indecisos." No basquete, os caras que o odeiam são geralmente aqueles que não recebem o tempo de jogo que se acham merecedores. Eu também já fui reserva e sei muito bem o quanto isso pode se agravar quando você está definhando no banco no meio de um jogo crucial.

Minha estratégia era manter os reservas engajados o máximo possível no fluxo do jogo. Quando o triângulo ofensivo funciona direito, dizia Tex, a equipe joga unida como os "cinco dedos da mão". Assim, os reservas que entrassem na partida deviam ser capazes de fundir-se com os jogadores que estavam na quadra. Durante aqueles primeiros anos fiz uma rotação entre os dez homens – cinco titulares e cinco reservas – para que os reservas tivessem um bom tempo na quadra e entrassem em sincronia com o resto do time. No final da temporada reduzi a rotação para sete ou oito jogadores, mas procurava usar os outros reservas sempre que possível. Às vezes, o papel de um jogador pode ter um impacto surpreendente como, por exemplo, o de Cliff Levingston, um ala de força reserva que jogou poucos minutos na temporada de 1990-91, mas que floresceu nas finais do campeonato porque foi muito eficiente dentro do garrafão contra os grandalhões do time do Detroit Pistons.

Eu não sou um grande distribuidor de abraços e muito menos de elogios. Alguns chegam mesmo a me considerar distante e enigmático. Meu estilo é demonstrar aprovação com gestos sutis – um aceno de reconhecimento aqui, um toque de braço ali. Aprendi isso com Dick McGuire, meu primeiro técnico nos Knicks, que depois dos jogos me procurava no vestiário e tranquilamente me passava a mensagem de que estava de olho em mim e tentaria me dar mais tempo no próximo jogo. Como treinador, eu dava a entender que gostava de cada jogador como pessoa e não apenas como uma peça na engrenagem do basquete.

O grande legado que herdei do meu pai foi o de ser ao mesmo tempo genuinamente compassivo e um líder respeitoso de pessoas. Era um tipo alto e majestoso cuja postura distinta, sorriso amistoso e suavidade no olhar o faziam parecer confiante, carinhoso e um tanto misterioso. Ele me fazia lembrar os retratos de George Washington, um homem modesto e de fala mansa, embora totalmente no controle. Quando pequeno, muitas vezes me colocava ao lado do meu pai enquanto ele cumprimentava os membros da igreja que saíam do serviço religioso. Alguns diziam que eu tinha uma postura de corpo digna que se parecia com a dele. Sem dúvida, beneficiei-me como técnico pela grande compleição física e a voz profunda e retumbante. Por isso conversava olho no olho com os jogadores, sem precisar olhar para o alto.

Meu pai era um pastor no verdadeiro sentido da palavra. Foi um dos poucos homens genuinamente cristãos que conheci. Levava uma vida regida por um conjunto de regras simples ditadas pela Bíblia, evitando processos judiciais e animosidades em geral porque contradiziam seus ideais cristãos. Enquanto mamãe se referia ao fogo e ao enxofre nos sermões, papai se concentrava principalmente na benevolência e no coração generoso. Importava-se profundamente com os paroquianos e orava por todos no seu estúdio depois do café da manhã. Os membros da igreja sentiam-se protegidos e apaziguados por ele, e isso ajudava a manter a comunidade unida. Essa foi uma lição que jamais esqueci.

Geralmente os jogadores de basquete profissional não revelam os seus anseios mais profundos. Preferem se comunicar sem palavras ou fazer piadas a demonstrar qualquer vulnerabilidade, sobretudo quando falam com o técnico. Isso complica as tentativas de decifrar os seus sinais.

E por isso sempre procurava novas maneiras de entrar na cabeça dos jogadores. Quando comecei a treinar os Bulls, sugeri aos atletas que criassem o que chamei de escudo pessoal, um perfil simples com base em questões como "qual é sua maior aspiração?", "quem mais o influenciou?" e "o que os outros não sabem a seu respeito?". Mais tarde, pedi que preenchessem um questionário mais formal e me valia das respostas para sondá-los mais profundamente durante as reuniões privadas no meio da temporada.

A ferramenta psicológica que mais usava era chamada por June de "olho social do touro", uma vez que revela a imagem de como as pessoas se veem em relação ao grupo. Em uma de nossas longas viagens de jogos, eu dava a cada jogador uma folha de papel com três aros e um olho de touro no centro, representando a estrutura social da equipe. Em seguida solicitava que se posicionassem em algum lugar em relação ao centro, baseados em como se sentiam interligados à equipe. E não me surpreendia quando a maioria dos titulares colocava-se em algum lugar próximo ao olho, e os reservas dispersavam-se pelo segundo e terceiro aros. Certo ano, o ala reserva Stacey King, um tagarela que se vestia com elegância e fazia todo mundo rir, colocou-se pairando muito à margem do terceiro aro. Perguntei por quê, e ele respondeu: "Estou sempre fora dos jogos, professor." Isso não era verdade, mas era como ele se sentia. Na superfície, Stacey parecia confiante e sociável, mas por dentro se sentia um estranho que lutava por reconhecimento. Acho que nunca descobri como curar essa ferida.

Minha intenção era dar aos jogadores a liberdade para descobrir como se ajustar dentro do sistema, em vez de ditar do alto o que queria que fizessem. Alguns se sentiam desconfortáveis porque nunca tinham recebido esse tipo de liberdade. Outros se sentiam totalmente livres.

Na abertura da temporada de 1990-91 resolvi deixar Michael sozinho, pois sabia que precisava de tempo para descobrir como trabalhar dentro do sistema de uma forma que fizesse sentido para ele. Durante as férias se determinara aumentar a massa do corpo para conter a força física dos Pistons e de outras equipes. E para isso contratara o especialista em treinamento físico, Tim Grover, que o fez passar por uma extenuante série de exercícios para aumentar a resistência e fortalecer os membros superiores e inferiores do corpo. Como sempre, Michael mostrou-se extremamente disciplinado nos exercícios e chegou ao centro de treinamento parecendo bem maior e mais forte, especialmente nos ombros e nos braços.

Michael adorava desafios. E por isso o desafiei a bolar uma nova maneira de se relacionar com os companheiros. Até então Michael esperava que os companheiros de equipe atingissem o elevado nível que ele tinha, embora apenas alguns poucos jogadores da liga atendessem a essa norma. Eu o encorajei a lançar um novo olhar sobre seu papel na equipe e a imaginar maneiras de servir como catalisador no sentido de que todos os jogadores trabalhassem juntos. Sem ditar regras sobre o que eu queria, simplesmente o estimulava a pensar no problema de maneira diferente, sobretudo com perguntas sobre os impactos que as diferentes estratégias tinham na equipe como, por exemplo: "Como acha que Scottie ou Horace se sentiriam se você fizesse isso?" Enfim, passei a tratá-lo como parceiro, e aos poucos começou a mudar o rumo do seu pensamento. Quando o deixava resolver um problema sozinho, ele se predispunha muito mais a encontrar uma solução e não voltar a repetir o mesmo comportamento contraproducente.

Michael agora olha para trás e comenta que gostava dessa abordagem porque "me permitia ser a pessoa que eu precisava ser". Às vezes, sugeria-lhe que precisava ser agressivo e definir o tom para a equipe. Outras vezes, apenas dizia: "Por que você não tenta deixar o Scottie jogar para que os defensores se preocupem com ele, e você possa atacar com mais liberdade?" Em suma, o que geralmente procurava era dar espaço para que Michael descobrisse como integrar suas ambições pessoais com as da equipe.

– Phil sabia que o título de cestinha do campeonato era importante para mim – diz Michael agora –, mas eu queria fazer isso sem ficar à margem do que a equipe estava fazendo.

Vez por outra discutíamos, geralmente quando o criticava por uma de suas forçadas egoístas, mas essas discussões nunca levaram a brigas.

– Eu precisava de um tempo para me acalmar – diz Michael. – Talvez porque tivesse que me olhar no espelho para entender exatamente o que Phil estava dizendo. E imagino que ele também fazia o mesmo. Mas, toda vez que tínhamos um embate, nosso respeito mútuo crescia.

Concordo com isso.

Outro jogador que deu um salto significativo naquela temporada foi Scottie Pippen. Claro, ele já estava acostumado a dar grandes saltos. Era o mais jovem de 12 filhos crescidos em Hamburgo, Arkansas. Sua família não tinha muitos recursos, em parte porque o pai fora afastado de uma fábrica de papel devido a um acidente vascular cerebral. Mesmo assim, Scottie era o garoto de ouro da família. Embora não tivesse conseguido nenhuma oferta de bolsa, matriculou-se na Universidade Central de

Arkansas e percorreu um caminho próprio, fazendo biscates e servindo como gerente do time de basquete de ensino médio. Sua estreia na equipe de calouros convidados no time da universidade não foi espetacular: obteve a média de 4,3 pontos e 2,9 rebotes por jogo. Mas ao longo do ano seguinte cresceu dez centímetros, atingindo 1,97 metro de altura, e retornou à universidade depois de ter treinado duro por todo o verão, bem melhor do que qualquer outro da equipe.

– Sempre manejei bem a bola – diz Scottie. – E isso foi uma grande vantagem quando cresci porque agora tinham que ter um pivô para me marcar. E não havia muitos homens altos na liga.

Scottie media 2,02 metros quando se formou, e além de ter atingido a média de 26,3 pontos e 10 rebotes por jogo foi nomeado por unanimidade entre os cinco melhores jogadores universitários do país no seu último ano. Jerry Krause, que o tinha visto antes, fez algumas hábeis negociações e o escolheu como a quinta escolha na loteria de recrutamento da NBA em 1987. Scottie foi rotulado como um tradicional ala baixo e teve dificuldade para se adaptar à posição porque não era um bom arremessador de longa distância. Mas ele tinha a rara habilidade de ser capaz de pegar um rebote defensivo e conduzir a bola em velocidade através do tráfego por toda a quadra para atacar a cesta, no outro extremo. Defendendo Michael nos treinos, Scottie também se transformou em um formidável defensor. Mas o que mais me impressionou quando comecei a trabalhar com ele foi sua capacidade de ler o que estava acontecendo na quadra e de reagir de acordo. Ele tinha sido um armador no ensino médio e ainda preservava a mentalidade de compartilhar a bola. Enquanto Michael estava sempre de olho na pontuação, Scottie parecia mais interessado em fazer com que o ataque se saísse bem como um todo. A esse respeito se inspirou muito mais em Magic Johnson do que em Michael Jordan.

Então, no meu segundo ano como técnico, criei uma nova posição para Scottie – "ala-armador" –, na qual ele dividia o trabalho de levar a bola para o ataque com os outros armadores – uma experiência que se mostrou melhor do que o esperado e que aflorou um lado inexplorado de Scottie, que o fez desabrochar como um jogador privilegiado e multidimensional que facilitava as jogadas com grande velocidade e habilidade. Como ele mesmo diz: "A mudança fez de mim o jogador que eu queria ser na NBA."

Na temporada 1990-91, Scottie terminou em segundo lugar como cestinha na equipe (17,8), em rebotes (7,3) e em roubos de bola (2,35), e no ano seguinte o nomearam para o primeiro time dos melhores defensores da NBA. Isso surtiu um efeito poderoso sobre a equipe. A mudança de Scottie para armador colocou a bola em suas mãos tanto quanto nas de Michael, e permitiu que este se deslocasse para a ala e desempenhasse uma série de outras funções ofensivas, incluindo a de liderar o ataque de transição. E essa mudança também abriu possibilidades para os outros jogadores porque Scottie era mais igualitário do que Michael na distribuição da bola. De repente, uma dinâmica nova e mais cooperativa de grupo começava a evoluir.

Naquela época a maioria dos técnicos subscrevia a teoria de treinamento mental de Knute Rockne. Eles procuravam motivar os jogadores para o jogo com discursos estimulantes como "conquiste uma vitória para o Gipper".* Uma abordagem que pode funcionar quando se é um defensor agressivo de futebol americano. Mas ao jogar pelos Knicks descobri que, quando me estimulava demais mentalmente, isso surtia um efeito negativo na minha habilidade de ficar ligado quando estava sob pressão. Então, fiz o oposto. Em vez de ativar a empolgação dos jogadores, desenvolvi uma série de estratégias que os ajudavam a aquietar a mente e a despertar o discernimento, colocando-os prontos e sob controle para a batalha.

A primeira coisa que tratei de ensinar aos jogadores dos Bulls foi uma versão abreviada da meditação de mente plena, baseada na prática zen que vinha fazendo ao longo dos anos. Isso não era feito com alarde. Ficávamos sentados por uns dez minutos durante o treino e geralmente antes de uma das sessões de vídeos. Alguns achavam isso estranho, outros

---

* Referente à famosa frase de George Gipp, jogador defensor de futebol americano da Universidade de Notre Dame na década de 1920, que doente e acamado pediu antes de morrer ao seu técnico, Knute Rockne, que como forma de incentivo e inspiração expressasse esse recado para seus companheiros de time. Mais tarde, em 1940, o ex-presidente americano Ronald Reagan, que representou George Gipp no filme *Knute Rockne: All American*, utilizou essa mesma frase durante a sua campanha eleitoral para se tornar presidente dos Estados Unidos da América. Pelo seu desempenho no filme, Reagan recebeu o apelido de "Gipper", que durou até o final de sua vida. (N. do R.T.)

aproveitavam o tempo para tirar um cochilo. Mas todos me estimulavam porque sabiam que a meditação era importante em minha vida. Do meu ponto de vista, era um bom começo fazer os jogadores se sentarem calmamente juntos por uns dez minutos. E alguns, especialmente B. J. Armstrong, demonstraram um interesse sério pela meditação e a aprofundaram por conta própria.

Ao contrário de tentar transformar os Bulls em monges budistas, o que me interessava era levá-los a uma abordagem mais atenta do jogo e a um relacionamento entre eles. Em essência, a mente plena implica estar presente no aqui e agora tanto quanto possível e sem pensamentos de passado ou de futuro. De acordo com Suzukiroshi, quando fazemos alguma coisa com "a mente inteiramente simples e clara... nossa atividade se torna forte e direta. Mas, quando fazemos alguma coisa com a mente confusa em relação às coisas, às pessoas ou à sociedade, nossa atividade se torna complexa demais".

Para ser bem-sucedido no basquete, conforme apontou o autor John McPhee, você precisa ter um sentido afinado de onde está e do que se passa à sua volta a todo instante. Alguns jogadores nascem com essa habilidade – Michael, Scottie e Bill Bradley, só para citar alguns –, mas a maioria precisa aprender. O que descobri depois de anos de prática da meditação é que, quando se mergulha totalmente no instante, é desenvolvida uma consciência bem mais profunda do que acontece no aqui e agora. E essa consciência termina por conduzir a um sentido maior de unidade – a essência do trabalho em equipe.

Uma vez John Paxson me mandou um artigo da *Harvard Business Review* que o tinha feito se lembrar de mim. O texto, "Parábolas da Liderança", de W. Chan Kim e Renée A. Mauborgne, era composto de uma sequência de antigas parábolas que giravam em torno daquilo que os autores denominavam "o espaço invisível da liderança". A narrativa que chamara a atenção de Paxson era a de um jovem príncipe enviado pelo pai para aprender com um grande mestre chinês a se tornar um bom governante.

Como primeira tarefa o mestre o fez passar um ano sozinho na floresta. Quando o príncipe retornou, o mestre lhe pediu que descrevesse o que tinha ouvido, e ele respondeu:

– Ouvi o canto dos cucos, o farfalhar das folhas, o zumbido dos beija-flores, o chilrear dos grilos, o sopro do capim, o zumbido das abelhas e o sussurro e o grito do vento.

Quando o príncipe terminou o relato, o mestre o mandou de volta à floresta para que ouvisse o que mais poderia ser ouvido. O príncipe sentou-se sozinho na floresta por alguns dias e algumas noites, matutando aquilo que o mestre solicitara. Até que certa manhã ouviu alguns sons inaudíveis que até então não tinha percebido.

O príncipe então retornou e disse ao mestre:

– Procurei escutar de maneira mais aguçada e acabei ouvindo o inaudível... o som das flores se abrindo, o som do sol aquecendo a terra e o som da relva bebendo o orvalho da manhã.

O mestre balançou a cabeça.

– Ouvir o inaudível – disse – é a disciplina necessária para ser um bom governante. Pois somente ouvindo atentamente o coração do povo, os sentimentos incomunicáveis, as dores não expressadas e as reclamações mudas, o governante passa a inspirar confiança, a entender quando alguma coisa está errada e a conhecer as verdadeiras necessidades dos cidadãos.

Ouvir o inaudível. Um dom necessário ao grupo e não apenas ao líder. No basquete, os estatísticos contam as assistências ou os passes dos jogadores que levam às pontuações. Mas o que me interessava mesmo era que os jogadores estivessem concentrados no passe que *leva* ao passe e que leva à cesta. Esse estado de consciência precisa de tempo para se desenvolver, mas, uma vez conquistado, o invisível se torna visível, e o jogo se desenrola diante dos olhos como uma história.

Para reforçar a consciência dos jogadores, eu os fiz despertar para o que estava por vir. Durante um treino pareciam tão indiferentes que resolvi apagar as luzes e os fiz treinar no escuro – não era uma tarefa fácil quando se tentava pegar um passe meteórico de Michael Jordan. Em outra ocasião, após uma derrota humilhante, eu os fiz passar por um treino inteiro sem dizer uma palavra. Os meus assistentes técnicos diziam que eu estava louco. Mas o que me importava é que os jogadores despertassem, mesmo que apenas por um instante, para enxergar o invisível e ouvir o inaudível.

* * *

Preparar-se para as finais da NBA é como preparar-se para ir ao dentista. Você sabe que a consulta não será tão ruim quanto pensa, mas nem assim deixa de se obcecar com isso. O acontecimento o envolve dos pés à cabeça. Às vezes, a ansiedade se insinuava por dentro de mim no meio da noite e continuava na cama pensando e repensando a estratégia para o jogo seguinte. Outras vezes, nesse meio-tempo, fazia uma meditação para desbloquear a mente e dissipar o fluxo dos pensamentos. Mas acabei me dando conta de que o caminho mais eficaz para tratar a ansiedade era a consciência de que estava o mais preparado possível para o que vinha pela frente. Meu irmão Joe costuma dizer que a fé é uma das duas coisas que o ajudam a lidar com o medo. A outra é o amor. Joe acrescenta que é preciso ter fé de que se fez todo o possível para que as coisas saíssem bem – a despeito do resultado final.

Gosto de contar a história de como Napoleão Bonaparte escolheu seus generais. Após a morte de um dos seus grandes generais, Napoleão supostamente mandou um dos oficiais sair à procura de um substituto. Algumas semanas depois o oficial retornou e descreveu o perfil de um homem que seria o candidato perfeito devido ao seu conhecimento de táticas militares e seu brilhantismo como gestor. Quando o oficial terminou, Napoleão o encarou e disse:

– Isso é tudo muito bom, mas ele tem sorte?

Tex Winter dizia que eu era "o técnico mais sortudo do mundo". Mas não acho que a sorte tenha muito a ver nesse caso. Claro, alguém pode se lesionar ou alguma outra calamidade pode se abater sobre o time. Mas, quando se cuida de todos os detalhes, geralmente o que determina o resultado são as leis de causa e efeito, e não a sorte. Claro, muitas coisas não se podem controlar no jogo de basquete. Por isso mesmo, na maior parte do tempo nos concentramos naquilo que *podemos* controlar: trabalho de pés correto, espaçamento certo na quadra, maneira certa de conduzir a bola. Jogar de forma certa faz sentido para os jogadores, e com isso a vitória é o resultado provável.

Entretanto, o tipo de fé ainda mais importante é o de que todos estão conectados em algum nível que ultrapassa o entendimento. Por isso, era importante que os jogadores se unissem em silêncio e se sentassem silenciosos em grupo e sem qualquer distração. Isso os fazia ressoar uns com os outros de maneira profunda. Como disse Friedrich Nietzsche: "Fios invisíveis são os mais fortes laços."

Ao longo de minha carreira presenciei esses laços diversas vezes. O sentimento profundo de ligação que brota da união dos jogadores traz uma tremenda força que varre o medo de perder. Essa era a lição que os Bulls estavam prestes a aprender.

No meio da temporada de 1990-91 todas as peças começaram a se encaixar. À medida que os jogadores se sentiam confortáveis com o triângulo ofensivo, Tex os fazia se concentrarem em uma sequência de jogadas cruciais que chamávamos de "automáticas" e que seriam postas em ação quando o time adversário estivesse concentrando mais defensores em uma determinada área da quadra. O ponto crítico era chamado por Tex de "momento da verdade", que é quando o jogador com a posse da bola é confrontado pela defesa a uma distância de um metro e meio. Se naquele ponto a defesa fizesse muita pressão na bola, ele automaticamente aplicaria uma variação da jogada, deslocando a ação para outra parte da quadra e abrindo novas possibilidades de pontuação. Uma das jogadas automáticas que a equipe gostava de fazer era denominada "o Porco Cego", na qual o pivô e o ala do lado da bola subiam até a altura da linha do lance livre e lateral, respectivamente, para receberem o passe aliviando a pressão sobre o armador, e o ala de força do lado oposto à bola se desmarcava e, como uma isca (porco), subia para o "cotovelo"* recebendo o passe, quebrando assim a defesa. O Porco Cego tornou-se uma jogada importante não apenas para os Bulls, mais posteriormente também para os Lakers, porque livrava um arremessador após um bloqueio duplo no lado fraco da quadra e colocava dois dos nossos melhores jogadores em excelente situação de cesta.

Os jogadores se entusiasmaram. O Porco Cego e outras jogadas automáticas permitiam que os jogadores se ajustassem coordenadamente às

---

* Área da quadra no prolongamento da linha do lance livre perto do garrafão. (N. do R.T.)

situações defensivas sem que dependessem de mim para gritar as jogadas do lado de fora da quadra.

– Aquilo se tornou a nossa arma número um – lembra Scottie. – Nós nos sentíamos muito bem levando a bola para o ataque e já dando início à jogada. Nós todos nos deslocávamos para certos pontos do ataque onde nos sentíamos confiantes. Todo mundo estava feliz. Michael estava cada vez melhor nos arremessos, conseguíamos um equilíbrio melhor ao retornar para a transição defensiva e já estávamos melhorando defensivamente. E depois isso se tornou uma coisa natural para nós.

As jogadas automáticas também ensinaram aos jogadores como tirar proveito da defesa, *desvencilhando-se da pressão*, em vez de tentar atacar diretamente. Isso seria importante quando a equipe se confrontasse com times mais fortes e mais físicos, como os Pistons. Para bater o time de Detroit teríamos que ser resistentes, e não nos acovardarmos. Mas nunca os venceríamos se entrássemos em briga com eles toda vez que pisássemos na quadra.

Pouco antes do intervalo do Jogo das Estrelas (All-Star Game), os Bulls decolaram em uma sequência de 18-1 (vitórias e derrotas, respectivamente), incluindo uma animadora vitória de 95-93 sobre os Pistons, em Auburn Hills, Detroit. Embora Isiah Thomas estivesse afastado com uma lesão no punho, o jogo tornou-se um ponto de virada fundamental na forma de nos vermos enquanto equipe. Depois disso, os Bad Boys não pareciam mais tão "maus".

Terminamos a temporada regular na liderança com um recorde de 61-21 (vitórias e derrotas, respectivamente), o que nos deu a vantagem de decidirmos o último jogo de todas as séries até a final em nossa própria casa. Varremos os Knicks por 3-0 e depois ganhamos os dois primeiros jogos da série com o Philadelphia com facilidade, mas tivemos problemas no jogo 3. Jordan chegou com tendinite no joelho (provavelmente adquirida na prática de golfe entre os jogos da série), e os grandes alas de força dos 76ers – Armen Gilliam, Charles Barkley e Rick Mahorn – começaram a jogar pesado contra Horace Grant até tirá-lo do seu jogo.

Horace era um ala de 2,08 metros com uma velocidade de pés excepcional e bons instintos de rebote. Johnny Bach o chamava de "O intrépido", por conta de sua capacidade de encurralar armadores velozes e fazer a defesa pressionada funcionar. Horace, que crescera na zona rural da Geórgia e que no início se ligara a Pippen, disse uma vez aos jornalistas que Pippen era "como meu irmão gêmeo". Mas os dois se distanciaram na temporada de 1990-91, quando Scottie gravitou mais próximo de Michael. Enquanto isso, Horace se esforçava para salvar seu casamento e se voltava para a religião em busca de consolo.

No ano anterior, Johnny Bach sugerira que usássemos Horace como "bode expiatório" para motivar a equipe. Essa é uma prática bastante comum nas equipes profissionais. Na verdade, eu já tinha desempenhado um pouco esse papel quando jogava pelos Knicks. O objetivo era designar um jogador que capitalizasse grande parte da crítica para motivar os outros jogadores a se unirem em torno dele. Eu não era lá muito a favor dessa velha forma de agir, mas me dispus a fazer uma tentativa. Eu sabia que os jogadores gostavam de Horace e que se uniriam em torno dele se eu o pressionasse duramente. E Johnny, que tinha um relacionamento estreito com Horace, me garantiu que ele era forte o bastante para aguentar a pressão.

Explicamos a ideia para Horace e ele topou a princípio. Desde pequeno sonhava em se tornar um fuzileiro naval, de modo que uma disciplina forte era tentadora para ele. Mas com o passar do tempo começou a se enfurecer com a crítica. E tudo veio à tona no terceiro período do jogo 3 contra os 76ers.

Gilliam já vinha batendo em Horace pelas costas e o empurrando para fora da posição durante o jogo todo, e os árbitros faziam vista grossa. Até que Horace revidou de tão frustrado que estava e os juízes marcaram a falta.

Fiquei furioso. Tirei Horace do jogo e comecei a gritar porque estava permitindo que os 76ers o maltratassem. Horace gritou de volta.

– Estou cansado de ser o seu bode expiatório – respondeu Horace aos gritos e depois começou a me xingar, o que raramente fazia.

É desnecessário dizer que perdemos o jogo. Reconheço que não foi o meu melhor momento. Mas aprendi uma lição: seria muito importante me relacionar com cada jogador como indivíduo, com respeito e compaixão, mesmo que sob intensa pressão. Procurei Horace quando os ânimos esfriaram e disse-lhe que precisávamos começar tudo de novo. A partir daquele dia, acrescentei para ele que me concentraria em só fazer críticas construtivas e esperava que, em troca, ele me desse um retorno sobre tudo que o incomodasse.

Antes do jogo seguinte me encontrei com a equipe no café da manhã para discutir o que tinha acontecido. Falei que tínhamos rompido o círculo tribal e que precisávamos estabelecê-lo de novo. No final da reunião pedi a Horace que lesse para a equipe uma passagem dos Salmos.

Naquele dia, Horace jogou como um possuído. Explodiu na quadra, pegando alguns dos primeiros rebotes-chaves e terminando com 22 pontos enquanto atropelamos com uma vitória de 101-85. Mas o mais importante é que Horace se impôs para Gilliam e os outros grandalhões sem estardalhaços. Era um bom sinal. Os jogadores dos 76ers pareciam exaustos e quebrados, e foram dobrados dois dias depois no decisivo jogo 5. Próxima parada, Detroit.

Nas finais de 1990 eu mostrara um vídeo com cenas de O *mágico de Oz* para a equipe. O objetivo era ilustrar como os jogadores se sentiam intimidados com o jogo bruto dos Pistons. Havia uma cena de B. J. Armstrong se dirigindo para a cesta e sendo derrubado pelos homens grandes do Detroit, seguida por uma cena onde Dorothy dizia: "Isso não é mais o Kansas, Totó." Em outra sequência, Joe Dumars dava uma finta em Jordan no drible e, em seguida, o Homem de Lata se lamentava por não ter um coração. E, mais, em outra cena Isiah Thomas bailava entre Paxson, Horace e Cartwright enquanto o Leão Covarde choramingava porque não tinha coragem. No início, os jogadores caíram na gargalhada, mas se consternaram quando perceberam a mensagem que eu tentava transmitir.

Mas dessa vez eu não precisava mais passar cenas de filmes. Em vez disso exibi uma série de clipes para os diretores da NBA, com os exemplos mais flagrantes de baixarias dos Pistons contra os Bulls. Não sei ao certo se isso surtiu algum efeito sobre a arbitragem, mas pelo menos mostrou que não íamos mais aguentar passivamente.

Talvez isso não tenha tido importância, pois a verdade é que o time dos Pistons de 1990-91 não era mais tão intimidador, sobretudo depois da perda de Rick Mahorn, o seu ala de força mais violento. E nossa equipe estava bem mais confiante e equilibrada como não tinha estado um ano antes. Instruí os jogadores para que agredissem primeiro em vez de permitirem que os Pistons nos intimidassem e que não caíssem nas provocações dos xingamentos do time de Detroit. Fiquei feliz pela forma como Scottie levou o jogo 1. Quando o mais novo Bad Boy, Mark Aguirre, ameaçou esculachá-lo, Scottie apenas sorriu.

Jordan não jogou bem naquele dia, mas o time reserva entrou em cena no quarto período e nos deu uma vantagem de 9 pontos, o que fez a diferença. Após o jogo, Jordan surpreendeu a todos quando agradeceu aos companheiros de equipe por terem-no carregado nas costas. Foi quando senti que todos os esforços para mudar a mentalidade da equipe começavam a dar frutos. Alguns dias depois, Scottie disse para Sam Smith, colunista do *Chicago Tribune*, que tinha notado uma mudança em Michael.

– Pode-se dizer que agora M. J. confia mais em todos – explicou Scottie. – É preciso dizer que isso aconteceu justamente nessas finais. Ele está jogando em equipe e posso dizer que pela primeira vez não está interessado apenas em marcar pontos. Parece que está realmente sentindo, e todos nós também, que, se jogarmos juntos, cada um poderá ajudar.

No jogo 2 encarregamos Scottie de levar a bola para o ataque e deslocamos Paxson para a ala. Essa mudança criou difíceis combinações defensivas para os Pistons, que nunca souberam como resolver. Mas também fizemos algumas mudanças defensivas que funcionaram bem, colocando Pippen em cima de Laimbeer, o pivô deles, e Cartwright marcando Aguirre, o ala. Nossa defesa estava tão ligada que nada parecia funcionar para os Pistons. No jogo 4 eles estavam pressentindo uma varrida na sua própria casa, até que perceberam que não conseguiriam nos deter, e o jogo ficou feio. De repente, Laimbeer atacou Paxson por trás e Rodman empurrou Scottie contra o banco com um golpe que poderia ter acabado com a carreira do nosso atleta. Mas o pior ainda estava por vir, no final, com os Pistons liderados por Isiah Thomas, que saiu da quadra antes do término da partida sem nos cumprimentar – um insulto não apenas para os Bulls, mas para o jogo em si, e isso me incomoda até hoje.

Los Angeles era o nosso adversário seguinte. A franquia dos Lakers dominara a NBA na década anterior e eles ainda formavam um time poderoso, liderado por Magic Johnson e ainda com James Worthy, Sam

Perkins, Byron Scott e Vlade Divac. Esta série seria o melhor teste para Michael Jordan, que sempre competira com Magic Johnson, até porque Magic, além de ter os anéis (cinco) e os prêmios de Melhor Jogador da Temporada – Most Valuable Player (três) –, também tinha um dom impressionante para a liderança. No seu ano de calouro na NBA, ele assumira uma equipe dominada por megaestrelas, incluindo Kareem Abdul-Jabbar, e pilotou-a com maestria até a conquista do campeonato. Michael estava no seu sétimo ano de NBA e ainda à procura do seu primeiro anel.

Tivemos um início lento e perdemos o jogo 1 em Chicago. Mas no meio da partida notei uma fraqueza que tinha me passado despercebida em todos os vídeos. Sempre que Magic deixava o jogo, seus companheiros não eram capazes de manter a liderança contra a nossa segunda unidade. Magic parecia cansado após a dura batalha dos Lakers contra o Portland nas finais da Conferência Oeste, e ficou claro que os Lakers tornavam-se bem mais fracos quando ele estava no banco, ao contrário do nosso time que não enfraquecia quando Michael estava no banco. Isso era algo a ser explorado.

Nosso plano de jogo era colocar Scottie marcando Magic.

No jogo 2, Jordan ficou carregado de faltas logo no início, de modo que deslocar Scottie provou ser um bom plano – o ajuste tirou o ataque dos Lakers de sintonia e vencemos com facilidade por 107-86. Depois do jogo assisti ao vídeo com Jordan e mostrei como muitas vezes Magic deixava o seu homem que estava marcando – Paxson – de lado para ajudar os outros jogadores na defesa. Ele apostava que Jordan não desistiria da bola. Acontece que Paxson era um arremessador respeitável e, nas situações apertadas, geralmente Jordan confiava mais nele do que nos outros. Mas, na série de L.A., Jordan estava recaindo no seu antigo hábito de tentar ganhar o jogo sozinho. Apesar de nossa vitória no jogo 2, isso estava nos prejudicando.

Mas a ação se deslocou para L.A. nos três jogos seguintes. No jogo 3, Michael empatou o jogo nos 3,4 segundos finais regulamentares, driblando a bola até a linha do lance livre perto do cotovelo e convertendo um arremesso rápido. Depois nos reagrupamos e vencemos de 104-96 na prorrogação. Dois dias depois, a nossa defesa dominou completamente os Lakers no jogo 4, mantendo-os no seu mais baixo número de pontos

– 82 –, desde a chegada do relógio do arremesso de 24 segundos, e com isso conseguimos uma vantagem de 3-1 na série. Magic se pronunciou dizendo que foi um "chute na bunda à moda antiga".

No jogo 5 ficamos à frente na maior parte do tempo, mas na metade do quarto período os Lakers reagiram e passaram à frente. Não fiquei nem um pouco feliz com o que estava vendo. Apesar de nossas conversas, Michael continuava deixando Paxson no limbo. Solicitei então um pedido de tempo e reuni a equipe.

– Quem está livre, M. J.? – perguntei, olhando diretamente nos olhos dele.

Ele não respondeu.

– Quem está livre? – perguntei novamente.

– Paxson – ele respondeu.

– Pois é, então, ache-o.

Depois dessa mudança, o jogo virou. Michael e os outros começaram a passar a bola para Paxson, que correspondeu acertando quatro arremessos consecutivos. Os Lakers diminuíram a diferença para dois pontos quando restava pouco mais de um minuto para o fim. Mas, quando Michael estava levando a bola para o ataque, notei alguma coisa diferente. Eu esperava que fizesse uma jogada em direção à cesta, como geralmente fazia nesse tipo de situação. Mas em vez disso atraiu a defesa em sua direção e abriu espaço para um arremesso, sim, de Paxson. Foi um doce final. John converteu dois pontos e ganhamos de 108-101.

Foi um momento profundo para mim. Dezoito anos antes tinha ganhado o meu primeiro anel de campeão como jogador naquele mesmo estádio – o Los Angeles Forum. E agora acabava de ganhar o meu primeiro anel como técnico, e o mais gratificante é que tinha feito isso jogando da mesma forma que minha equipe dos Knicks jogara.

Da forma certa.

8
UMA QUESTÃO DE CARÁTER

Sua maneira de fazer qualquer coisa é sua maneira de fazer tudo.
TOM WAITS

Talvez você pense que ficou mais fácil na segunda vez, mas não é assim que isso funciona. Cessadas as confraternizações, inicia-se a dança dos egos feridos. O ex-treinador da UCLA (Universidade da Califórnia Los Angeles), John Wooden, costumava dizer que "vencer requer talento e vencer de novo requer caráter". Eu realmente não entendia o que ele quis dizer com isso até que começamos a segunda campanha pelo anel. De repente, os holofotes da mídia se voltaram em nossa direção, e todos ligados ao Bulls que não se chamavam Jordan começaram a disputar mais atenção. Como disse o próprio Jordan: "O sucesso remete o nós de volta ao eu."

O primeiro vislumbre que tive disso se deu quando Horace criticou Jordan nos meios de comunicação por ter pulado fora da celebração do campeonato na Casa Branca. A presença era opcional e antes do evento Jordan confidenciara para Horace que não estava com vontade de participar. Naquele momento, Horace pareceu não ver problema algum nisso, mas depois que voltamos de Washington revelou aos repórteres que estava chateado porque Jordan não tinha aparecido. Embora se sentindo traído por Horace, Jordan optou por não responder aos comentários. Presumi que os repórteres tinham induzido Horace a dizer o que ele não pensava, e então não o repreendi. Mas o alertei para que no futuro tivesse mais cuidado com as coisas que dizia para a imprensa porque poderiam desestabilizar a equipe.

Horace não era o único jogador que invejava a fama de Michael, mas foi o mais franco. Ele tinha dificuldade de entender que eu não tinha controle algum sobre a celebridade de Michael. Michael Jordan transcendeu os Bulls e o próprio esporte.

Acabado o tumulto em torno da Casa Branca, irrompeu outra polêmica que teve um impacto bem mais duradouro na equipe. A celeuma foi desencadeada pela publicação do livro *The Jordan Rules*, um best-seller de Sam Smith cujo relato das temporadas 1990-91 tenta desmistificar a figura de Michael Jordan e proporcionar uma visão do mundo secreto do Chicago Bulls. Smith, um repórter incansável e inteligente e de quem eu gostava, baseara o livro na cobertura que fizera dos Bulls para o *Chicago Tribune*. Algumas passagens retratavam Michael e Jerry Krause sob uma ótica menos lisonjeira.

Michael não ficou feliz com o livro, mas deu de ombros por presumir que isso não abalaria a sua imagem pública. Mas Krause se mostrou menos imparcial. Logo depois que o livro saiu, ele me chamou numa noite no seu quarto de hotel durante uma viagem de jogos fora de casa e fez um discurso sobre Smith. Disse que tinha descoberto "176 mentiras" no livro e sacou uma cópia toda marcada para provar isso. Apontava página por página cada suposta mentira quando de repente o interrompi.

– Jerry, você realmente tem que deixar essa coisa de lado.

Mas ele não podia. Já suspeitava dos repórteres desde que tinha sido flagrado pela mídia em um escândalo no ano de 1976 que o levou a perder a posição de executivo dos Bulls com apenas três meses no cargo. Ele estava no meio da contratação de um novo técnico para a equipe quando os jornais relataram que já havia oferecido o cargo para Ray Meyer, o técnico da Universidade de DePaul. Jerry negou, mas a história não morreu. Desapontado com a forma de Jerry lidar com a situação, o presidente dos Bulls, Arthur Wirtz, o dispensou.

À medida que as semanas passavam, Jerry se obcecava com a ideia de descobrir quem tinha sido a fonte primária de Sam para o livro. Havia dezenas de fontes, é claro. Sam conversava regularmente com quase todos que estavam ligados à equipe, incluindo o proprietário Jerry Reinsdorf. Arrumei um encontro de Krause com Sam na tentativa de resolver as coisas, mas a conversa não deu em nada. Finalmente, Jerry concluiu que o assistente técnico Johnny Bach era o principal culpado. Achei isso um absurdo, mas a suspeita permaneceu e isso resultou na demissão de Johnny alguns anos mais tarde.

Era a primeira fissura no meu relacionamento com Jerry, que até então tinha sido extremamente produtivo. Sentia-me grato a ele por ter acreditado em mim e pela oportunidade que me deu de treinar os Bulls. E também o admirava pela forma com que tinha construído a equipe, recrutando o talento certo para complementar Jordan, mesmo que o próprio Jordan e outros muitas vezes o tenham criticado pelas mudanças que fazia. Gostei de trabalhar com Jerry na criação da primeira encarnação dos Bulls como time campeão e de tê-lo reconstruído depois que Michael retornou de sua permanência no beisebol. Uma coisa de que gostava em Jerry é que ele sempre abria um amplo leque de perspectivas de técnicos, jogadores e olheiros antes de tomar decisões importantes. Ele também dava grande importância em encontrar atletas com um elevado grau de caráter e era incansável em escavar o histórico dos jogadores novatos para descobrir de que matéria eram feitos.

No início do meu período como técnico, Jerry recebia os jogadores no primeiro dia de treinos e contava a mesma história, na qual evocava a forma como visualizava nosso relacionamento. Jerry era filho único e, quando pequeno, ele dizia, jogava os pais um contra o outro, de um lado para outro, até que obtinha a resposta que queria. Um dia o pai descobriu isso e disse:

– Olhe bem, Jerry, nunca se meta entre mim e sua mãe. Nós dormimos juntos.

Eu revirava os olhos quando ele contava essa história e dizia algo assim:

– Jerry, desculpe. Você não pode... – Isso suscitava uma boa risada.

Obviamente, eu tinha uma visão diferente de como devíamos trabalhar juntos. Eu queria ser solidário com Jerry e passava muito tempo fazendo a mediação entre os jogadores e ele. Mas eu não poderia fazer nada que comprometesse o vínculo de confiança que tinha estabelecido com a equipe.

A maioria dos jogadores se ressentia de Jerry por uma razão ou outra. A começar por Michael, que no segundo ano com os Bulls quebrou o pé esquerdo e teve que passar grande parte da temporada se recuperando da lesão. A certa altura, Michael insistiu que estava com o pé totalmente curado, mas Jerry recusou-se a deixá-lo jogar sem o diagnóstico dos médicos. Michael replicou e Jerry argumentou que ele era *uma* propriedade da gerência e que apenas a gerência tomava decisões, uma gafe lamentável que alienou Michael e maculou sua relação com Krause dali em diante.

Outros jogadores também tiveram problemas com Jerry. Não gostavam da maneira como ele fantasiava a verdade para se gabar de suas realizações, como um olheiro se autopromovendo. E todos se irritaram quando Jerry ficou obcecado com o recrutamento de Toni Kukoc, um ala promissor da Croácia que ele antevia como o próximo Magic Johnson, embora Toni nunca tivesse jogado na NBA. Scottie e Michael entenderam que o flerte de Jerry com Toni, que mais tarde assinou com os Bulls, era um insulto aos próprios jogadores e trataram de esmagar Kukoc e a seleção croata nos Jogos Olímpicos de 1992.

Além disso, os jogadores estavam sempre se esquivando das tentativas de Jerry de acompanhá-los para tornar-se um dos caras da turma. Seu biótipo baixinho e gorducho não ajudava. Michael o apelidou de "Lambão" por ser estabanado à mesa e quando o via no ônibus da equipe zombava do peso e de outras idiossincrasias dele.

Nunca me sentia à vontade em meio a atmosferas tensas da equipe. Quando pequeno odiava qualquer tipo de discórdia. Sempre fazia o papel de conciliador quando meus irmãos mais velhos, que tinham menos de dois anos de diferença de idade, brigavam. Meu pai os disciplinava com o cinto, e lembro que me colocava no alto da escada do porão e explodia em lágrimas enquanto levavam uma surra.

O jeito de lidar com Jerry era então amenizar as coisas, até porque eu sabia que ele reagia exageradamente ao *The Jordan Rules* porque não estava recebendo o crédito merecido pela criação daquela grande equipe. Isso era razoável. Mas como não podia resolver a situação tentei mudar o estado mental com um toque de humor e compaixão. E também tentei manter nosso relacionamento o mais profissional possível. Mas à medida que a fama da equipe crescia, o abismo entre mim e Jerry aumentava. Se bem que o profissionalismo nos sustentava. Apesar da turbulência, mantínhamos o foco e fazíamos nosso trabalho.

* * *

Já com os jogadores agi de maneira diferente. Falei que precisavam se desligar de todas as distrações – quer oriundas dos meios de comunicação, como de Krause, ou de outras fontes – e se concentrar em ganhar um segundo campeonato. Com essa meta, redobrei os esforços para transformar o treino em um santuário à parte da desordem do mundo exterior.

– Nosso time era muito popular – diz Scottie. – Então, tratamos de nos salvaguardar e de nos proteger mutuamente. Não poderíamos permitir a presença de amigos e outras pessoas nos treinos, incomodando os caras atrás de autógrafos. Se não se podia ter a liberdade de convívio com os companheiros de equipe, com quem mais se teria?

Quando a equipe se voltou para dentro de si mesma, a união entre os jogadores se reformulou. O "eu", para usar o termo de Michael, transformou-se paulatinamente em um poderoso "Nós" – em uma das equipes mais fortes e mais versáteis que já treinei. O sistema estava bombando e tinha uma defesa imbatível. Tivemos um começo de 15 vitórias e duas derrotas, e um final de temporada com 67 vitórias, superando em 10 vitórias todas as outras equipes da liga. Só tivemos duas grandes derrotas. A certa altura, Reinsdorf me telefonou e disse:

– Espero que você não esteja forçando o time para quebrar o recorde.

Falei para ele que isso estava acontecendo espontaneamente. Isso a ponto de um dia B. J. Armstrong declarar que era como se os Bulls estivessem "em sintonia com a natureza", já que a temporada e tudo o mais se encaixavam, "como outono e inverno e primavera e verão".

Chegaram então as finais. Depois da vitória sobre a equipe de Miami em três jogos, enfrentamos a dura equipe do New York Knicks, treinada por Pat Riley, que tinha feito um bom trabalho ao transformar os Knicks em uma nova versão do Detroit Pistons de outrora. Na verdade, Riley contratara Dick Harter, um ex-assistente técnico especialista em defesa dos Pistons, para implantar aquele tipo de agressividade nos Knicks. A NBA tinha tolerado os Bad Boys de Detroit nos últimos cinco anos, e depois que os tínhamos mandado para o espaço no ano anterior a liga respirou aliviada. O jogo de força estava fora, e a elegância do basquete retornava lentamente à moda. Mesmo assim, os Knicks possuíam uma linha de frente poderosa – composta por Patrick Ewing, Charles Oakley e Xavier McDaniel, com Anthony Mason como reserva. A estratégia deles consistia em se valer da força muscular para liderar o placar, desacelerar o ritmo do jogo e conter a movimentação de bola do adversário. Mas a principal arma deles era a habilidade de Riley para lidar com a mídia. Ele tinha aprendido em L.A. a usar a imprensa para atingir os juízes, e disparou o primeiro tiro antes do primeiro jogo das finais. Seu objetivo? Se os árbitros não se encantassem com M. J. e conduzissem um jogo justo, ele próprio declarou, os Knicks teriam uma chance de ganhar. Revidei o disparo declarando que Ewing bancava o sonso e dava passadas a mais, cada vez que se dirigia à cesta. Começou a batalha.

Sempre me senti à vontade no diálogo com os repórteres porque passei bom tempo com eles durante os meus dias de jogador dos Knicks. E também aprendi com alguns erros estúpidos que cometi. No meu primeiro ano como titular – 1974-75 – os Knicks decolaram, mas não tivemos consistência e terminamos a temporada com um decepcionante recorde de 40-42 (vitórias e derrotas, respectivamente). Por isso, declarei aos repórteres na ocasião que tínhamos chegado às finais, mas que "ainda éramos perdedores". Foi a grande manchete do dia seguinte: "Jackson chama os Knicks de perdedores."

Cometi outra gafe ainda pior. Em 1977, durante uma desavença entre os Lakers e os Rockets, Kermit Washington do L.A. deu um forte soco em Rudy Tomjanovich, do Houston, arrebentando-lhe o rosto e quase o matando. Falei para os repórteres que era uma situação lamentável, mas que uma semana antes me esquivara de um golpe igual desferido por George McGinnis dos 76ers e que ninguém reparara. "Pelo visto é preciso ser uma estrela para ter a atenção da liga", concluí com esse comentário do qual até hoje me arrependo.

Os Knicks então nos enfrentaram com a força dos músculos e tiveram o caminho facilitado pelos árbitros que resultou em uma vitória surpreendente no jogo 1. Logo no início, Scottie Pippen sofreu uma séria torção no tornozelo e o jogo entrou no ritmo dos Knicks. Conseguimos nos recuperar no jogo 2, graças a diversos arremessos importantes de B. J. Armstrong. E, no jogo 3, Michael se libertou da forte defesa dos Knicks e retomamos a vantagem de decidir em casa.

Horace comparou o jogo 4 com uma disputa da Federação Mundial de Luta Livre, e Michael confidenciou que por causa da péssima arbitragem concluiu que a vitória seria impossível para nós. Depois que culpei os árbitros e fui expulso no segundo tempo, os Knicks comandaram o jogo e venceram de 93-86.

Após o jogo, liberei o meu lado bad boy nas entrevistas.

– Talvez eles estejam lambendo os beiços na Quinta Avenida, onde estão os escritórios da NBA. Eu acho que estão gostando que a série esteja 2-2, duas vitórias e duas derrotas. Odeio "orquestrações"... Mas são eles que determinam os árbitros. E, se formos a sete jogos, todo mundo vai ficar muito feliz.

Riley adorou. Acabei lhe propiciando uma deixa perfeita. No dia seguinte declarou aos repórteres que eu tinha insultado a equipe dele.

– Participei de seis equipes campeãs e de 13 finais. Conheço bem a atitude necessária para ganhar um campeonato. O fato de ele ficar choramingando e resmungando contra a arbitragem é um insulto à forma aguerrida de como nossos jogadores estão jogando e ao quanto nossos atletas querem vencer... É dessa forma que times campeões são feitos. Eles têm que aceitar a realidade sem ficar reclamando de tudo.

A imprensa de Nova York comprou a briga. No dia seguinte os jornais estavam recheados de histórias de Phil, o Chorão. Se antes os torcedores do New York me tratavam como um membro da família, mesmo quando passei a trabalhar para o inimigo, depois das declarações de Riley começaram a me vaiar na rua. Isso era estranho, mas nada do que dissesse poderia desfazer o que estava feito. Ganhar era a melhor vingança.

Precisamos de sete jogos para isso. Antes do jogo 7, meus amigos lakota me aconselharam a "contar os golpes" em Riley, e foi o que fiz. Enquanto passava pelo banco dos Knicks me detive, estendi a mão para Pat e disse:

– Vamos dar um bom espetáculo para todos.

Ele balançou a cabeça com ar perplexo pela minha acessibilidade. E, como se viu, o jogo se revelou um bom espetáculo de Michael Jordan. Logo no início, Xavier McDaniel estava batendo e provocando Scottie, que ainda se recuperava da torção no tornozelo, com uma marcação dura. Isso fez Michael entrar em cena e confrontar o ala de força, que era maior e mais forte, até que ele recuasse. (Fiquei tão impressionado pela forma com que Michael defendeu o companheiro de equipe que depois coloquei uma foto desse embate na mesa do meu escritório.) No terceiro período, Jordan deu um toco em McDaniel em uma das melhores transições defensivas que já presenciei. Isso começou quando Michael converteu um arremesso de quadra e em seguida roubou a reposição de bola dos Knicks e partiu para a cesta para mais dois pontos. Mas Xavier roubou-lhe a bola e disparou pela quadra para o que parecia ser uma bandeja fácil. Só que Jordan estava em seus calcanhares e bateu na bola por trás no mesmo segundo que McDaniel subia para enterrá-la. Essa jogada destruiu o espírito dos Knicks e eles não chegaram mais perto. Depois, Riley graciosamente resumiu o desempenho dos Bulls:

– Eles jogaram como são.

Mesmo assim, nada chegou fácil. Depois de termos vencido outra série árdua contra o Cleveland nas finais da Conferência Leste, enfrentamos partidas duras contra o Portland Trail Blazers nas finais do campeonato. Era um time rápido, dinâmico e liderado por Clyde Drexler, que estaria em pé de igualdade com Jordan segundo alguns observadores não baseados em Chicago. O plano agora era jogar com uma sólida defesa na transição ataque-defesa e obrigá-los a fazer arremessos de longa distância. O plano de M. J. era mostrar ao mundo que Drexler não era Michael Jordan. E ele fez isso com tanta determinação que Danny Ainge, companheiro de equipe de Drexler, declarou mais tarde para o autor David Halberstam que era como observar "um assassino que chega para matá-lo e lhe arrancar o coração".

Começamos forte e vencemos o jogo de abertura em Chicago, e deixamos o jogo seguinte escapar na prorrogação. Em vez de pegarmos um voo noturno até Portland, como os Blazers fizeram, resolvi viajar no dia seguinte e dar folga para a equipe, em vez de arrastá-los com um treino estressante. E no dia seguinte explodimos e retomamos a liderança da série por 2-1. Ficamos em igualdade nos dois jogos seguintes, e retornamos a Chicago com uma chance de deixar a série para trás em nossa própria quadra.

Os Blazers entraram com tudo no jogo 6, abrindo uma vantagem de 17 pontos no terceiro período. Tex insistiu para que retirasse Jordan porque ele não estava cumprindo o trato de jogar dentro do sistema. Eu sempre o retirava da quadra dois minutos antes do final do terceiro período, mas dessa vez o tirei mais cedo e deixei que os reservas jogassem mais tempo porque diminuíram a diferença com uma sequência de 14-2, ajudados por Bobby Hansen, o reserva de M. J. que acertou um arremesso importante de três pontos. Michael não pareceu feliz quando não o recoloquei na quadra no início do quarto período. Mas os jogadores reservas estavam enérgicos e entusiasmados, e os Blazers pareciam confusos em como defendê-los. Quando Michael e os outros titulares retornaram ao jogo, a diferença tinha encolhido para 5 pontos e os Blazers cambaleavam. Michael fez 12 dos seus 33 pontos, e Scottie fez alguns arremessos de longa distância e acabamos com o adversário por 97-93.

Abram o champanhe. Era a primeira vez que ganhávamos um campeonato em casa, e os torcedores foram à loucura. Após a tradicional algazarra no vestiário, levei os jogadores de volta à quadra para se juntarem à celebração. Scottie, Horace e Hansen pularam em cima da mesa de contagem e começaram a dançar, e foram seguidos por Michael, que agitava o troféu do campeonato. Foi uma celebração alegre.

Algum tempo depois retornei ao escritório para refletir sobre o que acabara de acontecer. Mais tarde, em reunião privada com os jogadores, os fiz lembrar que ganhar campeonatos seguidos era a marca de uma grande equipe. Mas o que me deixava mais feliz é que tivemos que navegar por curvas inesperadas e tortuosas até chegarmos ao ponto que chegamos. Paxson referiu-se à temporada como "uma jornada longa e estranha", evocando uma famosa canção do Grateful Dead. Ele estava certo. A jornada do nosso primeiro campeonato tinha sido uma lua de mel. E a segunda, uma odisseia.

9
VITÓRIA AGRIDOCE

Os seres humanos não nascem de uma vez no dia em que as mães os dão à luz, mas... a vida os obriga repetidas vezes a dar à luz a si mesmos.
GABRIEL GARCÍA MÁRQUEZ

Naquele verão, Jordan e Pippen viajaram até Barcelona para jogar no Dream Team. Jerry Krause não ficou feliz. Argumentou que eles deviam ignorar os Jogos Olímpicos e descansar para a próxima temporada. Mas ignoraram o pedido de Jerry e fiquei feliz por agirem assim. Ocorreu uma importante mudança em Barcelona que teria um enorme impacto no futuro dos Bulls.

Na volta, Jordan delirava com o desempenho de Pippen. Antes do verão, Jordan já considerava Pippen o atleta mais talentoso do seu elenco de apoio. Mas, depois de vê-lo jogar em Barcelona com Magic Johnson, John Stockton, Clyde Drexler e outros futuros integrantes do Hall da Fama, Jordan se deu conta de que Pippen era o jogador mais versátil daquela equipe de basquete que muitos consideram a melhor que já existiu. Jordan chegou a reconhecer que Pippen tinha sido ofuscado em alguns jogos.

Pippen voltou com a confiança renovada e assumiu um papel maior nos Bulls. As regras da NBA nos impediam de adicionar um terceiro capitão na lista (além de Michael Jordan e Bill Cartwright), mas extraoficialmente passamos o papel para Pippen. E também efetivamos B. J. Armstrong como titular porque John Paxson se recuperava de uma cirurgia no joelho e estava com um tempo de jogo limitado.

No livro *The Tao of Leadership*, John Heider salienta a importância de interferir o mínimo possível. "Regras reduzem a liberdade e a responsabilidade", explica o autor. "A aplicação de regras coage e manipula, reduzindo a espontaneidade e absorvendo a energia do grupo. Quanto mais coercitivo se é, mais o grupo resiste."

Em seu livro baseado no *Tao Te Ching*, de Lao-Tsé, Heider sugere que a prática dos líderes se faça cada vez mais aberta. "Líder sábio é servidor: receptivo, obediente e seguidor. O líder segue a vibração dos membros do grupo. E, à medida que a consciência dos membros se transforma, a vibração se resolve."

Era isso que eu tentava fazer com os Bulls. O objetivo era atuar tão instintivamente quanto possível de maneira a que os próprios jogadores liderassem a equipe de coração, já que assim seriam capazes de fluir com a ação, da mesma forma que a árvore se curva ao vento. Era por isso que enfatizava treinos fortemente estruturados e imbuía os jogadores de uma visão consistente de onde precisávamos chegar e o que deveríamos fazer para lá chegar. Mas eu saía de cena quando o jogo começava e os jogadores é que orquestravam o ataque. Eu só aparecia para fazer ajustes defensivos ou para mudar algumas peças quando precisávamos de explosão de energia. Na maior parte do tempo a liderança ficava por conta dos próprios jogadores.

Mas para fazer este trabalho de estratégia era preciso desenvolver um círculo vigoroso de líderes capazes de transformar essa visão em realidade para a equipe. A estrutura é crucial. A maioria dos jogadores das equipes bem-sucedidas que treinei tinha uma ideia clara do papel a ser desempenhado. Uma hierarquia clara reduz a ansiedade e o estresse dos jogadores. Por outro lado, uma hierarquia obscura somada a uma constante competição pelas posições por parte dos melhores jogadores enfraquece o centro por mais talentoso que seja.

Enquanto Michael Jordan estivesse por perto, não precisaríamos nos preocupar com quem era o maioral nos Bulls. Depois que estabeleci uma forte ligação com Michael, o resto se encaixou. Michael se relacionou estreitamente com o "olho social do touro", descrito anteriormente, porque concebeu a estrutura da liderança como uma série de círculos concêntricos.

– Phil era o centro da equipe, e eu era uma extensão desse centro – ele diz. – Phil confiava em mim para se conectar com as diferentes personalidades do grupo e para fortalecer a ligação da equipe. Nós dois tínhamos um vínculo muito forte, de modo que, quando eu fazia alguma coisa, Scottie também fazia e o resto do time nos seguia. Isso tornava a ligação tão forte que nada poderia quebrá-la. Nada poderia penetrar naquele círculo.

Scottie era um tipo diferente de líder. Era mais descontraído do que Michael. Ouvia pacientemente os companheiros e depois tentava resolver o que os incomodava.

– Acho que gravitávamos em torno de Scottie porque ele era mais parecido com a gente – diz Steve Kerr. – Michael era uma presença tão dominante que às vezes até não parecia humano. Nada podia chegar ao Michael. Scottie era mais humano, mais vulnerável, exatamente como nós.

A temporada de 1992-93 tornou-se um longo inverno de infortúnios. Cartwright e Paxson em recuperação de cirurgias no joelho, e Scottie e Michael sempre às voltas com lesões. No ano anterior eu tinha prometido aos jogadores que se ganhássemos um segundo campeonato não os faria passar por dois treinos exaustivos por dia no centro de treinamento durante a pré-temporada. Realizávamos então um longo treino diário, com pausas para assistir a vídeos de jogos. Mas essa agenda não funcionou porque os jogadores se enrijeciam durante os intervalos.

Alguns técnicos gostam de fazer treinos longos, sobretudo depois que sofrem derrotas duras. Bill Fitch, meu técnico de faculdade, era um exemplo clássico. Uma vez se irritou tanto com o desempenho apático do nosso time em um jogo em Iowa que nos fez treinar quando voltamos para o campus da Universidade de Dakota do Norte depois de termos chegado de uma viagem de avião às 10 horas da noite ou mais. A meu ver, os treinos punitivos são improdutivos. Os treinos precisam ser estimulantes, divertidos e acima de tudo eficientes. Certa vez, o técnico Al McGuire me disse que o segredo era não desperdiçar o tempo de ninguém.

– Se você não pode fazer isso em oito horas por dia, não vale a pena fazer.

A partir daí adotei a mesma filosofia.

Grande parte do que penso a respeito recebeu influência do trabalho de Abraham Maslow, um dos fundadores da psicologia humanista que é mais conhecido por sua teoria da *hierarquia das necessidades*. De acordo com Maslow a maior necessidade humana é alcançar a "autorrealização", definida como "a plena utilização e exploração dos talentos, capacidades e potencialidades de cada um". Na sua pesquisa, o autor demarca como características básicas da autorrealização a espontaneidade e a naturalidade, a aceitação de si mesmo e dos outros, altos níveis de criatividade e concentração intensa na resolução de problemas que sobrepujam a gratificação do ego.

Para alcançar a autorrealização, continua o autor, primeiro é necessário satisfazer as necessidades mais básicas, cujos blocos se sobrepõem e formam a conhecida pirâmide de Maslow. A camada inferior é constituída pelos impulsos fisiológicos (fome, sono, sexo); seguida pelas preocupações de segurança (estabilidade, ordem); o amor (pertences); a autoestima (respeito por si mesmo, reconhecimento); e, por fim, a autorrealização. Maslow conclui que a maioria das pessoas não alcança a autorrealização porque se prende em alguma camada inferior da pirâmide.

No seu livro *The Farther Reaches of Human Nature*, Maslow descreve os passos principais para alcançar a autorrealização:

1. experimentar a vida "com vivacidade e desinteresse e o máximo de concentração e absorção";
2. fazer escolhas a cada instante em prol do crescimento e não do medo;
3. sintonizar-se cada vez mais com sua natureza interior e agir em sintonia com o que você é;
4. ser honesto para consigo mesmo e assumir a responsabilidade pelo que diz e o que faz, deixando de lado joguinhos e poses;
5. identificar as defesas do seu ego e ter a coragem de abandoná-las;
6. desenvolver a capacidade de determinar o próprio destino e ousar ser diferente e inconformista;
7. criar um processo contínuo para realizar o seu potencial e fazer o trabalho necessário para realizar seu sonho;
8. incrementar condições para ter experiências máximas ou "momentos de êxtase", como diz Maslow, nos quais pensamos, agimos e sentimos com mais clareza e mais amor e aceitamos os outros.

As ideias de Maslow me foram extremamente libertadoras quando as conheci nos meus tempos de faculdade. Embora como atleta estivesse familiarizado com as experiências máximas, ainda não tinha entendido plenamente a complexa psicologia que havia por trás. O trabalho de Maslow abriu-me uma porta para pensar a respeito da vida de modo mais expansivo. Fiquei particularmente atraído pelas percepções de como se deve sair do próprio caminho e deixar que a natureza interna se expresse por si mesma. A abordagem de Maslow de equilibrar as necessidades físicas, psicológicas e espirituais me proporcionou uma base para desenvolver uma nova forma de motivar os atletas depois que me tornei técnico de basquete.

O tédio era o nosso maior inimigo na temporada de 1992-93. Às vezes, o estilo de vida na NBA embrutece e entorpece a mente, sobretudo quando se está em viagens longas e cada minuto de cada dia é controlado pela agenda. O objetivo era então levar os jogadores a se libertarem do confinamento no casulo do basquete para que pudessem explorar os aspectos mais profundos e espirituais da vida. Por "espiritual" não quero dizer "religioso", e sim o estado de autodescoberta que decorre de quando se ultrapassa a visão rotineira do mundo. Como diz Maslow: "A grande lição dos verdadeiros místicos... [é] que o sagrado encontra-se no profano, em nossa vida diária, em nossos vizinhos, amigos e familiares e em nosso quintal."

O trabalho se torna significativo quando se alinha à verdadeira natureza de cada um. "O trabalho é santo, sagrado e edificante quando brota de quem realmente somos e se interliga à nossa jornada de desdobramento", escreve o monge e professor ativista Wayne Teasdale, no livro *A Monk in the World*. "O trabalho é sagrado quando se interliga à realização espiritual e representa a paixão e o desejo de contribuir para a cultura e, especialmente, para o aprimoramento dos outros. E entenda-se por paixão os talentos divididos com os outros e que moldam o destino de todos quando estão a serviço da comunidade."

A criação da ordem a partir do caos é essencial para explorar o sagrado tanto no trabalho como na vida. Teasdale cita o compositor nativo norte-americano James Yellowbank, segundo o qual "a tarefa da vida é manter o mundo em ordem". Isso exige disciplina e um equilíbrio saudável entre trabalho e diversão, com mente, corpo e espírito nutridos no contexto da comunidade – valores que se enraizaram profundamente no meu ser e se tornaram meus objetivos para os times que treinei.

Nem sempre era fácil induzir os jogadores a se voltarem para dentro de si. Nem todos dos Bulls estavam interessados em realização "espiritual". Mas não me esforcei para convencê-los. Usava uma abordagem mais sutil. A cada ano a equipe fazia uma longa viagem pela Costa Oeste em novembro, quando o circo assumia o estádio durante algumas semanas. Antes da viagem eu selecionava uma leitura para os jogadores com base no que sabia a respeito de cada um. Eis uma das listas típicas: *Song of Solomon* (Michael Jordan), *Things Fall Apart* (Bill Cartwright), *Zen and the Art of Motorcycle Maintenance* (John Paxson), *The Ways of White Folks* (Scottie Pippen), *Joshua: A Parable for Today* (Horace Grant), *Zen Mind, Beginner's Mind* (B. J. Armstrong), *Way of the Peaceful Warrior* (Craig Hodges), *On the Road* (Will Perdue) e *Beavis & Butt-Head: This Book Sucks* (Stacey King).

Alguns liam os livros que recebiam e outros os jogavam no lixo. Mas nunca esperei cem por cento de participação de todos. A mensagem que queria transmitir é que me importava com eles enquanto seres humanos e que tinha passado um bom tempo à procura de um livro que lhes tivesse um significado especial. Ou que pelo menos os fizesse rir.

Outra maneira era ter especialistas por perto para ensinar ioga, tai chi e outras técnicas de mente e corpo aos jogadores. Convidávamos também palestrantes – um nutricionista, um detetive disfarçado e um carcereiro, por exemplo – que mostravam novas formas de pensar os problemas difíceis. Às vezes fazíamos as viagens curtas de ônibus – entre Houston e San Antonio, por exemplo – para que os jogadores tivessem a chance de olhar a cara do mundo para além das salas de espera do aeroporto. Uma vez, depois de uma dura derrota de uma série de finais com os Knicks, surpreendi a todos ao levar a equipe para um passeio de balsa até Staten Island, evitando que passassem por uma nova rodada de entrevistas com a enervante mídia de Nova York. Em outra ocasião os levei para fazer uma visita ao escritório em Washington, D.C., de um ex-companheiro meu, o senador Bill Bradley, que nos deu uma palestra sobre basquete, política e racismo. Ele acabara de fazer um discurso contundente no plenário do Senado (depois que os policiais de Los Angeles espancaram Rodney King), no qual batera um lápis 56 vezes contra o microfone, equivalentes ao número de golpes que King tomara. Uma parede do escritório de Bradley estampava uma foto do arremesso que ele perdera no jogo 7 das finais da Conferência Leste de 1971 e que terminara de vez com a esperança dos Knicks de ser novamente campeão naquele ano. Bill a mantinha ali como um lembrete de sua falibilidade.

Tais atividades nos fortaleciam não apenas como indivíduos, mas também como equipe. "Uma das melhores coisas em nossos treinos", diz Steve Kerr, que se juntou ao Bulls em 1993, "era que nos libertavam do mundano. Se na NBA um treinador diz a mesma coisa o tempo todo e os treinos são sempre iguais, isso envelhece rapidamente. Mas as nossas reuniões comunitárias eram de fato importantes. Isso unia o nosso time de um jeito que nunca tinha visto nos outros times que joguei."

Já para Paxson as aventuras para além da rotina do basquete eram transcendentes. "Era como se fizéssemos parte de algo muito importante", diz ele. "Era como se fôssemos os mocinhos porque tentávamos jogar da maneira certa. Era como se fizéssemos parte de algo maior do que o jogo. E isso se reforçou depois que começamos a ganhar porque os torcedores faziam de tudo para que soubéssemos o quanto isso era importante para eles. Até hoje as pessoas me dizem onde é que estavam quando ganhamos nosso primeiro campeonato e como esse momento se tornou importante para elas. Nós jogávamos da maneira certa e isso é o que todos desejam."

"Transcendente" não é exatamente o termo apropriado para os Bulls quando começaram as finais ali pelo fim de abril. Tínhamos batalhado aos tropeções durante toda a temporada, sem Cartwright e outros jogadores às voltas com lesões. Embora no final tivéssemos vencido a divisão, terminamos com 57 vitórias, menos 10 do que no ano anterior. Além disso, não contaríamos com a vantagem de decidir em casa nas finais como na temporada anterior.

Contudo, assim que começaram as finais, os jogadores passaram para outro nível. Pelo menos assim pareceu quando varremos Atlanta e Cleveland nas primeiras séries. Mas depois enfrentamos os Knicks e perdemos dois jogos seguidos em Nova York. Dessa vez o aspirante a rei assassino foi John Starks, um armador forte e dinâmico com um arremesso mortal de três pontos que deu uma tristeza sem fim a Jordan na defesa. Com 47 segundos para terminar o jogo 2, Starks voou por entre Michael e Horace para uma enterrada na cara deles que pôs os Knicks à frente por cinco. Pat Riley se referiu à jogada de Starks como "o ponto de exclamação".

De volta a Chicago, mostrei um vídeo da enterrada aos jogadores e argumentei que Michael precisava impedir a penetração de Starks em nossa defesa e dificultar os passes dele para Ewing no pivô. Isso chamou a atenção de Michael.

Mas os desafios de Michael não se restringiam à quadra de basquete. Naquela mesma semana Dave Anderson, colunista do *New York Times*, revelara que Michael tinha sido visto em um cassino de Atlantic City no dia do jogo 2, questionando se a noitada não lhe prejudicara a performance. De repente, uma tropa de repórteres irrompeu em nosso centro de treinamento, com perguntas detalhadas sobre os hábitos das apostas de Michael que o deixaram ofendido. Ele deixou de falar com a mídia, e seus companheiros fizeram o mesmo. Achei a história ridícula.

– Não precisamos de toques de recolher – declarei aos jornalistas. – Eles são adultos. E precisam ter outras coisas na vida para que a pressão não se torne insuportável.

Infelizmente, a história não parou por aí. Logo depois o empresário Richard Esquinas publicou um livro no qual alegava que Michael lhe devia 1.250.000 dólares por algumas derrotas no golfe. Michael negou que as derrotas tivessem tal montante, e mais tarde se noticiou que tinha feito um acordo com Esquinas para pagar 300 mil dólares. E depois surgiram outros rumores de que Michael estava sendo espoliado em grandes somas de dinheiro por apostadores duvidosos do golfe. Mas James Jordan, o pai de Michael, saiu em defesa do filho.

– Michael não tem problemas com jogo – disse. – Ele tem problemas com competitividade.

Felizmente, essas distrações não afetaram o jogo da equipe. Pelo contrário, serviram de ajuda para que todos concentrassem a energia na tarefa que tinham pela frente. Michael rugiu no jogo 3, anulando Starks e levando os Bulls a uma varredura nos quatro jogos decisivos.

– A grande coisa desse time é que todos se inflamam com o desejo de vitórias – disse Cartwright. – Todos aqui realmente odeiam perder. É uma atitude que tomamos na quadra. Simplesmente odiamos perder, e caras assim sempre fazem de tudo para vencer.

A série seguinte – finais do campeonato contra o Phoenix – mostrou-se um confronto entre Michael e Charles Barkley, que emergira como estrela naquele ano depois de ganhar o prêmio de melhor jogador da temporada, Most Valuable Player (MVP), e levar os Suns a um recorde na liga de 62-20 (vitórias e derrotas, respectivamente). Mas eu não estava tão preocupado com Barkley porque nossos jogadores conheciam grande parte dos seus movimentos desde os seus dias nos 76ers. Para mim a maior ameaça era o armador Kevin Johnson, que liderava a rápida movimentação do time e era a chave para a alta pontuação do ataque. O ala armador Dan Majerle com arremessos estonteantes de três pontos também me preocupava.

Johnny Bach me instigou a manter pressão defensiva na quadra inteira para deter Johnson, com B. J., Pax e Horace sufocando-o na saída de bola, e com isso roubamos os dois primeiros jogos em Phoenix. Mas em Chicago os Suns voltaram à vida e ganharam dois dos três jogos seguintes, incluindo a maratona de uma tripla prorrogação no jogo 3. Mas Jordan era imperturbável. Quando embarcamos no avião para o jogo 6, ele apareceu com um vistoso charuto à boca.

– Olá, campeões do mundo – disse. – Vamos chutar alguns traseiros em Phoenix.

O jogo foi uma verdadeira batalha. Isso me fez pensar que o melhor slogan para essa série seria "Três, o caminho difícil", já que a defesa dos Suns nos restringiu a apenas 12 pontos no quarto período. Mas *nossa* defesa foi ainda mais eficaz, restringindo os Suns a uma reles média de 24% de aproveitamento nos arremessos de quadra nesse mesmo período.

No final, tudo se resumiu a uma jogada que colocou um largo sorriso no rosto de Tex Winter. Jordan entrou na quadra com oito minutos para o final do jogo e tomou as rédeas, marcando os nossos primeiros nove pontos do período, incluindo uma enterrada na transição defesa e ataque que nos colocou com dois pontos à frente faltando 38 segundos para o final do jogo. No tempo técnico, reuni os jogadores e disse com a cara amarrada.

– Vamos nos afastar de M. J.

Alguns jogadores me olharam como se eu estivesse louco, mas logo perceberam que não era sério e a tensão se dissipou.

Como se viu, não seria Jordan que faria o arremesso final. Ele driblou a bola para o ataque e serviu a Pippen, que lhe devolveu a bola. Mas, quando a defesa dos Suns desabou sobre Jordan, ele passou a bola de volta para Scottie, que por sua vez partiu em direção à cesta. No último instante, Scottie achou Horace na linha de fundo. Ao perceber que Danny Ainge se aproximava para fazer uma falta, Horace passou a bola para Paxson, que estava livre na cabeça do garrafão e converteu uma cesta de três pontos.

Um bate-papo sobre a experiência máxima. Alguns anos depois, em uma entrevista com o autor Roland Lazenby, Paxson descreveu o que se passava em sua mente.

– Foi um sonho que se tornou realidade – disse. – Quando pequeno, você faz arremessos no quintal da sua casa sonhando em ganhar campeonatos. E quando finalmente chega esse dia continua sendo apenas um arremesso de um jogo de basquete. Mas acho que isso permitiu que muita gente se relacionasse com essa experiência porque muitas crianças e adultos tinham vivido as mesmas fantasias nos seus quintais. Isso tornou o terceiro daqueles três campeonatos especial. É realmente uma ótima maneira de definir o tricampeonato, fazendo um arremesso de três pontos.

Mas não foi o arremesso que me cativou. Foi o passe de Michael que levou ao passe de Scottie, que levou ao passe de Horace e que levou ao arremesso. Uma sequência de passes que nunca teria acontecido se durante todos aqueles meses e anos não tivéssemos nos dedicado ao aperfeiçoamento dos fundamentos do jogo de Tex e desenvolvido a inteligência grupal necessária à equipe para jogar em uníssono. Nunca o triângulo pareceu mais belo do que naquela noite.

Depois do jogo os comentaristas esportivos compararam os Bulls aos gigantes do passado. Com essa vitória nos tornamos o terceiro time da história – junto ao Minneapolis Lakers e ao Boston Celtics – a vencer três campeonatos consecutivos da NBA. Foi lisonjeiro estar incluído na mesma sentença com times já consagrados. Mas os comentaristas não mencionaram a verdadeira história: a jornada interior que os jogadores realizaram para transformar os Bulls de uma equipe da etapa 3 ("Eu sou o máximo, você não é") em uma equipe da etapa 4 ("Nós somos o máximo, e os outros não são").

Sempre fui contra fazer as malas antes de um grande jogo, apenas pelo fato de que os deuses do basquete poderiam favorecer o time adversário e nos obrigar a ficar para jogar no outro dia. Por isso, após a vitória retornamos ao hotel para fazer as malas e comemoramos no avião de volta a Chicago, onde uma grande multidão de torcedores em êxtase nos aguardava para os cumprimentos.

Acabara uma temporada muito dura. A pressão se avolumara a ponto de parecer nunca mais parar. Mas os jogadores encontraram força uns com os outros e terminaram com aquele momento de pura poesia de basquete que fez toda a dor e a feiura se dissiparem. Naquela noite acordei subitamente tomado por um sentimento de profunda alegria depois de poucas horas de sono. E em seguida mergulhei de volta ao sono e dormi por horas a fio.

Logo o sentimento de alegria se transformou em tristeza. No mês de agosto o pai de Michael Jordan foi assassinado a caminho de casa quando vinha de um funeral em Wilmington, Carolina do Norte. Michael ficou arrasado. Ele era muito chegado ao pai, que, depois de se aposentar, passava boa parte do tempo em Chicago como seu principal assessor. As hordas da mídia o seguiam por toda parte após a morte do seu pai, e lhe era doloroso perceber que a fama dificultava um pranto privado para a família. Já havia passado o tempo em que tudo que Michael tinha de lidar era com um punhado de jornalistas esportivos dos quais muitos ele conhecia pessoalmente. Agora era perseguido por uma multidão de jornalistas anônimos que se dedicavam às celebridades e que não tinham escrúpulos em invadir os recantos de sua vida pessoal outrora inacessível a eles.

Suspeitei por muito tempo que Michael se afastaria do basquete – e de todas as pressões que o esporte sempre implica – e faria outra coisa na vida. Ao longo dos meses deu a entender que talvez estivesse interessado em passar para o beisebol profissional, e que já tinha solicitado a Tim Grover, seu treinador pessoal, que montasse um programa de treinamento. E por isso não me surpreendeu quando Michael se reuniu com Jerry Reinsdorf durante o verão e disse que estava pensando em deixar os Bulls para jogar por outro clube de Jerry: o White Sox. Jerry então lhe disse que primeiro conversaria comigo e depois lhe daria uma resposta.

Eu não estava interessado em convencer Michael a desistir do novo sonho que perseguia, mas queria me assegurar de que tinha examinado a mudança de todos os ângulos possíveis. Conversei com ele mais como amigo do que como técnico, sem nunca sobrepor meu interesse pessoal ao assunto. E, para começar, apelei para o sentido de uma vocação superior. Argumentei que ele tinha recebido um talento notável de Deus que propiciava felicidade para milhões de pessoas e que não achava certo que deixasse isso para trás. Mas ele tinha uma resposta pronta.

– Por alguma razão Deus me disse para seguir em frente e seguirei em frente, e as pessoas precisam aprender que nada dura para sempre.

Então, argumentei que podia jogar as finais sem participar da temporada regular. Mas ele já tinha considerado isso e rejeitou a ideia. Por fim, me dei conta de que já estava com a cabeça feita e que falava sério em sair de um jogo que dominara por tanto tempo. Foi muito comovente.

– Emocionados, sentamos na sala e conversamos sobre os passos que eu precisava dar – lembra Michael. – E saí com a certeza de que Phil era um grande amigo. Ele me fez pensar em um monte de coisas diferentes e não me deixou tomar uma decisão apressada. Mas no fim do dia entendeu que eu realmente precisava de uma pausa. Já que tinha chegado a um ponto em que lutava contra os meus próprios demônios, em vez de me concentrar no basquete. Sair fora era tudo de que precisava fazer naquele momento em particular.

Porém, quando Michael saiu pela porta, por alguma razão senti que ainda não era o fim da história.

10
MUNDO EM FLUXO

Se você vive no rio, é melhor que faça amizade com o crocodilo.
PROVÉRBIO INDIANO (PUNJABI)

Era para ser uma noite de comemoração. Michael Jordan e família estavam no Chicago Stadium para a abertura da cerimônia do anel de 1993. Era a primeira aparição pública desde que tinha anunciado a aposentadoria em 6 de outubro, e os torcedores estavam ansiosos para expressar sua gratidão.

– No fundo do meu coração – disse Michael para a multidão depois de receber o terceiro anel – sempre serei um torcedor do Chicago Bulls e apoiarei meus companheiros de equipe ao máximo.

Mas aquilo de que precisávamos naquela noite não era apenas de mais um torcedor. Não sei se pela presença de Michael na primeira fila ou porque jogaríamos contra o Miami Heat, um eterno rival perdedor que estava em busca de vingança, o fato é que fizemos um dos piores jogos da história da franquia. O quanto foi ruim? Batemos o recorde de menor número de pontos convertidos em um período (6), no final do primeiro tempo (25) e em fins de jogos no nosso amado estádio (71). Foi tão ruim que o tempo todo o banco do Miami nos provocava sem qualquer cerimônia e sem qualquer consequência, e a torcida começou a se retirar na metade do terceiro período.

Após nossa derrota de 95-71, o pivô do Miami, Rony Seikaly, declarou que ainda estava preocupado porque Michael poderia "tirar o paletó e voltar a ser um super-homem contra nós". Na verdade, fiquei feliz por ele não ter feito isso. De que outra maneira os jogadores poderiam saber que não contariam mais com Michael para salvá-los do que uma derrota com tais proporções históricas e com ele próprio sentado na primeira fila?

Depois da aposentadoria de Michael, os especialistas esportivos declararam que estávamos nas últimas e que se tivéssemos sorte poderíamos ganhar trinta jogos. De modo que em Vegas as probabilidades eram de 25-1 contra a conquista do nosso tetracampeonato. Mas eu ainda me sentia cautelosamente otimista. Mesmo sem Michael, o núcleo da equipe campeã ainda estava intacto, e talvez o espírito de equipe construído ao longo dos anos nos levasse às finais. Escrevi então o que para mim era um objetivo razoável para a temporada: 49 vitórias. Mas ainda não me sentia confiante o bastante para compartilhar isso com ninguém.

A maior preocupação era descobrir como compensar os 30 pontos a mais que Michael marcava em média a cada jogo. Como a aposentadoria dele se deu quase no final do ano, não sobraram muitas opções para Jerry Krause. Ele assinou com Pete Myers, um armador (ex-jogador dos Bulls) sólido na defesa e excepcional nos passes, que tinha um razoável conhecimento do triângulo ofensivo. Mas em sete anos de NBA ele tinha uma média de aproximadamente 3,8 pontos por jogo – bem longe dos números de Jordan. A possibilidade mais forte era Toni Kukoc, a quem Jerry finalmente convenceu a se juntar ao Bulls depois de um longo namoro. Kukoc era um ala de 2,10 metros de altura anunciado como "o melhor jogador do mundo fora da NBA", e ainda um arremessador talentoso com uma média de 19 pontos por jogo no campeonato profissional italiano e uma peça fundamental na equipe nacional da Croácia que ganhara a medalha de prata nos Jogos Olímpicos de 1992. Mas ainda não tinha sido testado na NBA, e isso me fez questionar se era resistente o suficiente para suportar o castigo. O armador Steve Kerr e o pivô Bill Wennington foram as duas outras aquisições promissoras, embora ainda não tivessem mostrado grandes números. Enfim, não seria fácil preencher a lacuna deixada por Jordan.

Na pré-temporada convidei o psicólogo esportivo e professor de meditação George Mumford para dar um pequeno workshop para os jogadores no centro de treinamento sobre como lidar com o estresse causado pelo sucesso. A equipe passava por uma crise de identidade porque a aposentadoria de Jordan ocorrera poucos dias antes da chegada de George. Ele então apresentou os dois aspectos de toda crise: perigo e oportunidade. Se você tem a ideia certa, isso pode fazer a crise trabalhar para você, explicou o psicólogo. Isso propicia uma oportunidade para estabelecer uma nova identidade para o time ainda mais forte do que a anterior. De repente, os jogadores se animaram.

George tinha um histórico interessante. Ele havia jogado basquete na Universidade de Massachusetts, além de ter sido companheiro de quarto do grande Julius Erving, o dr. J da NBA, e de Al Skinner, técnico do Boston College. Mas uma lesão grave o afastara da equipe. Durante a recuperação interessou-se pela meditação e estudou durante alguns anos no Cambridge Insight Meditation Center. Mais tarde, investigou novas formas de integrar meditação, psicologia e desenvolvimento organizacional. Quando o conheci, estava trabalhando com Jon Kabat-Zinn, fundador da Clínica de Redução de Estresse da Universidade de Medicina de Massachusetts e um dos pioneiros nas pesquisas sobre os efeitos da atenção plena no tratamento da dor e da saúde em geral.

George era hábil em desmistificar a meditação e explicá-la com palavras que faziam sentido para os jogadores. Captava intuitivamente os problemas enfrentados pelo time porque era amigo do dr. J e de outros atletas de elite. Eu já tinha introduzido a meditação de mente plena para a maioria dos jogadores, de modo que sabiam que poderia ajudá-los a fazer uma leitura melhor do que acontecia na quadra e a reagir de maneira mais eficaz. Mas a intenção de George era elevá-los a outro nível. Ele acreditava que o treinamento da mente poderia ajudá-los a se tornarem mais ligados como indivíduos e mais solidários como time.

A expressão "mente plena" se diluiu tanto nos últimos anos que perdeu grande parte do significado original. Origina-se do sânscrito *smriti*, que significa "lembre-se". "Mente plena significa lembrar para retornar ao momento presente", escreve o professor zen Thich Nhat Hanh. É um processo contínuo que não se limita ao ato da própria meditação. "Sentar e observar a própria respiração é uma prática maravilhosa, mas não é suficiente", acrescenta. "Só nos transformamos quando praticamos a mente plena o dia inteiro e não apenas na almofada de meditação." Por que isso é importante? Porque a maioria de nós – incluindo os jogadores de basquete – oscila tanto entre os pensamentos passados e futuros que acaba perdendo o contato com o que acontece aqui e agora. E isso só nos impede de apreciar o profundo mistério de se estar vivo. Como diz Kabat-Zinn no livro *Wherever You Go, There You Are*: "O hábito de ignorar os momentos presentes em favor dos momentos por vir gera uma generalizada inconsciência da teia da vida na qual estamos inseridos."

George professou a prática da mente plena como um estilo de vida ao qual denomina "meditação fora da almofada". Isso implica estar inteiramente presente não apenas na quadra de basquete, mas também no dia a dia como um todo. Segundo ele, a chave não é apenas sentar e acalmar a mente, mas também aprender a observar e reagir com eficácia em qualquer situação e com base nos acontecimentos presentes.

Uma das primeiras reações que notei nos jogadores, sobretudo nos mais jovens, é que se apegavam a uma mentalidade restritiva que lhes dificultava a adaptação a uma nova realidade.

– Muitos deles eram os maiorais nas equipes universitárias – diz George. – Mas de repente estavam na NBA onde inúmeros jogadores eram mais rápidos, mais ligeiros e mais fortes. Assim, tiveram que descobrir outro jeito de competir e de ser bem-sucedidos. E o que eles têm aqui não vai elevá-los a um nível sequer.

Um exemplo de George era Jared Dudley, um ala do Phoenix Suns com quem já tinha trabalhado. No Boston College, Jared tinha sido um ótimo cestinha quando jogava na posição de pivô, cujo estilo agressivo lhe rendera o apelido de "Cão vira-lata". Mas quando chegou aos profissionais percebeu que precisava assumir um papel diferente. E trabalhando com George descobriu como se adaptar à situação e crescer como jogador. Segundo George: "Jared olhou ao redor e disse: Tudo bem, eles precisam de alguém para jogar na defesa... farei isso. Eles precisam de alguém para arremessos de três pontos... farei isso. Jared estava sempre refletindo: como é que quero jogar e o que posso fazer para mudar." Resultado: Jared floresceu no seu novo papel e em 2011-12 atingiu a média de mais de 12 pontos por jogo.

O objetivo era ajudar os jogadores a fazer uma mudança similar. Eles precisavam assumir um papel em particular que se encaixasse com seus pontos fortes. George então se concentrou em simplesmente fazê-los prestar atenção e ajustar a conduta segundo os objetivos da equipe. Mas passado algum tempo chegou à conclusão de que o primeiro passo era fazer os jogadores entenderem que o que aprendiam a fazer na quadra também aprimorava o crescimento individual. De acordo com George eles precisavam entender que, "no processo de se tornar um *nós*, também cultivavam o próprio *eu*".

Nada disso foi feito da noite para o dia, pois a maioria de nós precisa de alguns anos para despertar a conexão entre si mesmo e os outros, bem como a sabedoria do momento presente. Mas a equipe de 1993-94 era especialmente receptiva. Os atletas queriam provar ao mundo que poderiam ser bem mais do que um simples elenco de apoio a Michael e ganhar um campeonato por conta própria. Eles não eram tão talentosos como alguns de outras equipes treinadas por mim, mas sabiam intuitivamente que a grande esperança era se unir o mais perfeitamente possível.

A princípio pareceu que aquela primeira partida em casa era profética. Alguns jogadores estavam afastados por lesões – entre eles Scottie, John Paxson, Scott Williams e Bill Cartwright –, e nosso recorde até o final de novembro era de seis vitórias e sete derrotas. Mas a certa altura comecei a notar sinais de consistência no time como, por exemplo, as vitórias nos últimos momentos contra os Lakers e os Bucks. Depois que Scottie retornou, o time entrou em erupção, vencendo 13 dos 14 jogos seguintes. No intervalo do Jogo das Estrelas estávamos com 34 vitórias e 13 derrotas e no caminho certo para ganhar sessenta jogos.

Scottie era o líder ideal para aquele time. No início da temporada apoderou-se do enorme armário de Jordan para estabelecer território, mas louvado seja, sem tentar se transformar em um clone do companheiro.

– Scottie não tentou ser o que não era – disse Paxson na ocasião. – Ele não tentou marcar 30 pontos por jogo. Jogou à maneira de Scottie Pippen, quer dizer, distribuiu a bola. É a velha regra: grandes jogadores aprimoram os outros jogadores. E definitivamente Scottie fez isso.

Dessa maneira, Horace e B. J. integraram a lista dos jogadores do Jogo das Estrelas, o All-Star Game, pela primeira vez. Toni transformou-se em um arremessador de decisão, e Kerr e Wennington tornaram-se confiáveis na pontuação.

Para mim, era um desafio ser técnico de Toni. Ele estava acostumado ao estilo de jogo mais livre e solto do basquete europeu e se frustrava com as restrições do triângulo ofensivo. Não conseguia entender por que eu dava tanta liberdade a Scottie e aplicava punho forte com ele quando o via fazer a mesma jogada. E eu explicava que a liberdade de Scottie era aparente porque cada movimento que fazia era em prol de uma maior eficácia do sistema. Mas às vezes Toni era afoito e não se podia prever o que viria.

Toni era especialmente imprevisível na defesa e isso deixava Scottie e os outros jogadores desarvorados. Para ampliar o nível de consciência de Toni estabeleci uma linguagem particular de sinais para nos comunicarmos durante os jogos. Eu o encarava quando se desviava do sistema e ele retribuía com um sinal de reconhecimento. Essa é a essência do treinamento: apontar os erros aos jogadores que por sua vez se mostram conscientes de que os cometeram. Quando não reconhecem o erro, perde-se o jogo.

Os Bulls caíram de produção após o intervalo do Jogo das Estrelas, e só nos recuperamos ao longo do mês de março. Mas encerramos a temporada com 17 vitórias e cinco derrotas e um convincente recorde total de 55 vitórias e 27 derrotas. A onda continuou na primeira rodada das finais com o Cleveland, ao qual varremos por 3-0. Em seguida demos de cara com uma muralha em Nova York e perdemos os dois primeiros jogos da série.

O jogo 3 acabou da maneira mais bizarra que já presenciei. Mas tornou-se um ponto de virada fundamental para o time.

Patrick Ewing penetrou pelo garrafão e fez um arremesso de gancho que empatou o placar em 102-102. Solicitei um tempo e arquitetei uma jogada que colocava Scottie repondo a bola em jogo de maneira que fizesse o passe para Kukoc, que faria o arremesso final. Scottie não ficou feliz com a jogada e, quando o grupo voltou para a quadra, caminhou emburrado até o final do banco.

– Você está dentro ou fora? – perguntei.

– Estou fora – respondeu.

Fiquei surpreso com a resposta, mas o tempo estava passando e tratei de incumbir Pete Myers de fazer o passe para Kukoc, que fez o arremesso para a vitória.

Eu ainda estava confuso sobre o que fazer quando caminhei pela quadra em direção ao vestiário. Era um comportamento incomum de Scottie, que até então nunca desafiara uma decisão minha. Até porque o considerava o principal jogador do time. Presumi que a pressão por não ter feito a cesta na posse anterior, que nos daria a vitória, o tinha quebrado. E achei que se pegasse pesado naquele momento poderia afundá-lo em um temor que se prolongaria por muitos dias.

Eu estava tirando minhas lentes de contato no banheiro quando ouvi Bill Cartwright gemendo e tomando fôlego.

– Bill, você está bem? – perguntei.

– Não posso acreditar no que o Scottie fez – respondeu.

Alguns minutos depois reuni os jogadores no vestiário e passei a palavra para Bill.

– Se quer saber, Scottie, aquilo foi uma besteira – ele disse, olhando para o companheiro e cocapitão. – Depois de tudo que essa equipe passou. É nossa chance de fazer as coisas por conta própria, sem Michael, e você estraga tudo com seu egoísmo. Nunca fiquei tão decepcionado assim em toda a minha vida.

Bill estava com os olhos lacrimejantes, e o resto do time, atordoado e silencioso.

Depois que acabou de falar rezamos a Oração do Senhor e saí para a entrevista coletiva. Os jogadores ficaram para trás e discutiram a situação. Scottie pediu desculpas por ter abandonado o time naquele momento, alegando que se sentira frustrado com aquela forma de o jogo terminar. E depois os outros extravasaram os próprios sentimentos.

– Acho que aquilo realmente fez uma limpeza na equipe – disse Kerr mais tarde –, já que tínhamos posto para fora algumas coisas que nos incomodavam e nos demos conta de que precisávamos retomar nossos objetivos. O estranho é que aquilo nos ajudou.

Olho agora para trás e me divirto com a forma pela qual a mídia lidou com a história. Assumiu um tom extremamente moralista, com o argumento de que Scottie teria que ser punido. Talvez outros técnicos tivessem aplicado uma suspensão ou alguma coisa pior, mas não achei que uma punição seria a melhor maneira de lidar com a situação. No dia seguinte, Scottie me garantiu que tinha deixado o incidente para trás e ponto final. E pela descontração com que participou do treinamento concluí que não haveria mais problema.

Alguns aplaudiram a estratégia esperta com que administrei o conflito. Mas eu não tinha tentado ser esperto. No calor do jogo simplesmente continuei atento ao momento para tomar decisões com base nos acontecimentos reais. Fiz o que precisava ser feito, em vez de me autoafirmar e inflamar a situação com consequências futuras: quis encontrar alguém que colocasse a bola em jogo e nos levasse à vitória. E depois deixei que os jogadores resolvessem, em vez de eu mesmo tentar consertar o problema. Agi intuitivamente e funcionou.

A equipe reavivou no jogo seguinte, liderada por Scottie, que acumulou 25 pontos, oito rebotes e seis assistências a caminho de uma vitória de 95-83 que empatou a série em 2-2.

– De repente, eclodiu um festival de amor – disse Johnny Bach após o jogo. – Só que em Chicago em vez de Woodstock.

Eu gostaria que essa história tivesse um final de conto de fadas, mas o curso da trama assumiu novamente um ar bizarro. Vencíamos por um ponto nos segundos finais do jogo 5 quando o árbitro Hue Hollins decidiu inovar. A maioria dos árbitros não marca faltas que decidem grandes jogos quando o cronômetro está zerando. Mas no Madison Square Garden as antigas regras do basquete não pareciam aplicar-se.

Nos 7,6 segundos restantes John Starks ficou encurralado ao longo da linha lateral e fez um passe desesperado para Hubie Davis na cabeça do garrafão. Scottie saiu em disparada para fazer a cobertura em cima de Hubie e o obrigou a fazer um arremesso apressado e desequilibrado que não chegou sequer perto da cesta. Ou pelo menos assim mostrou a reprise do lance. Mas isso não apareceu no universo paralelo de Hollins. Ele apontou uma falta de Scottie, alegando que tinha empurrado Hubie e atrapalhado o arremesso. (Hubie impulsionara as pernas para a frente e Scottie colidira com ele, um movimento que a partir daí a NBA passou a considerar falta de ataque.) Não é preciso dizer que Hubie marcou os dois arremessos livres e que os Knicks passaram à frente na série por 3-2.

Nós os derrotamos decisivamente no jogo 6, mas o conto de fadas acabou no jogo 7. Após a derrota de 87-77, reuni os jogadores para celebrar os nossos feitos. Era a primeira vez em anos que terminávamos uma temporada sem o foco das câmeras de TV. Falei para o time que deveríamos absorver o momento porque derrotas e vitórias faziam parte do jogo – e era realmente o que queria dizer.

– Hoje, foram eles que nos venceram – acrescentei. – Não fomos nós que perdemos.

Foi um verão difícil. De repente, a equipe começou a se desfazer. Paxson se aposentou e se tornou o locutor de rádio da equipe. Cartwright anunciou aposentadoria, mas mudou de ideia quando recebeu uma proposta lucrativa do Seattle SuperSonics. Scott Williams assinou um contrato vultoso com o Philadelphia. E Horace Grant, que tinha passe livre, aceitou inicialmente uma oferta de Jerry Reinsdorf para permanecer nos Bulls, mas depois mudou de ideia e se transferiu para o Orlando.

E também tive que deixar Johnny Bach sair. As tensões entre Jerry Krause e Johnny estavam em ponto de ebulição e já dificultavam nosso trabalho enquanto grupo. Jerry, que nos meios de comunicação era chamado de "o Detetive" por ser adepto de meios furtivos, continuava suspeitando de Johnny pelos supostos vazamentos para o livro *The Jordan Rules*, de Sam Smith. E agora Jerry afirmava que Johnny deixara vazar uma informação confidencial sobre nosso interesse pelo romeno Gheorghe Muresan, um pivô de 2,31 metros de altura. Foi uma acusação ultrajante. Mesmo que tivéssemos acompanhando Muresan de perto na Europa e o tivéssemos trazido para um teste secreto, muitas outras equipes tinham olheiros que o observavam, incluindo a de Washington que acabou por contratá-lo.

Mas achei melhor para todos os envolvidos, até mesmo para Johnny, que o deixássemos seguir em frente, e ele conseguiu um lugar como assistente técnico no Charlotte Hornets. A saída de Johnny surtiu um efeito desalentador na comissão técnica e nos jogadores, e abriu uma fenda no meu relacionamento com Krause.

O conflito entre Scottie Pippen e Krause em torno da possível troca do nosso jogador pelo ala Shawn Kemp e o versátil Ricky Pierce, do Seattle

SuperSonics, tornou-se outro episódio preocupante nas férias de 1993-94. Pippen ficou pasmo quando soube da negociação pelos repórteres e não acreditou quando Krause lhe disse que estava apenas ouvindo propostas comerciais como faria com qualquer outro jogador. Pressionado pelos torcedores dos Sonics, o proprietário do Seattle resolveu cancelar o acordo, mas o estrago já estava feito. Pippen se ressentiu com o tratamento recebido e a partir daí Jerry caiu no conceito dele.

O moral da equipe começou a se recuperar quando no final de setembro assinamos com o ala-armador Ron Harper, que estava de passe livre, e anunciamos oficialmente que não planejávamos a troca de Pippen. Procurei alertá-lo para que não fosse pego por uma guerra midiática com Krause.

– Sei que você está remoendo isso – disse –, mas isso não ajuda você nem o time. Sinceramente, isso só está fazendo mal a você. Os fatos estão a seu favor, Scottie. Você recebeu o prêmio de melhor jogador na temporada do ano passado. Por que não deixa isso de lado?

– Já sei disso – ele retrucou, dando de ombros. – É isso aí.

Mas os desentendimentos entre Scottie e Krause se prolongaram por algum tempo, e em janeiro de 1995 o próprio Scottie pediu para ser negociado.

Mesmo assim, a aquisição de Harper era promissora. Além de ter 1,98 metro de altura, um forte ímpeto ofensivo e uma boa suavidade no arremesso, ele tinha uma média aproximada de 20 pontos por jogo durante os seus nove anos com os Cavaliers e os Clippers. Harper já estava recuperado de uma grave lesão no LCA (ligamento cruzado anterior) que sofrera em 1990, mas não era mais a mesma ameaça que enfrentáramos nas finais de 1989 contra o Cleveland. De qualquer forma, estávamos otimistas de que pelo menos pudesse preencher parte da lacuna na pontuação deixada por Jordan. Em relação ao resto do time sentia-me menos otimista. O ponto mais vulnerável eram dois recém-chegados jogadores ainda não testados como alas de força – Corie Blount e Dickey Simpkins.

A falta de espírito competitivo do time no início da temporada me deixou preocupado. Era um novo problema. Michael tinha tanta gana por vitória que passava isso para todos. Mas agora os principais jogadores campeões tinham saído do time, menos Scottie, B. J. Armstrong e

Will Perdue, e essa gana era apenas uma vaga lembrança. Normalmente abríamos boa vantagem no primeiro tempo e sucumbíamos à pressão no quarto período quando o jogo ficava mais físico. No intervalo do Jogo das Estrelas estávamos batalhando para nos situar acima de 50% de vitórias e já tínhamos perdido algumas partidas na casa do adversário que no ano anterior teríamos vencido.

Então, certa manhã no início de março, Michael Jordan apareceu no meu escritório, no Berto Center. Ele voltava para casa ao terminar o treinamento da pré-temporada de primavera e depois de ter recusado uma oferta para ser reserva no ano seguinte pelo White Sox, da Major League Baseball. Michael disse que estava pensando em retornar ao basquete e perguntou se poderia treinar no dia seguinte e malhar com a equipe.

– Bem, acho que temos um uniforme do seu tamanho aqui – respondi.

O que se seguiu acabou sendo o mais estranho circo midiático que já presenciei na vida. Fiz de tudo para proteger a privacidade de Michael, mas a notícia de que o super-homem retornava a casa logo se espalhou. Em questão de dias um exército de repórteres aglomerou-se do lado de fora do centro de treinamento para saber quando Michael retornaria à quadra. Depois de mais de um ano obcecada com o assassinato que envolvia O. J. Simpson, a América estava ávida por boas notícias a respeito de um super-herói esportivo. E o mistério em torno do retorno de Michael Jordan acrescentava um fascínio adicional à história. No entanto, quando Michael finalmente decidiu retornar, o agente dele propagou um release que talvez tenha sido o mais curto da história: "Estou de volta."

O primeiro jogo de Michael – em 19 de março contra os Pacers, em Indianápolis – tornou-se um evento da mídia mundial, com a maior audiência televisiva já vista em jogos da temporada regular.

– Elvis e os Beatles estão de volta – disse em tom de brincadeira o treinador Larry Brown, do Indiana, quando uma falange de câmeras de TV lotou os vestiários antes do jogo.

E, durante o aquecimento, Corie Blount pilheriou quando uma equipe de TV filmou o tênis Nike de Michael.

– Agora, estão entrevistando os tênis dele.

A chegada de Michael Jordan teve um tremendo impacto no time. Assustados com as habilidades de basquete que ele mostrava, os novos jogadores competiam intensamente durante os treinos para mostrar o que eram capazes de fazer. Mas o imenso abismo entre Michael e seus companheiros dificultava a construção de uma ponte entre os dois lados. Até porque são necessários anos de trabalho duro para se construir o nível profundo de confiança que um time campeão requer. Mas aquele time não podia se dar a esse luxo. Michael não conhecia muito bem a maioria dos jogadores e não havia tempo para mudanças.

A princípio, isso não pareceu importar, pois, embora com dificuldade para encontrar o ritmo de arremessos no primeiro jogo em Indiana, Michael entrou em erupção no jogo seguinte contra o Boston, e o time começou com um placar de 13-3. As dúvidas ainda existentes sobre o retorno de Michael se dissiparam seis dias depois, quando marcou 55 pontos contra os Knicks no Madison Square Garden, a maior pontuação de um jogador naquele ano.

Mas, após o jogo, Michael entrou no meu escritório com algumas reservas.

– Você precisa dizer aos jogadores que não podem esperar que toda noite eu faça o que fiz em Nova York – disse. – Espero que despertem no próximo jogo e entrem na quadra como um time.

Aquele era um novo Michael. No passado teria se deleitado com o triunfo sobre os Knicks e provavelmente tentaria repetir o desempenho no dia seguinte. Mas voltava de uma licença sabática no beisebol com uma perspectiva diferente sobre o jogo. Não estava mais interessado em carreira solo e ansiava pela harmonia que fizera dos Bulls campeões.

Ele teria que esperar. Depois da vitória sobre o Charlotte Hornets por 3-1 na primeira rodada das finais, enfrentamos o Orlando, uma equipe jovem, talentosa e capaz de explorar nossas fraquezas. O Magic tinha Shaquille O'Neal, um dos pivôs dominantes da liga, e Horace Grant, um ala de força que nos enfrentava de igual para igual. A equipe também incluía um trio mortal de arremessadores de três pontos – Anfernee Hardaway, Nick Anderson e Dennis Scott. Nossa estratégia era fazer marcação dupla em Shaq e forçá-lo a converter lances livres. E também decidimos colocar Michael em cima de Hardaway, e o defensor que estivesse marcando Horace homem a homem, quando necessário, faria a dobra em Shaq ou sairia para dificultar os arremessadores de três pontos.

Isso poderia ter funcionado se nosso ataque estivesse mais sincronizado em toda a série.

Um dos momentos mais surpreendentes ocorreu no jogo 1, quando Michael que não estava tendo uma boa noite teve a bola roubada por Anderson quando restavam 10 segundos e os Bulls vencendo por um ponto. Depois que o Magic passou à frente, Michael jogou a bola para fora, terminando com nossa chance de ganhar. Após o jogo enlacei Michael pelos ombros com o braço e tentei consolá-lo. Falei que transformaríamos a experiência de maneira positiva para nos guiar dali para a frente.

– Você é o nosso cara. Nunca se esqueça disso – acrescentei.

Michael se recuperou no jogo 2, levando-nos para uma vitória com uma diferença de 38 pontos. Ficamos empatados após os dois jogos seguintes em Chicago, mas pagamos um preço por deixar Horace livre com frequência no jogo 5. Ele acertou 10 arremessos de quadra em 13 tentativas para fazer 24 pontos, pilotando o Magic para uma vitória de 103-95.

Mas o desempenho de Horace acabou sendo um detalhe menor em relação ao colapso vergonhoso do nosso time no final do jogo 6. Parecia que estávamos bem quando B. J. nos pôs à frente por 102-94 com 3,24 para acabar. Logo o time todo implodiu e depois disso deixamos de pontuar. Perdemos seis arremessos consecutivos e a bola duas vezes enquanto o Magic fazia uma escalada alucinante de 14-0, incluindo uma enterrada meteórica de Shaq no final do jogo. Fim da temporada.

Michael estava singularmente calmo depois da partida. Explicou durante meia hora para os jornalistas que tinha sido um desafio se entrosar com os novos companheiros de equipe.

– Retornei com o sonho de vitória – disse. – Achei que isso era possível. Mas agora percebo que isso não era possível porque perdemos.

Se eu não dissesse alguma coisa, aquele seria o tipo de jogo que poderia assombrar os jogadores por alguns anos.

– É só engolir a derrota e digeri-la. – Foi o que aconselhei a eles. – E depois é tocar a vida para a frente. – Mas eu sabia que não seria fácil esquecer aquele jogo.

Alguns dias depois eu ainda estava tentando entender o que tinha dado errado quando de repente tive uma visão de como podia transformar o Chicago Bulls novamente em um time campeão.

Eu mal podia esperar para começar.

11
POÉTICA DO BASQUETE

É mais divertido ser pirata do que se juntar à Marinha.
STEVE JOBS

Muitas vezes me pedem para revelar o segredo dos Bulls de 1995-96 que alguns consideram o maior time de basquete de todos os tempos. Como é que um time que em maio se dirigia para lugar algum se tornou imbatível alguns meses depois?

A resposta mais simples seria que tudo se deveu aos astros: Michael Jordan, Scottie Pippen e Dennis Rodman. Mas nesse jogo não é apenas o talento que conta. Outras equipes que tinham tantos talentos quanto os Bulls não chegaram perto do sucesso obtido pela nossa equipe. Outra explicação seria a magia do triângulo ofensivo. Mas até mesmo Tex Winter reconheceria que o triângulo é apenas uma parte da resposta.

Na verdade, uma confluência de forças uniu-se no outono de 1995 para transformar os Bulls em uma nova estirpe de equipe campeã. Do ponto de vista da liderança tribal, os Bulls tornaram-se uma equipe que subiu da etapa 4 para a etapa 5. A primeira sequência de campeonatos os transformou de uma equipe do tipo "eu sou o máximo, e você não é" para uma equipe do tipo "nós somos o máximo, e vocês não são". Mas na segunda sequência a equipe adotou um ponto de vista mais amplo: "A vida é o máximo." Ali pela metade da temporada ficou claro para mim que não era a competição em si que motivava a equipe, mas simplesmente a alegria do jogo em si mesmo. Aquela dança era nossa, e nossa equipe era a única que poderia competir consigo mesma.

O primeiro avanço foi uma mudança de visão. Logo após a derrota para o Orlando nas finais de 1995 ocorreu-me que precisávamos repensar a forma de utilizar nossos armadores. Nos meados da década de 1990 a maioria das equipes tinha armadores pequenos. Era um dogma na NBA que, se você não tivesse outro Magic Johnson, a estratégia inteligente era ter armadores pequenos na armação para se contrapor ao ritmo ligeiro dos armadores velozes que à época dominavam a liga. Mas aprendi, ao observar Scottie Pippen jogar como armador, que um jogador de 2,02 metros de altura e com enorme envergadura nessa posição propiciava inúmeras e fascinantes possibilidades.

Então me questionei: o que aconteceria se nós tivéssemos simultaneamente três armadores altos e de braços longos na quadra? Isso criaria confusão nas estratégias de trocas defensivas de outros times como também poderia aprimorar o nosso setor defensivo. Isso porque os armadores altos poderiam trocar a marcação e defender embaixo do garrafão sem dependerem de uma defesa dupla. E também nos permitiria deixar de lado a estratégia da pressão na quadra toda que usávamos quase todo tempo e que cansava alguns dos jogadores mais velhos. Com armadores grandes faríamos uma pressão defensiva mais eficaz abaixo da linha de três pontos.

Durante as férias tivemos que decidir quais jogadores deixaríamos desprotegidos e dispensáveis para o projeto de expansão da NBA. A decisão recaiu entre B. J. Armstrong, nosso armador na ocasião, e Ron Harper, nosso ala-armador cestinha que tinha ido para a reserva depois da volta de Michael ao time. Odiei quando tive que desistir de B. J. Era um sólido armador com um bom arremesso de três pontos e que era um defensor confiável. Mas com 1,88 metro e 79,4 quilos, ele não era grande o bastante para fazer trocas defensivas, marcar jogadores mais fortes e fazer marcação dupla em pivôs grandalhões como Shaquille O'Neal. Embora Ron não tivesse correspondido às expectativas como cestinha, adaptara-se bem ao triângulo e era um defensor de grande estatura. Com 1,98 metro e 84 quilos, Ron seria um armador grande e teria força e capacidade atlética para jogar em qualquer posição. Assim, decidi junto com Jerry Krause que manteríamos Ron e dispensaríamos B. J. Na reunião de fim de ano comentei para Ron que tinha grandes planos para ele em 1995-96, mas que ele precisaria estar em melhores condições e se reinventar como jogador defensivo e não fazer tantos arremessos. A nova estratégia de armadores grandes representou uma mudança filosófica significativa para a equipe. E se funcionasse nos tornaria mais flexíveis e explosivos, e dificilmente seríamos contidos.

O segundo avanço que fizemos acabou sendo a aquisição de Dennis Rodman como novo ala de força. No período de entressafra elaboramos uma lista de possíveis candidatos para a função, e o nome de Rodman estava no final da lista. Já tínhamos discutido a respeito dele, mas Krause sempre se mostrava indiferente com a ideia, alegando que ele não era "nosso tipo de pessoa". Depois de uma transferência do Detroit para o San Antonio Spurs em 1993, Rodman teve uma adaptação difícil à cultura dos Spurs, apesar de ter se destacado na liga como líder de rebotes. Mas, além de desrespeitar as regras e se atrasar para os treinos, atuava fora da quadra e ostentava roupas berrantes e joias. Na verdade, a administração do San Antonio estava tão farta de suas rebeldias que já o tinha multado algumas vezes em milhares de dólares e o deixado na reserva no crucial jogo 5 das finais da Conferência Oeste de 1995, das quais os Spurs saíram derrotados pelo Houston Rockets.

Eu compartilhava algumas das preocupações de Jerry, mas não tinha problemas com as excentricidades de Dennis Rodman e sim com seu estilo egoísta de jogo. Já tinha ouvido de alguns técnicos que o conheciam de perto que era obcecado com rebotes e relutava em ajudar os companheiros de equipe na defesa. Outro questionamento era se ele poderia trabalhar com Michael e Scottie que se ressentiam pela brutalidade com que lidara com os Bulls nos tempos que estava com os Pistons. Mas o olheiro Jim Stack nos alertou que poderíamos perdê-lo se não agíssemos rapidamente, e Jerry então decidiu dar uma olhada mais séria nele.

Duas semanas depois, Jerry me chamou para um encontro na casa dele, com Rodman e seu agente Dwight Manley. Quando cheguei, Dennis estava recostado no sofá, com óculos escuros e boina. Ficou mudo o tempo todo e em dado momento o chamei para uma conversa particular no pátio, mas só estava interessado em saber quanto ganharia. Falei que os Bulls pagavam por produção e não por promessa, e que ele seria bem cuidado por nós se jogasse com todo aquele seu potencial.

No dia seguinte reencontrei-me com Dennis na sala tribal do Berto Center. Dessa vez, estava mais aberto. Perguntei o que tinha dado errado no San Antonio, e ele disse que tudo havia começado com um convite para sua namorada Madonna visitar o vestiário depois de um jogo. O frenesi da mídia posterior acabou aborrecendo o pessoal da diretoria.

Expressei minha preocupação com o fato de que ele era egoísta no jogo. E Rodman então explicou que o verdadeiro problema no San Antonio é que ele estava cansado de ajudar o pivô David Robinson, que era sempre intimidado por Hakeem Olajuwon, do Houston.

– Metade dos jogadores dos Spurs deixa os colhões trancados no congelador quando sai de casa – ele acrescentou em tom sarcástico.

Dei uma risada.

– E você acha que pode aprender o triângulo? – perguntei.

– Ah, claro, isso não é problema para mim – ele respondeu. – O triângulo é só procurar o Michael Jordan e passar a bola para ele.

– Isso é um bom começo – eu disse, assumindo um tom sério. – Assinarei o contrato se você achar que está pronto para esse trabalho. Mas não podemos estragar tudo. Estamos em posição de ganhar o campeonato e realmente queremos reconquistá-lo.

– Tudo bem.

Em seguida, Rodman olhou os artefatos indígenas pela sala e mostrou um colar que ganhara de um indígena ponca de Oklahoma. E depois ficamos sentados em silêncio por um bom tempo. Ele era um homem de poucas palavras, mas enquanto estávamos sentados me senti seguro de que se integraria ao nosso time. Naquela tarde ficamos conectados em um nível não verbal. Foi uma união de coração.

No dia seguinte me reuni com Jerry e Rodman e conversamos a respeito das regras da equipe, assiduidade, pontualidade e outras questões. Era uma pequena lista, e, quando acabei de lê-la, Dennis se manifestou:

– Você não terá problemas comigo, e vai ganhar o campeonato da NBA.

Mais tarde, naquele mesmo dia, perguntei a Michael e Scottie se tinham alguma reserva de jogar com Rodman e disseram que não. Assim, Jerry seguiu em frente e selou o acordo, cedendo Will Perdue para os Spurs em troca de Rodman. Foi quando abracei a jornada de minha vida.

Conversei longamente com os jogadores antes da chegada de Rodman ao centro de treinamento. Alertei que talvez ele ignorasse algumas regras porque lhe era difícil cumprir certas diretrizes. E que talvez eu também tivesse que abrir algumas exceções para ele algumas vezes.

– Vocês terão que ser maduros em relação a isso – acrescentei. E eles foram maduros.

Quase todos os jogadores gostaram de Dennis assim que o conheceram, pois logo perceberam que toda aquela encenação selvagem – piercings no nariz, tatuagens, noitadas em bares gays – fazia parte de uma produção criada por ele com a ajuda de Madonna para chamar a atenção. Por trás de tudo aquilo era apenas um garoto tranquilo de Dallas com um coração generoso que trabalhava duro, jogava duro e fazia tudo para vencer.

A certa altura percebi ainda no centro de treinamento que Dennis daria uma nova dimensão à equipe até então imprevista. Além de mágico na tabela, ele também era um defensor inteligente e fascinante que poderia conter qualquer atleta, incluindo Shaq, que tinha 15 centímetros e 45 quilos a mais do que ele. Com Dennis na formação poderíamos pontuar nos contra-ataques e diminuir o ritmo para fazer um jogo forte na meia quadra. Acima de tudo, eu gostava de vê-lo jogar. Era tão desinibido e alegre quando pisava na quadra que parecia um garoto descobrindo como voar. Falei para os meus assistentes técnicos que em algum nível ele me fazia lembrar de mim mesmo.

O lado sombrio de Rodman tornou-se outro desafio. Às vezes parecia uma panela de pressão prestes a explodir. Atravessava períodos de alta ansiedade que duravam 48 horas ou mais, e o crescimento da pressão interna sempre o fazia explodir. Era quando o agente dele me solicitava um fim de semana de folga, se não houvesse jogo, para que pudessem ir a Vegas ou a festas. Rodman voltava um trapo desses fins de semana, mas depois trabalhava com afinco até colocar a vida no prumo.

Naquele ano deixei de andar de um lado para outro à margem da quadra durante os jogos, porque notei que, quando me agitava, Dennis se tornava hiperativo. E quando ele me via discutindo com o árbitro também se dava o direito de fazer o mesmo. Então, passei a ficar o mais sossegado e contido possível, pois, quando me desestabilizava, Dennis se agitava tanto que era impossível prever o que poderia fazer.

O terceiro avanço seria uma nova abordagem de Michael para a liderança. Nos primeiros três campeonatos, ele a tinha exercido principalmente pelo exemplo, mas depois da derrota para o Orlando se deu conta de que precisava fazer alguma coisa dramaticamente diferente para motivar o time. Simplesmente olhar para os companheiros e esperar que atuassem como ele não funcionava mais.

Michael estava em um ponto crítico. Durante a série de Orlando a imprensa o tinha espicaçado com o comentário de que havia perdido o ímpeto e não era mais o mesmo Michael Jordan. Então, naquele verão, retomou a academia, determinado a recuperar a forma física para o basquete. Chegaram até a armar uma quadra de basquete no estúdio em L.A. – onde ele filmava *Space Jam* – para que pudesse praticar entre cada cena e trabalhar o novo arremesso caindo para trás que acabou se tornando sua marca registrada. Ele chegou ao centro de treinamento em outubro com o olhar duro da vingança.

Um dia me programaram para uma palestra telefônica para os meios de comunicação que coincidiu com um treino da manhã. Quando meu assistente chegou à quadra e disse que estava na hora do telefonema, recomendei aos assistentes técnicos que parassem o treino coletivo e fizessem um treino de arremesso com os jogadores até a minha volta. A chamada durou apenas 15 minutos, mas, quando desliguei o telefone, o gerente de equipamentos Johnny Ligmanowski surgiu à minha porta.

– É melhor se apressar. Michael deu um soco em Steve e agora está se preparando no vestiário para sair do treino.

Pelo que entendi, os dois tinham discutido e depois brigado fisicamente, e Steve estava com um olho roxo. Cheguei ao vestiário e Michael estava para entrar no chuveiro.

– Já vou embora – ele disse.

– É melhor chamar Steve e endireitar as coisas hoje mesmo – retruquei.

O incidente foi um grande toque de despertar para Jordan. Ele tinha acabado de brigar com o cara menos corpulento do time por nada. O que estava acontecendo?

– Aquilo me fez pensar comigo mesmo: "quer saber? Você está fazendo papel de idiota nisso tudo" – lembra Jordan. – Eu sabia que tinha que ser mais respeitoso com os companheiros de time. E também tinha que ser mais respeitoso comigo mesmo naquela tentativa de voltar para o jogo. Eu tinha que estar mais centrado.

Eu o incentivei a trabalhar mais estreitamente com George Mumford. George entendeu o momento de Michael porque seu amigo Julius Erving também passara por pressões similares quando se tornou um superastro. George comentou que Michael estava com dificuldade de estreitar relações com os companheiros porque se tornara "um prisioneiro no seu próprio quarto". Ele não podia sair em público com os outros e muito menos sozinho, como Scottie sempre fazia. Além do mais, alguns dos novatos ainda o temiam e isso também criava uma distância difícil de ser ultrapassada.

Michael ficou impressionado com o treinamento da mente plena que George empregou com a equipe porque isso aproximava os jogadores do nível de consciência mental. Segundo George, Michael precisava mudar de perspectiva em relação à liderança.

– Tudo é uma questão de estar presente e assumir a responsabilidade pela forma com que se relaciona consigo mesmo e com os outros – diz George. – E isso implica se adaptar de maneira a ir ao encontro das pessoas onde estejam. Em vez de se enraivecer e forçá-las a estar em outro lugar, encontre-as onde estão e só depois as conduza para onde quer que se dirijam.

Enquanto Michael jogava beisebol, George e eu fazíamos mudanças na filosofia de aprendizagem da equipe para aprimorar o crescimento mental, emocional e espiritual dos jogadores. Se Michael quisesse se enquadrar naquela equipe e se tornar um líder na quadra, teria que conhecer os companheiros mais intimamente e se relacionar com mais compaixão. E também teria que entender que os atletas eram diferentes uns dos outros e que todos tinham algo importante para oferecer à equipe. Fazia parte do trabalho de líder descobrir como tirar melhor proveito de cada um deles. Como diz George, Michael tinha que "assumir sua capacidade de enxergar as coisas na quadra de basquete e usar isso para melhorar o relacionamento com os outros".

Michael estava aberto para o desafio porque também se transformara enquanto esteve afastado. Continuava sendo um competidor feroz, mas agora amadurecido em muitas facetas. Estava menos crítico em relação aos outros e mais consciente das próprias limitações porque tinha jogado na liga menor do beisebol e passado longas horas com os companheiros de time. Isso o tinha feito redescobrir a alegria da união com os outros, e, mais do que qualquer outra coisa, ele queria ter essa experiência novamente com os Bulls.

Michael então trabalhou com Mumford e adotou uma nova maneira de liderar, baseada no que funcionava melhor com cada jogador. Ele próprio decidiu que com alguns teria uma postura *física*, ou demonstrando o que devia ser feito com o corpo ou simplesmente estando presente, como no caso de Scottie.

– Scottie era aquele tipo de cara com quem eu precisava estar presente a cada dia – diz Michael. – Se eu tirava um dia de folga, ele também tirava um dia de folga. Mas, se eu estivesse presente diariamente, ele também estaria.

Com outros jogadores – Dennis em particular – Michael assumia uma atitude *emocional*.

– Você não podia gritar com Dennis – ele diz. – Você tinha que encontrar um jeito de entrar no mundo dele por alguns segundos porque só assim ele entendia o que estava ouvindo.

Com outros jogadores Michael se comunicava principalmente em nível *verbal*. Exemplo: Scott Burrell, um ala dos Bulls de 1997-98.

– Eu gritava e ele aguentava o tranco – diz Michael. – Isso não abalava a confiança dele em relação a nada.

E com Kerr ele não precisava se preocupar. A briga forjara uma forte ligação entre os dois jogadores.

– Dali para a frente, Michael passou a olhar para mim de um jeito diferente – diz Steve. – Nunca mais se pegou comigo. Nunca mais me disse palavras ofensivas. E na quadra também começou a confiar em mim.

– Eu tenho o maior respeito por Steve – diz Michael. – Primeiro porque se viu jogado em uma situação onde não tinha qualquer chance de se sair bem. E depois porque se manteve de pé. E, quando comecei a provocá-lo, ele se voltou contra mim e isso me irritou. Mas brotou daí um respeito mútuo.

Do ponto de vista de Michael, a segunda série dos três campeonatos acabou sendo mais dura do que a primeira devido às personalidades envolvidas. Fazia alguns anos que grande parte dos jogadores das principais equipes da liga travava muitas batalhas juntos. Como diz Michael Jordan: "Nós tínhamos que subir a montanha e cair, cair e cair, e depois escalá-la como um grupo." Mas na segunda série a maioria dos jogadores ainda não se conhecia muito bem, se bem que todos esperavam que a equipe vencesse de saída.

— Acho que precisamos muito mais de Phil na segunda série do que na primeira – diz Michael agora. – Na primeira série os egos ainda não estavam definidos. Mas na segunda já tínhamos diferentes personalidades mescladas e os egos eram muito fortes. E Phil nos uniu como uma fraternidade.

Todas as peças se encaixaram bem. Não tínhamos um pivô dominante como os Celtics dos anos 1960 e outras grandes equipes do passado, mas aqueles Bulls tinham um notável senso de unidade, tanto ofensivo como defensivo, e um poderoso espírito coletivo.

Tudo o que fizemos foi concebido para reforçar essa unidade. Sempre insisti que, antecipadamente, os jogadores recebessem treinamentos estruturados e com agendas claras. Mas também organizei alguns outros aspectos do processo de equipe para estabelecer um sentido de ordem. Geralmente utilizava a disciplina não como uma arma, mas sim como um meio de incutir harmonia na vida dos jogadores. Já tinha aprendido isso nos anos de prática da mente plena.

Na temporada em questão solicitamos aos jogadores que chegassem ao centro de treinamento às dez da manhã. Fazíamos 45 minutos de exercícios de musculação e aquecimentos. Michael preferia trabalhar mais cedo em casa com o próprio preparador físico, Tim Grover, e naquele ano convidou Scottie e Harper para participar de um programa que eles batizaram de "o Clube do Café da Manhã". Ali pelas 10 chegavam para os exercícios de aquecimento que antecediam o treino que iniciava às 11. Era quando nos concentrávamos em aperfeiçoar os fundamentos em relação ao triângulo, bem como os objetivos defensivos para o jogo seguinte ou para a semana. Em seguida passávamos para o segmento ofensivo que incluía um treino coletivo na quadra. Muitas vezes colocávamos Pippen ou Jordan na equipe reserva para que tivéssemos uma ideia dos efeitos que essas substituições surtiam no time. E depois os jogadores se socializavam enquanto praticavam os seus arremessos e se reabasteciam com bebidas isotônicas de diferentes frutas frescas servidas pelo fisioterapeuta Chip Shaefer. Quando estávamos em meio aos preparativos de uma viagem, subíamos até a sala do time e assistíamos a uma sessão de vídeo de curta duração.

A princípio, Dennis tentou ludibriar as regras, fazendo-se de desentendido. Uma das regras era que os jogadores tinham que chegar na hora para os treinos com cadarços amarrados e sem joias. Dennis então aparecia com um dos tênis desamarrado ou com uma joia escondida em algum lugar. Às vezes lhe aplicávamos uma multa irrisória ou fazíamos uma piada sobre a aparência dele, e outras vezes simplesmente o ignorávamos. Eu disse a ele que não era comigo que tinha que se preocupar com os atrasos, mas com seus companheiros de equipe. O problema acabou quando percebeu que nenhum de nós estava interessado nas suas pequenas rebeliões.

Uma coisa que eu amava naquele time era que todos tinham uma ideia clara dos seus papéis e os desempenhavam bem. Ninguém reclamava se não tinha muito tempo de jogo, ou se não tinha muitos arremessos ou se não tinha notoriedade suficiente.

Jordan se concentrava em ser consistente e arrojado quando necessário para definir as jogadas decisivas. No início de dezembro, depois de fazer 37 pontos contra os Clippers, ele anunciou aos jornalistas que estava se sentindo "muito bem, tendo recuperado a forma como jogador". E fez uma brincadeira pela incessante comparação que faziam entre ele e seu antigo eu.

– De acordo com algumas pessoas – disse. – Até eu estou deixando de viver como Michael Jordan. Mas sou o que tenho mais chance de ser ele porque sou ele.

Libertado por não ter mais que viver o legado de Jordan, Scottie tinha um desempenho em nível de estrela no seu novo papel como chefe de orquestra da ação, o que se encaixava naturalmente com ele. Harper também se adaptava ao trabalho de armação multifuncional e de buldogue defensivo. Enquanto isso, Dennis superava todas as expectativas. Não só dominava o sistema com muita rapidez, como também se mesclava perfeitamente com Michael, Scottie e Harper na defesa.

– Nós basicamente tínhamos quatro cães de ataque no time titular – diz Kerr. – E todos podiam defender quatro ou cinco posições diferentes na quadra. Isso era incrível.

Dennis jogava com um entusiasmo tão selvagem que logo se tornou o favorito dos torcedores. Adoravam quando o viam disputando bolas perdidas e pegando rebotes que acionavam contra-ataques rápidos. Já no início da temporada, Dennis tingia o cabelo de cores diferentes, e no final da partida tirava a camiseta e a jogava para a multidão. Os torcedores deliravam.

– De repente me tornei o maioral depois de Michael Jordan – ele dizia.

O quinto titular era Luc Longley, um pivô de 2,18 metros e 120 quilos da Austrália que não era tão ágil e explosivo quanto Shaq, mas cuja estatura criava um congestionamento no meio e forçava os outros pivôs a saírem do próprio jogo. Seu reserva era Bill Wennington, que tinha um bom arremesso de curta distância, do qual muitas vezes se valia para atrair o adversário para longe da cesta. Com a temporada mais à frente, acrescentamos dois outros atletas de grande estatura para a equipe, James Edwards e John Salley, ambos ex-carrascos do Detroit como Dennis.

No princípio, Toni Kukoc decepcionou-se quando o coloquei no papel de sexto homem do time, mas depois o convenci de que era o papel mais eficaz para ele. Como titular ele geralmente tinha dificuldade para jogar 40 minutos sem se desgastar. Mas como sexto homem entrava e fazia o time aumentar a pontuação, e fez isso em diversos jogos importantes. Também incendiava o time com suas habilidades excepcionais de passe quando Scottie não estava na quadra. Enquanto isso, Steve Kerr desempenhava o papel fundamental de ameaçar o adversário com arremessos de longa distância; o armador Randy Brown era um excelente e elétrico defensor, e Jud Buechler, um talentoso ala. E ainda os reservas Dickey Simpkins e Jason Caffey, dois excepcionais alas de força.

Enfim, tudo estava absolutamente no lugar e assim poderíamos atingir a nossa meta – talento, liderança, atitude e unidade de propósito.

* * *

Quando rememoro a temporada de 1995-96, ocorre outra parábola mencionada por John Paxson em relação ao imperador Liu Bang, o primeiro dirigente a consolidar a China como império unificado. Na versão narrativa de W. Chan Kim e Renée A. Mauborgne, Liu Bang oferece um generoso banquete para celebrar a grande vitória e convida o mestre Chen Cen, seu conselheiro durante a campanha. Chen Cen se faz acompanhar de três discípulos e, no meio da celebração, os deixa perplexos com um enigma.

O mestre os faz ponderar e eles respondem que o imperador está sentado à mesa central, ladeado de três chefes de equipe: Xiao He, que administrara magistralmente a logística; Han Xin, que liderara uma brilhante operação militar com vitórias em todas as batalhas travadas; e Chang Yang, que era superdotado em diplomacia e capaz de capturar cabeças do Estado antes mesmo de a luta começar. Mas o personagem que os discípulos não entendem é o próprio imperador à cabeceira da mesa.

– Liu Bang não pode alegar nobre nascimento – dizem –, já que seus conhecimentos de logística, combate e diplomacia não se equiparam a de seus chefes de equipe. Como então ele é o imperador?

O mestre sorri e pergunta:

– O que determina a força da roda de uma carroça?

– Não é a resistência dos raios? – respondem os discípulos.

– Então, por que duas rodas feitas de raios idênticos diferem em força? – indaga o mestre. – Enxerguem para além do visível. Lembrem-se de que uma roda é feita não apenas de raios, mas também de espaços entre os raios. E raios resistentes quando mal colocados enfraquecem a roda. A plena realização das potencialidades da roda depende da harmonia entre os raios. A essência da fabricação da roda encontra-se na criatividade do artesão, que concebe e produz os espaços que ocupam e equilibram os raios no interior da roda. E agora me digam quem é o artesão aqui?

Faz-se um longo silêncio até que um dos discípulos pergunta:

– Mas, mestre, como é que um artesão garante a harmonia entre os raios?

– Pense na luz solar – responde o mestre. – O sol alimenta e vivifica as árvores e as flores. Faz isso através da luz. Mas no fim em que direção crescem? O mesmo se aplica a um mestre artesão como Liu Bang. Ele coloca os indivíduos em posição de cumprir plenamente o potencial de cada um, assegurando a harmonia entre todos e creditando diferentes realizações a cada um. E no fim, tal como as árvores e as flores crescem em direção ao sol, todos se voltam com devoção para Liu Bang.

Liu Bang teria sido um bom técnico de basquete. Sua forma de organizar a campanha não era muito diferente da forma que colocamos os Bulls em harmonia nas três temporadas seguintes.

O início da temporada de 1995-96 me fez lembrar Josué na batalha de Jericó. As muralhas desmoronavam sucessivamente. Cada vez que nos deslocávamos para outra cidade, como por encanto alguma coisa dava errado com a outra equipe. Ora um jogador fora de série se contundia, ora um jogador importante da defesa era desqualificado por faltas no momento certo, e às vezes era a bola que sobrava no lugar certo e no momento certo. Mas não era apenas uma questão de sorte. Muitos de nossos adversários não sabiam como enfrentar nossos três armadores de grande estatura, e nossa defesa era extremamente hábil na destruição da ofensiva oponente no segundo e terceiro quartos. Ali pelo final de janeiro estávamos com 39 vitórias e três derrotas, e os jogadores já falavam em quebrar o recorde de 69 vitórias realizado pelos Lakers de 1971-72.

O que me preocupava é que eles se embriagassem com as vitórias e perdessem a energia antes das finais. Cheguei a pensar em diminuir o ritmo, mas nada parecia deter aquele rolo compressor, nem mesmo as lesões. No início da temporada, Rodman se lesionou na panturrilha e ficou fora por 12 jogos. A essa altura estávamos com 10 vitórias e duas derrotas. E em março era Scottie que perdia cinco jogos por conta de uma lesão, enquanto Rodman regredia à sua antiga conduta e era suspenso por seis jogos depois de ter dado uma cabeçada em um árbitro e difamado o presidente da NBA e o chefe dos árbitros. Mesmo assim, só perdemos um jogo durante esse período.

À medida que nos aproximávamos do septuagésimo jogo, a excitação da mídia saía de controle. Chris Wallace, repórter do ABC News, designou o time como "os Beatles do basquete", chamando a mim junto com Michael, Scottie e Dennis como o novo Quarteto Fabuloso. No dia do grande jogo – contra os Bucks – helicópteros de TV seguiram nosso ônibus até Milwaukee, onde multidões concentradas nos viadutos sobre a interestadual agitavam cartazes de incentivo. Chegamos ao ginásio dos Bucks, e uma aglomeração de torcedores espremia-se no lado de fora a fim de observar o cabelo de Rodman.

Claro que faríamos um jogo dramático. Estávamos tão tensos no início do jogo que desmoronamos no segundo quarto, acertando apenas cinco arremessos de quadra em 21 tentativas para fazer 12 pontos. Mas na volta para o segundo tempo aos poucos retomamos nosso caminho e vencemos nos segundos finais por 86-80.

Eu me senti aliviado.

– Foi um jogo realmente muito feio, mas, às vezes, o feio é bonito – disse Michael, se bem que com a mente no futuro. – Não começamos a temporada para ganhar 70 jogos – acrescentou. – Começamos a temporada para ganhar o campeonato e essa ainda é nossa motivação.

Terminamos a temporada com mais duas vitórias, e Harper lançou um novo slogan gershwinesco para o time: "72 vitórias e 10 derrotas não são nada sem o anel." Para inspirar os jogadores adaptei uma citação de Walt Whitman e colei com fita adesiva nos armários antes do primeiro jogo das finais contra o Miami Heat: "A partir de agora não procuramos boa sorte, nós somos a boa sorte." Todos esperavam que déssemos um baile no caminho para a conquista do campeonato, mas os jogos das finais são sempre os mais difíceis de vencer. Por isso, os jogadores precisavam saber que, apesar da temporada notável realizada anteriormente, o resto do caminho não seria nada fácil. Eles é que teriam que fazer a própria sorte.

E fizeram isso. Varremos o time de Miami e rolamos sobre o de Nova York em cinco jogos. E depois foi a vez de Orlando. Para deixar os jogadores preparados para a série, editei um vídeo com cenas de *Pulp Fiction* e de jogos. Na tomada predileta dos jogadores um criminoso experiente, interpretado por Harvey Keitel, ensinava dois pistoleiros (Samuel L. Jackson e John Travolta) a limpar a cena de um crime particularmente terrível. E em meio ao procedimento ele ironizava: "Ainda não vamos, por enquanto, começar a chupar o pau um do outro."

Só pensávamos em revanche desde que tínhamos sido humilhados pelo Magic nas finais de 1995. Na verdade, reconstruíramos a equipe com o time de Orlando em primeiro plano na cabeça. Mas o primeiro jogo acabou sendo um anticlímax. Nossa defesa mostrou-se forte demais. No primeiro tempo do jogo, Dennis impediu Horace Grant de pontuar e só o deixou pegar um rebote. E depois Horace colidiu com Shaq e sofreu uma hiperextensão do cotovelo que o afastou pelo resto da série. Também anulamos dois outros jogadores que tinham arrasado nosso time no ano anterior: Dennis Scott (0 ponto) e Nick Anderson (2 pontos). E no final ganhamos por 121-83.

O Magic recuperou-se no jogo 2, porém, quebramos o ânimo deles quando superamos uma diferença de 18 pontos no 3º período e passamos à frente. Eles também foram prejudicados por lesões de Anderson (punho), Brian Shaw (pescoço) e Jon Koncak (joelho). Os únicos jogadores do Magic que ameaçavam na pontuação eram Shaquille O'Neal e Penny Hardaway, mas isso não era suficiente. A série terminou apropriadamente com uma blitz de 45 pontos de Michael no jogo 4 em uma vassourada de quatro jogos.

As chances contra o nosso adversário seguinte, Seattle SuperSonics, de vencer o campeonato eram de nove para um. Mas era um time jovem e talentoso com 64 vitórias na temporada que poderia nos causar problemas com pressão defensiva fora do garrafão. A chave era impedir que suas estrelas, o armador Gary Payton e o ala de força Shawn Kemp, entrassem no ritmo e acelerassem o jogo. Então, aproveitei o tamanho e a força de Longley, coloquei-o em cima de Kemp e fixei Harper na marcação de Payton.

No início pareceu que a série acabaria mais cedo. Ganhamos os dois primeiros jogos em Chicago, impulsionados pela nossa defesa e pelos vinte rebotes de Rodman no jogo 2, no qual ele também empatou com o recorde das finais da NBA com 11 rebotes ofensivos. Mas naquela noite Harper, de novo, lesionou o joelho que praticamente o deixou no banco nos três jogos seguintes. Felizmente, os Sonics cometeram um erro tático após o jogo 2 ao retornar para Seattle de avião na sexta à noite em vez de esperar para pegar um voo mais tranquilo na manhã de sábado, como fizemos. Os Sonics ainda estavam com os olhos turvos no domingo à tarde quando os despachamos por 108-86.

A essa altura o debate sobre a primazia dos Bulls tornava-se ainda mais intenso. Ignorei a maior parte dos argumentos, mas fiquei feliz com a declaração de Jack Ramsay, ex-treinador do Portland Trail Blazers, de que a armação defensiva dos Bulls "desafia a passagem do tempo". Em minha opinião, a equipe dos Bulls se assemelhava mais ao New York Knicks de 1972-73, uma equipe composta em grande parte por recém-chegados, tal como os Bulls. Eram jogadores extremamente profissionais que gostavam de jogar juntos, mas que não passavam muito tempo juntos fora da quadra. No início do ano já tinha alertado ao Bulls que se tivessem uma vida profissional unida não me importaria com o que fizessem com o resto do tempo. Eles não eram jogadores muito próximos, mas isso não significava que eram distantes. E o mais importante é que tinham um profundo respeito um pelo outro.

Infelizmente, os deuses do basquete não estavam cooperando. Com Harper contundido era mais difícil conter a ofensiva dos Sonics, de modo que perdemos os dois jogos seguintes. Ainda liderávamos a série por 3-2 e voltamos para Chicago determinados a fechar as finais no jogo 6. Agendaram o jogo para o Dia dos Pais que era um momento muito emotivo para Michael, e isso acabou por prejudicá-lo ofensivamente. Mas nossa defesa estava intransponível. Harper retornou ao jogo e conteve Payton enquanto Michael fazia um trabalho brilhante que reduziu o desempenho de Hersey Hawkins a 4 pontos. Mas Dennis é que roubou o jogo com 19 rebotes e muitos *put-backs** importantes de arremessos perdidos pelo nosso time. Ali pelo final do quarto período, Dennis serviu um passe perfeito a Michael, que fez um *backdoor cut*** e colocou os Bulls em uma vantagem de 64-47 com 6,40 para terminar. Após a cesta, Michael observou que Dennis saltitava na volta para a defesa, e ambos deram uma grande gargalhada.

Quando soou a campainha, Michael abraçou a mim e Scottie, e correu até o centro da quadra para pegar a bola, e depois se retirou para o vestiário para se manter longe das câmeras de TV. Quando entrei no vestiário, ele chorava com o corpo enrolado no chão e a bola abraçada ao peito.

---

* Posses de rebotes ofensivos seguidos de cestas. (N. do R.T.)
** Corte feito em velocidade sem a posse da bola e por trás do defensor. (N. do R.T.)

Nascido para ser selvagem: Nos tempos de faculdade, eu conseguia frustrar rebatedores com meus arremessos tortuosos, mas às vezes, como Fitch costumava dizer, meus lançamentos rápidos "não conseguiam acertar o alvo nem com um contador Geiger".

Modelos de comportamento: Fui preparado por dois futuros treinadores da NBA: o técnico Bill Fitch (esquerda) e o assistente técnico Jimmy Rodgers.

Coiote Grande: Em meu último ano no ensino médio, Williston High ganhou o campeonato estadual de Dakota do Norte. Alguns amigos ainda me chamam de Wiley (apelido do personagem de desenho animado Willy, o coiote).

Nascimento de uma rivalidade: Mesmo como jogador, eu adorava provocar Pat Riley.

Classe de Mestrado: Estudando um filme de jogo com (*da esquerda*) Walt, Dick Barnett, Jerry, Dean Meminger, Willis e o técnico Red Holzman.

Em casa no centro da cidade: Paradinha rápida no escritório dos Knicks com minha condução favorita em 1974.

O grande cascateiro: Com meus filhos Ben (*esquerda*) e Charley (*direita*) no lago Flathead em Montana, depois de fisgar uma truta no lago Mackinaw que era quase do tamanho deles.

A família que joga unida: Um jogo de meninos contra meninas com (*da esquerda*) Charley, June, Chelsea, Brooke e Ben no pátio da escola em Bannockburn, Illinois.

O arquiteto: Nem todas as pessoas amavam Jerry Krause, mas ele foi um mestre em formar equipes que ganharam anéis.

O cérebro de confiança de Chicago: Jim Cleamons (*esquerda*), Johnny Bach e Tex Winter, que já em 1990 escrevia a estatística ponto a ponto para cada jogo em sua versão própria de hieróglifos.

Elvis está presente na casa: Michael Jordan pousa na quadra com John Paxson (*esquerda*) e Horace Grant com seus óculos tradicionais em 1991.

O caminho do Verme: Os fãs ficavam fascinados com o cabelo de Rodman, mas eu admirava seu impecável tempo de rebote.

Os louros para os vitoriosos: Exibição dos troféus no Parque Grant em Chicago após vencermos nosso sexto título na NBA, com (*da esquerda*) Toni Kukoc, Ron Harper, Dennis Rodman, Pippen, Jordan, o prefeito Richard M. Daley e o governador James Edgar.

Passe estiloso *(direita)*: Kobe serve e surpreende a Shaq durante o jogo 1 das finais de 2001 contra o Philadelphia 76ers em LA.

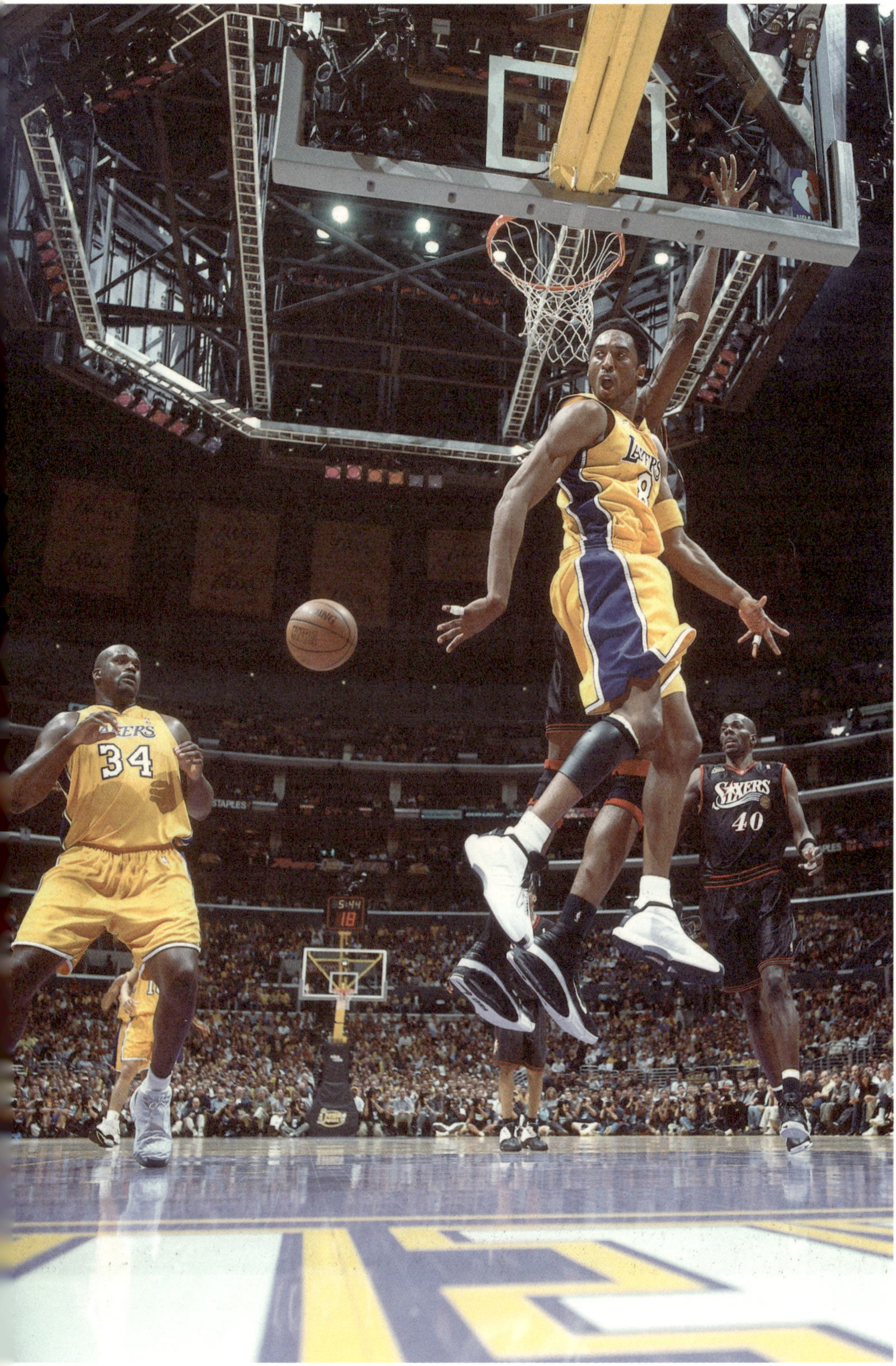
34
SIXERS
40

Preparação pré-jogo: Mostrando para Pau Gasol e Adam Morrison uma tarefa defensiva antes do jogo 4 das finais da Conferência Oeste no Pepsi Center em Denver, 2009.

O cérebro de confiança de LA: Sentado em minha cadeira de design personalizado com (*na primeira fila, da esquerda*) Brian Shaw, Kurt Rambis, Frank Hamblen e Gary Vitti. *Fila atrás:* Rasheed Hazzard (*esquerda*), Dr. Steve Lombardo, Chip Schaefer e Cleamons.

Um momento de "reconhecimento": Kobe e eu nos abraçamos depois de ganhar o título da NBA de 2009, em Orlando.

O fator X: Depois da conquista do campeonato de 2009 em Orlando, meus filhos me deram esse boné para comemorar minha quebra do recorde com meu décimo título na NBA.

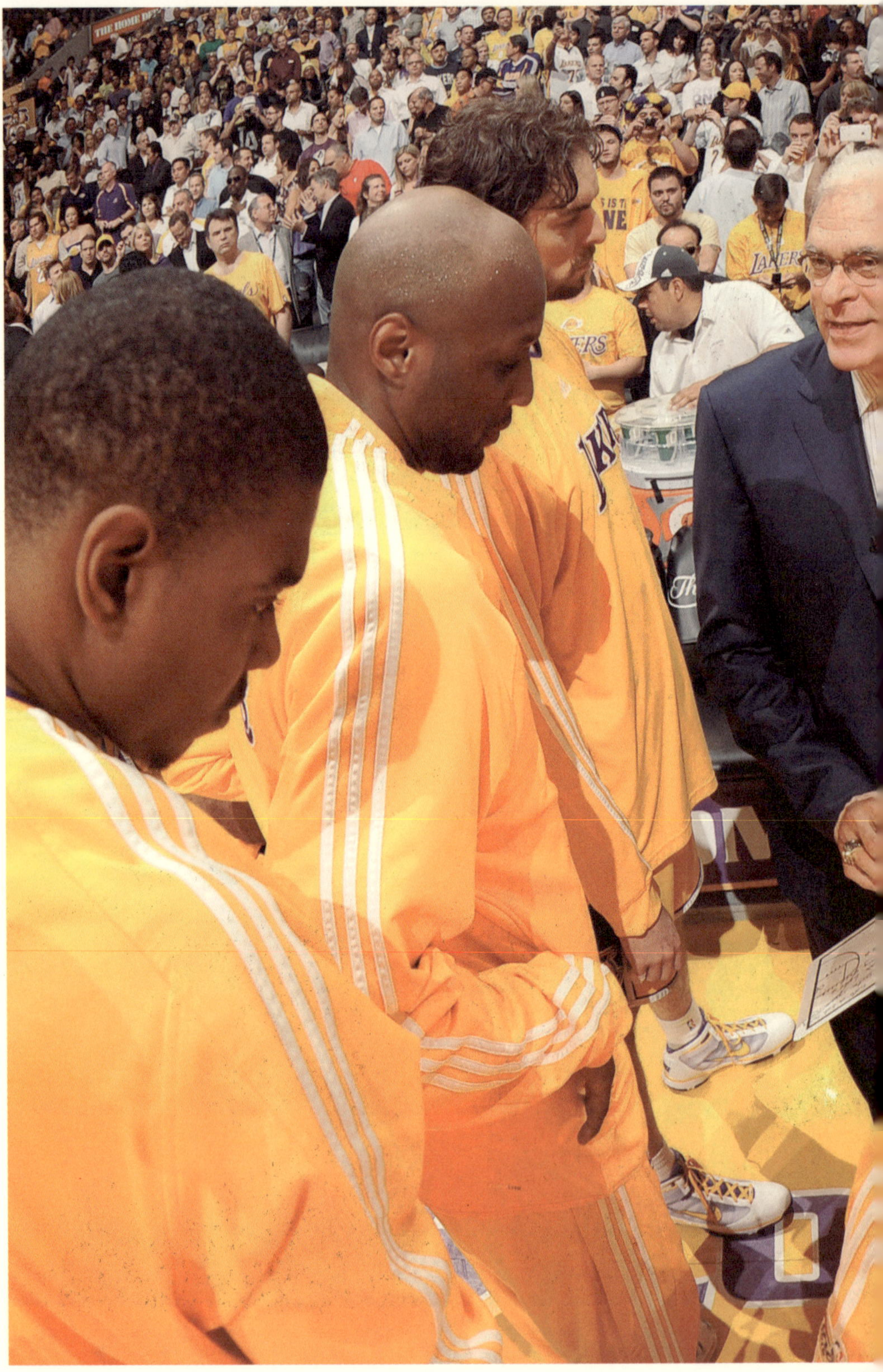
LAKERS

Círculo Sagrado: Passando para o time as informações de último minuto antes do jogo 7 das finais de 2010 em LA. *(Da esquerda)* Andrew Bynum, Lamar Odom, Pau, Ron Artest, Derek Fisher, Shannon, Sasha, Jordan e Josh Powell.

Linha dura: Pau, Kobe, Fish e Lamar prontos para impedir mais um ataque dos Celtics no jogo 7 das finais.

Lágrimas de felicidade: Derek Fisher desaba em prantos no vestiário após sua atuação inspirada no jogo 3 das finais do campeonato em Boston, 2010.

Final feliz: Os fãs inundam Kobe com amor depois da vitória de 2010 no Staples Center.

"Fim de papo!": Caminhando para o vestiário com Charley (*esquerda*), Brooke e Chelsea depois do segundo tempo mais longo que tive de vivenciar em minha vida, mas que finalmente terminou no jogo 4 das semifinais da Conferência Oeste de 2011 em Dallas.

Michael dedicou o jogo ao pai dele.

– Talvez esse momento tenha sido o mais difícil para mim no basquete – disse. – Eu estava com um monte de coisas no coração e na cabeça... Acho que meu coração não estava no jogo. Lá no fundo estava a minha família, que é mais importante para mim, e o meu pai, que não estava aqui para ver isso. Estou feliz porque era um momento muito difícil, e de alguma forma o time me puxou para o jogo.

Foi um momento comovente. Mas agora olho para trás e o que se destaca em minha mente não é a final daquela temporada, e sim um jogo que perdemos para os Nuggets em fevereiro e que interrompeu uma sequência de 18 vitórias do nosso time. Era o tipo de jogo que costuma ser o "sonho do apostador" porque fizemos um voo de L.A. para Denver no dia anterior e não tivemos tempo para nos adaptar à mudança de altitude.

Os Nuggets estavam então abaixo dos 50% de vitórias, mas no primeiro período fizeram uma média de 68% de arremessos e construíram uma surpreendente vantagem de 31 pontos. A essa altura muitos outros times teriam deixado o jogo de lado, mas recusamos a nos render. Fizemos de tudo: jogamos alto, jogamos baixo, movimentamos a bola, arremessamos de três pontos, aceleramos o ritmo, reduzimos a velocidade e, a meio caminho para o quarto período, Scottie Pippen deu uma enterrada acrobática no contra-ataque. Michael liderou nossa reação, convertendo 22 pontos no terceiro período, mas não foi um show de um homem só. Foi um ato inspirado de perseverança de toda a equipe. E embora tenhamos perdido de 105-99 nos segundos finais, os jogadores saíram da quadra com o sentimento de que haviam aprendido alguma coisa importante sobre si mesmos. Aprenderam que mesmo nas situações mais adversas pode-se encontrar coragem para chegar ao final da batalha.

Naquela noite, os Bulls encontraram o próprio coração.

12
O RETORNO DO VERME

Ousar é perder o pé momentaneamente.
Não ousar é perder-se.
SØREN KIERKEGAARD

Segundo o mestre zen Lewis Richmond, um dia Shunryu Suzuki definiu o budismo em duas palavras. Suzuki acabara de dar uma palestra para um grupo de estudantes do zen quando alguém da plateia se manifestou:

– Você falou do budismo por quase uma hora e não entendi uma palavra sequer do que disse. Será que poderia dizer alguma coisa inteligível a respeito do budismo?

Acabadas as risadas, Suzuki respondeu com toda a calma:

– Tudo muda.

Essas palavras de Suzuki expressam uma verdade fundamental sobre a existência: tudo está em contínuo fluxo. Enquanto não se aceita isso, não se é capaz de encontrar a verdadeira equanimidade. Mas isso também implica aceitar a vida em todos os aspectos e não apenas nos "aspectos bons". "A mudança das coisas é a razão pela qual você sofre neste mundo e acaba desanimando", escreve Suzuki-Roshi na obra *Not Always So: Practicing the True Spirit of Zen*. "[Mas] quando você transforma o seu estilo de vida e de entender, passa a desfrutar plenamente uma nova vida a cada momento. O desvanecimento das coisas é o que o faz desfrutar a vida."

Em nenhum lugar isso é mais verdadeiro do que no jogo de basquete. Eu sonhava com a imutabilidade do trajeto que realizáramos em 1995-96, mas já tinha sentido a mudança no ar antes mesmo da temporada seguinte iniciar. Acontece que não fazia ideia de que as duas temporadas posteriores me dariam duras lições sobre como lidar com a mutabilidade.

O verão de 1996 foi um período de grande agitação na NBA – o que no esporte equivale à dança das cadeiras. Aproximadamente duzentos jogadores transferiram-se de suas equipes em consequência do *boom* de atletas com passe livre daquele ano. Felizmente, Jerry Reinsdorf optou por manter o plantel dos Bulls praticamente intacto para que fizéssemos outra corrida pela conquista do campeonato. Só perdemos o pivô James Edwards, substituído por Robert Parish e Jack Haley, um amigo de Rodman dos Spurs cujo principal trabalho era ser acompanhante dele.

O preço para manter o time não era barato: a folha de pagamento dos Bulls daquele ano girava em torno de 58 milhões de dólares para cima, a maior já vista na NBA. Claro, o grande item do montante era o salário de 30 milhões de Michael Jordan. Em 1988, Michael assinara um contrato de oito anos com os Bulls no valor de 25 milhões de dólares, o que para a época era uma grande quantia, mas que já estava superada por outras estrelas de nível inferior. O agente de Jordan tinha proposto a Reinsdorf um contrato de 50 milhões por dois anos, mas este optou por um contrato de um ano e depois se arrependeu. No ano seguinte Reinsdorf se viu forçado a elevar o salário de Jordan para 33 milhões. E também ofereceu contratos de um ano para mim e para Dennis Rodman.

O nível de interesse de Dennis pelo jogo acabou sendo uma das maiores mudanças ocorridas. No primeiro ano conosco ele teve que provar – para si e para os outros – que ainda era capaz de jogar um grande basquete sem perder o controle das emoções. Mas agora parecia entediado e atraído por outras diversões além do jogo. Na minha humilde opinião de leigo, Dennis estava sofrendo de um transtorno de déficit de atenção com hiperatividade, ou TDAH, o que limitava sua capacidade de concentração e o fazia se sentir frustrado e agir de maneira imprevisível. Era por isso que ele se encantava tanto com Las Vegas, um paraíso de distrações intermináveis.

E agora Dennis se tornava uma estrela nacional, e o mundo da mídia propiciava inúmeras oportunidades que o faziam desviar ainda mais a atenção para longe do basquete. Além dos contratos publicitários e das aparições em boates, ele protagonizava com Jean-Claude Van Damme o filme *Double Team* e estrelava um reality show na MTV chamado *The Rodman World Tour*. Mas o evento que mais recebeu publicidade foi o lançamento do seu best-seller intitulado *Bad as I Wanna Be*, ocasião em que apareceu vestido de noiva e anunciou que estava se casando consigo mesmo.

Outra mudança de impacto significativo era o avanço da idade dos jogadores. Rodman estava com 35 anos; Michael completaria 34 em fevereiro de 1997; e Scottie e Harper já estavam na casa dos trinta e poucos anos. No geral, o time estava em excelente condição e jogava com uma juventude acima da faixa etária dos jogadores, mas as contusões já começavam a nos atrapalhar. Luc e Harp se recuperavam de cirurgias fora da temporada. E Scottie, que jogara pelo Dream Team III na temporada de verão de 1996 em Atlanta, estava com uma lesão no tornozelo. Pelo que me lembrava, nenhum grande armador tinha se dado bem na NBA após os 34 anos de idade. Quanto tempo ainda restaria para Michael Jordan?

Mesmo assim, agradecia porque não tínhamos sido dizimados com a perda de jogadores pelo passe livre como tantas outras equipes. Poderíamos construir em cima do que tínhamos conquistado e aprofundar as relações entre todos. Falei então para a equipe que poderia ser nossa última corrida juntos e que por essa razão precisávamos fazer alguma coisa especial. Michael pensava o mesmo. E por isso soou como um monge zen quando os repórteres perguntaram pelas consequências de todos aqueles contratos de um ano.

– Acho que o que demonstramos é que vamos jogar para o momento... Já chegamos até aqui e jogaremos cada jogo como se fosse o último.

Certamente assim pareceu nas semanas iniciais. Foi o melhor começo possível: 12 vitórias e 0 derrota, incluindo um banho de 32 pontos no Miami Heat. Mas em alguns jogos Dennis parecia desligado e até mesmo entediado. Logo começou a desafiar os árbitros e fazer observações inflamadas sobre eles na mídia. Em dezembro nós o suspendemos por dois dias pelos comentários ofensivos ao comissário David Stern e outros funcionários da NBA. O comportamento errático e o desempenho decepcionante de Dennis eram especialmente preocupantes porque o pivô Luc Longley tinha fraturado o ombro pegando jacaré na Califórnia e estava fora do time. Nós tínhamos chegado a L.A. no sábado para a noite especial de domingo no Fórum. Na tarde de domingo recebi um telefonema de Luc:

– Estraguei tudo, treinador. Fui pego por uma onda gigantesca pegando jacaré e quebrei o ombro esquerdo. Desculpe-me, companheiro.

Concedi folga a ele e recomendei que procurasse os cuidados médicos necessários imediatamente. Acharíamos alguém para substituí-lo enquanto se recuperava.

A situação ia de problemática a pior. Em janeiro, durante um jogo em Minneapolis, Dennis estava disputando um rebote com Kevin Garnett dos Timberwolves quando colidiu com um fotógrafo no fundo da quadra e o chutou na virilha. A NBA o suspendeu por 11 jogos e isso lhe custou mais de um milhão em renda e multas. Quando Dennis retornou, Michael e Scottie já tinham perdido a paciência com ele.

– Tudo que sei é que Dennis não dá a mínima para quase nada – disse Scottie. – Não sei ao certo se ele será capaz de tirar lições das suspensões. Não acredito que possa mudar algum dia, porque, se o fizesse, ele não seria o Verme, o personagem que inventou para si.

Os Bulls estavam com nove vitórias e duas derrotas com Rodman fora, e os jogadores já estavam aceitando a ideia de disputar o campeonato sem ele.

– Sabemos que podemos ser melhores com Dennis – declarou Michael. – Mas também sabemos que podemos sobreviver sem ele. Nossa vontade de vencer aumenta ainda mais sem Dennis. – Perguntaram que conselho daria a Dennis quando retornasse e Michael respondeu: – Eu o aconselharia a usar as calças o tempo todo.

A maioria dos jogadores gostava de Dennis porque ele era o bobo da corte do time. Na cultura dos nativos norte-americanos seria chamado de *heyoka*, o "homem que anda para trás". Além de andar para trás, os *heyokas* – conhecidos como trapaceiros – também cavalgavam para trás, vestiam roupas de mulheres e provocavam risadas nas pessoas. Era o jeito de Dennis que iluminava o time quando as coisas estavam tensas. Como poderíamos ficar abatidos se havia aquele cara maluco que tingia o cabelo de amarelo e abria uma cara feliz?

Mas Rodman também tinha um lado sombrio. Uma vez não apareceu no treino e fui à casa dele para ver o que tinha acontecido. Cheguei e lá estava ele em transe, assistindo a vídeos esparramado na cama – apenas um colchão no chão. Como tinha caído na farra na noite anterior, estava um tanto incoerente. Foi quando decidi que precisava me aproximar muito mais de Rodman do que já fazia, sobretudo porque havíamos descartado Jack Haley, que sempre o controlava entre os jogos. Sugeri que começasse a trabalhar com o psicólogo da equipe, e ele concordou em fazer uma tentativa. Mas antes da primeira sessão recusou-se a ir ao consultório que ficava num shopping center.

Os outros técnicos de Rodman o tinham tratado como criança, forçando-o a submeter-se ao comando com disciplina rígida. Mas era uma tática infeliz e fadada ao erro. O que eu fazia era tratá-lo como adulto e responsabilizá-lo por suas ações, tal como fazia com todos na equipe. E acho que ele apreciava isso, pois uma vez disse aos repórteres que gostava de ser tratado "como homem" por mim.

Logo depois que Rodman retornou da terceira suspensão na temporada, Steve Kerr e Jud Buechler me perguntaram se poderiam acolhê-lo de volta ao grupo com uma viagem especial. A ideia era alugar um ônibus um dia depois do jogo na Filadélfia, em 12 de março, e retornar para um treino leve no dia seguinte, antes do outro jogo naquela mesma noite contra o New Jersey Nets. Concordei porque achei que assim ele se reincorporaria à equipe com mais rapidez – sem mencionar o fato de que os Nets tinham o pior recorde da liga.

Então, no dia seguinte, Dennis e um bando de guerreiros felizes partiram no ônibus alugado que estampava cartazes promocionais do filme *Private Parts*, de Howard Stern. Na manhã seguinte eu estava no desjejum com a comissão técnica no hotel Four Seasons, na Filadélfia, quando o ônibus parou em frente e os jogadores saíram às gargalhadas e fazendo muita bagunça. Isso mostrava que estavam se divertindo. Pensei comigo: *Esse será o pior treino que já fizemos.* Eu estava certo. Passados quarenta minutos eles estavam tão desconcentrados que mal conseguiam ficar de pé. Foi quando interrompi o treino para que descansassem para o jogo que acabamos perdendo de 99-98. Mas no fim das contas valeu a pena. Era mais importante fazer Dennis se sentir de novo integrado à equipe que outra vitória no livro dos recordes.

Depois que Rodman e Luc retornaram ao time, os Bulls rugiram novamente. Scottie estava no auge, orquestrando a ação com tal maestria que Michael o apelidou mais tarde de "meu MVP" (Melhor Jogador da Temporada). Michael estava mais relaxado e agora economizava energia nos jogos, com mais arremessos de média distância e menos teatralidades aéreas. Mas acima de tudo o time estava com pinta de campeão. A despeito das calamidades que os abatia, os jogadores estavam confiantes de que encontrariam um jeito de resolvê-las juntos. Segundo um ditado zen que costumo citar: "Antes da iluminação, corte lenha e carregue água. Após a iluminação, corte lenha e carregue água." O objetivo: concentre-se na tarefa à mão em vez de reviver o passado ou se preocupar com o futuro. O time estava ficando muito bom em fazer isso.

Infelizmente, o alívio com Rodman não durou muito. No final de março ele torceu o joelho esquerdo e ficou afastado até o final da temporada regular. Na ocasião, a equipe sairia em longa viagem pela Costa Leste e, se o deixássemos por conta própria para se recuperar em Chicago, ele poderia regredir. Então, elaborei um plano para que se recuperasse na casa do agente dele no sul da Califórnia.

A ideia pareceu razoável. Atribuímos a Wally Blase, um jovem assistente fisioterapeuta, a tarefa de acompanhá-lo até a casa do agente em Orange County e de observá-lo durante os exercícios a serem feitos diariamente. Estavam de saída quando chamei os dois ao meu escritório e recomendei que seguissem diretamente até a Califórnia sem "atalhos" na viagem. Em seguida dei uma pena de águia para selar o acordo com Wally e disse para Dennis em tom de brincadeira:

– Cuide de Wally e o faça usar camisinha.

– Tudo bem, meu irmão – disse Dennis.

Isso ocorreu antes daquele 11 de setembro, e nossos seguranças arranjaram um jeito de colocar Dennis e Wally no avião sem passarem pelo portão. Mas o primeiro indício de que não seria uma viagem de rotina se deu quando o avião decolou e o piloto anunciou que aterrissariam no Dallas-Fort Worth em duas horas e vinte minutos. *Dallas-Fort Worth!*

Caramba!, pensou Wally. Eles ainda não tinham deixado Chicago e já quebravam a primeira regra. Wally quis saber o que estava acontecendo.

– Não se preocupe com isso, mano – disse Dennis. – Já conversei com meu agente. Faremos uma visita a minha mãe em Dallas e darei uma olhada na casa que acabei de comprar para ela.

O plano soou plausível. Mas quando chegaram ao terminal de bagagens eram aguardados por duas limusines brancas com mulheres seminuas. Fizeram a visita à mãe de Dennis, percorreram as boates de Dallas pela noite adentro com as mulheres e depois retornaram à suíte do hotel. Wally dormiu no sofá.

Na manhã seguinte Dennis o acordou às oito e meia.

– Levanta logo, cara – disse. – Você vai poder dormir quando estiver morto.

Eles seguiram até a academia, e lá Dennis Rodman malhou como um louco. No café da manhã, Wally perguntou pelo horário do voo para a Califórnia.

– Hoje não, mano – disse Rodman. – Você já foi a uma corrida NASCAR?

Naquele dia se daria a inauguração da Texas Motor Speedway, e Rodman estava a fim de uma top model que estaria presente. Eles alugaram um helicóptero para evitar o trânsito e seguiram até a corrida.

– Vamos encontrar o rei Richard Petty – disse Rodman ao desembarcarem, arrastando Wally para um camarote VIP.

No terceiro dia, Wally já estava quase louco. Falou para Rodman que perderia o emprego se não chegassem logo à Califórnia. Mas nosso jogador ainda não estava pronto para sair de Dallas.

– Vamos lá, cara – disse. – Ontem foi uma corrida chinfrim. A de hoje é uma corrida de verdade.

Assim, seguiram em direção ao autódromo. Exasperado, Wally telefonou para o fisioterapeuta-chefe Chip Schaefer e informou que os dois ainda estavam em Dallas.

– Não se preocupe com isso – disse Chip. – Pelo menos ele não se meteu em nenhuma encrenca.

No dia seguinte, eles finalmente chegaram ao sul da Califórnia, e Wally achou que as coisas ficariam mais calmas. Mas, assim que desembarcaram, Rodman quis dar uma olhada no seu novo Lamborghini. Ainda estavam na garagem quando ele entregou para Wally as chaves de outro carro, um Porsche amarelo.

– Já dirigiu um Porsche alguma vez? – perguntou. Wally balançou a cabeça. – Não se preocupe com isso. – E os dois saíram pelas ruas do Orange County, como se estivessem competindo no Daytona 500.

Foram excelentes aventuras uma após a outra. Um dia eles tiraram uma foto junto com Rodney Dangerfield e a banda No Doubt, no *The Tonight Show*. No outro dia se encontraram com o produtor de filmes Jerry Bruckheimer para discutir um possível papel para Rodman no *Armageddon*. E em outro dia assistiram a um jogo do Anaheim Ducks, onde tiraram fotos com alguns ídolos de hóquei do Wally.

– Era como se os filmes *Get Him to the Greek* e *Almost Famous* rodassem ao mesmo tempo – diz Wally.

O resultado é que os dois ficaram tão próximos que depois passamos a levar Wally aos jogos fora de casa apenas porque ele era amigo de Dennis. No ano seguinte, durante uma pausa nas finais do campeonato em Utah, de repente Dennis disse que estava morrendo de tédio em Salt Lake City e alugou um jatinho para levar o amigo a Vegas. O que Dennis não disse é que era um passeio para a festa de aniversário de Wally, da qual participaria um grupo de amigos, incluindo a atriz Carmen Electra, o cantor e compositor Eddie Vedder e a lenda do hóquei Chris Chelios.

– Acabou sendo a noite da minha vida – diz Wally.

Wally, que agora é o chefe dos fisioterapeutas do Atlanta Hawks, entendia Dennis por instinto. Claro, ele é confuso e inseguro, diz Wally, mas também é "um dos melhores seres humanos que já conheci". Segundo Wally, o maior atributo de Dennis era a capacidade de produzir "o cenário perfeito para um atleta profissional", e acrescenta:

– Ele era o único atleta profissional que podia fazer uma festa com strippers. Joe Namath fez isso e o castigaram em Nova York, e Michael Jordan foi pego por algumas apostas no campo de golfe e todo mundo entrou no couro. Mas com Dennis era como se a inépcia moral fizesse parte do seu negócio, de modo que as pessoas reagiam a esse personagem que ele próprio criou apenas com um comentário: "Ora, claro que isso é perfeitamente normal." Pensando bem, era genial.

Isso pode até ser verdade, mas acho que o segredo do fascínio de Dennis era a forma lúdica com que contrariava o sistema. Ele tornou-se um modelo inspirador para jovens e velhos que se sentiam à margem da sociedade. Recebi muitas cartas de professores de educação especial que diziam que os alunos portadores de TDAH o amavam porque ele era bem-sucedido na vida, a despeito de uma condição debilitante. Para eles Dennis era um verdadeiro campeão.

Que ano mais estranho! Mesmo com a ausência de diversas estrelas em boa parte da temporada, o time conseguiu terminar com uma campanha de 69 vitórias e 13 derrotas, empatando em segundo lugar com o recorde dos Lakers de 1971-72 na lista dos melhores da NBA. Mas Dennis e Toni ainda se recuperavam de lesões, e o time não tinha a coesão que mostrava no início do ano. Aquisições positivas: nas semanas finais da temporada regular pegamos o ala-pivô Brian Williams, de 2,10 metros de altura, e Bison Dele, para dar mais força ao time na quadra. Williams desempenhou um papel fundamental como reserva de Luc e Dennis durante as finais.

As duas primeiras séries foram tranquilas. Varremos o Washington por 3-0 e passamos pelo Atlanta em cinco jogos, isso depois de termos perdido a vantagem no jogo 2 em casa; foi a primeira vez em dois anos que nos derrotavam em casa durante as finais.

A rodada seguinte – finais da Conferência Leste contra o Miami Heat – acabou sendo um confronto de duas culturas de basquete radicalmente diferentes. O time comandado por Pat Riley na temporada de 1995-96, com Alonzo Mourning como pivô e Tim Hardaway como armador, tinha os ingredientes de um clássico time a Riley. Ao longo dos anos muito se falou a respeito de minha rivalidade com ele, principalmente nos tabloides de Nova York. Mas a principal diferença entre nós era filosófica e não pessoal. A abordagem agressiva do jogo de Riley, ao estilo da velha escola de basquete, obteve um grande sucesso. Tal como os Knicks comandados por ele, o Heat também era físico e agressivo, e eles eram conhecidos por fazerem faltas em todas as jogadas sempre que tivessem oportunidade. Por outro lado, nosso estilo era mais livre e aberto. Jogávamos com uma defesa intensa e especialista em roubo de bola, tirando a linha dos passes e pressionando os que tinham a posse da bola para que cometessem erros.

No início parecia que seria um passeio. Passamos rapidamente pelo Miami no primeiro jogo por 84-77, uma vitória liderada por Jordan com 37 pontos espetaculares e um desempenho de nove rebotes. Atribuo o fator principal do jogo à mudança defensiva que fiz no intervalo, colocando Harper na marcação de Hardaway e Michael na marcação de Voshon Lenard, especialista em arremessos de três pontos. No jogo 2 brigamos por uma vitória de 75-68; a menor pontuação em jogos finais na história da NBA. No jogo 3, estendemos o triângulo ofensivo para se opor à forte defesa do Miami, dificultando assim o congestionamento do garrafão. E assim dançamos para uma vitória de 98-74.

No dia de folga, Michael decidiu jogar 46 buracos no campo de golfe, e com isso teve um dos seus piores inícios no jogo 4, convertendo apenas dois arremessos em 21 tentativas de quadra enquanto o Miami abria uma vantagem de 21 pontos. Contudo, Michael quase nos colocou à frente no quarto período ao converter 20 dos nossos 23 pontos, mas faltou tempo e acabamos perdendo de 87-80.

O momento mais importante ocorreu no final do terceiro período, quando Mourning chocou-se com Scottie e lhe deixou um galo na testa do tamanho de uma bola de golfe. Michael ficou furioso e declarou que o jogo 5 seria uma questão pessoal para ele.

– Quando um companheiro de time toma um galo na cabeça, também fico com um galo na minha cabeça.

Michael fez o Miami pagar rapidamente no jogo 5, fazendo 15 pontos no primeiro período. Mas o resto do time teve que se redobrar quando Scottie saiu da quadra no primeiro período depois de torcer o pé em outro choque com Mourning. Toni, que passara por dificuldades no início da série, o substituiu e anotou 6 pontos, ampliando a vantagem dos Bulls. Fiquei particularmente satisfeito com os reservas que superaram o banco do Miami por 33-12, liderados por Brian Williams, que fez 10 pontos, e por Jud Buechler, que teve uma participação muito boa na defesa. Resultado final: Bulls 100, Heat 87.

Riley mostrou-se humilde com a derrota.

– As dinastias melhoram à medida que envelhecem. – E acrescentou ainda a respeito dos Bulls: – É a maior equipe na história do basquete desde os Celtics que venceram 11 em 13 anos. – Era a quarta vez que uma de suas equipes era nocauteada nas finais pelos Bulls liderados por Jordan. – Todos nós tivemos a infelicidade de nascer na mesma época de Michael Jordan – ele concluiu.

O Utah Jazz não estava convencido disso. Era a primeira participação do Jazz nas finais do campeonato, mas a equipe tinha algumas armas potentes: o ala de força Karl Malone, que tinha vencido Jordan no prêmio de melhor jogador da temporada daquele ano, e o armador John Stockton, um dos mais criativos com a posse da bola no basquete. No Jazz também se destacava Jeff Hornacek, que tinha uma média de 14,5 pontos por jogo naquele ano. Nossa maior preocupação era Stockton e o característico corta-luz com Malone que já tinha atormentado nosso time no passado. Era preciso conter o jogo de Malone cujo apelido "O carteiro" se devia supostamente ao fato de que ele sempre correspondia – como se entregasse a bola à cesta. Ele era grande, agressivo e difícil de ser contido na quadra, até mesmo por Rodman. Então, confiei na envergadura de Luc Longley e o coloquei no início da série para deter Malone.

Mas não foi o estilo de jogo e sim a mente inquieta de Malone que decidiu o jogo 1. Com o placar empatado em 82-82 nos 9,2 segundos restantes, Malone sofreu uma falta ao disputar uma bola perdida embaixo do aro. Ele se dirigia à linha de lance livre quando Scottie sussurrou em seu ouvido:

– O carteiro não entrega cartas aos domingos.

Karl perdeu o primeiro arremesso. Ficou visivelmente abalado e perdeu a segunda tentativa que sobrou nas mãos de Jordan. Mas o Jazz, em vez de fazer marcação dupla sobre Michael nos últimos instantes do jogo, a fez apenas com o ala Byron Russell, o que não foi uma boa ideia. Jordan o driblou e fez um arremesso que nos deu a vitória de 84-82.

Passamos rapidamente pelo Utah Jazz no jogo 2, que por sua vez explodiu quando voltou para casa no jogo 3, liderado pelos 37 pontos e dez rebotes de Malone. O segredo para isso? Ele revelou que tinha feito a rota cinematográfica das montanhas até o ginásio montado na sua Harley. No jogo seguinte dei a primeira chance a Rodman na série para derrubar a máquina Malone. Do seu jeito peculiar ele zombou de Malone antes do jogo, dizendo que planejava "alugar uma bicicleta para passear pelas montanhas e tentar encontrar Deus ou sabe-se lá quem". Mas isso não funcionou. Malone fez 23 pontos, pegou dez rebotes e converteu dois lances livres com 18 segundos para acabar.

– Acho que aqui o carteiro entrega aos domingos – disse Pippen na ocasião.

Mais tarde soubemos que o encarregado de equipamentos do nosso time tinha se enganado e servido Gaterlode – uma bebida com alto teor de carboidratos – aos jogadores durante o jogo em vez de Gatorade. Isso explica a lentidão do time nos minutos finais. Segundo uma estimativa, cada jogador ingerira o equivalente a cerca de vinte batatas assadas.

No jogo seguinte ocorreu um dos mais inspiradores atos de perseverança que já presenciei. Na manhã do jogo 5, com a série empatada em 2-2, Michael acordou com um aparente vírus estomacal, diagnosticado mais tarde como intoxicação alimentar. Isso o debilitou tanto que não fez treinamento de arremessos naquela manhã e passou a maior parte do dia na cama. Já o tínhamos visto jogar com todo tipo de doenças, mas essa era a mais preocupante.

– Já joguei muitas temporadas com Michael e nunca o vi tão doente – disse Scottie. – Ele estava tão mal que cheguei a achar que não conseguiria colocar o uniforme.

Michael estava tão desidratado que parecia prestes a desmaiar a qualquer momento, mas com persistência fez 38 pontos, convertendo 13 arremessos em 27 tentativas, incluindo o arremesso de três pontos para nossa vitória com 25 segundos para terminar. Foi um feito notável, mas o que a maioria não entende é que esse jogo não teria acontecido sem o esforço de um time notável. Scottie orquestrou magistralmente a cobertura defensiva, de modo que Michael não precisou se preocupar com a defesa e se concentrou em empregar toda a sua energia na criação dos arremessos. Mas Scottie nem sequer mencionou o fato após o jogo.

– O esforço que ele fez e nos deu foi simplesmente incrível – disse sobre o desempenho de Michael. – A liderança. Fez com que todos ficassem pacientes e também fez incríveis arremessos um atrás do outro... Ele é o melhor jogador da temporada, na minha visão.

O jogo seguinte em Chicago tornou-se outra batalha. Caímos no início e ficamos para trás em grande parte do jogo, mas o time se recusou a desistir. Embora Scottie e Michael fizessem um jogo excepcional, dessa vez os reservas é que fizeram algumas das jogadas mais inspiradoras: Jud Buechler converteu uma cesta crucial de três pontos no fim do terceiro período. Toni fez uma deslumbrante bandeja girando sobre Hornacek, mesmo mancando com um pé dolorido. Brian Williams encarou Malone e o fez sair de suas posições. Mas o momento mais bonito foi o arremesso no fim do jogo de Steve Kerr, que já vinha com dificuldades em todas as séries.

O Utah Jazz liderava por 9 pontos no início do quarto período, mas empatamos nos 11 segundos restantes, 86-86, e a bola foi parar nas mãos de Michael. Mas o Jazz estava determinado a não cometer o mesmo erro que cometera no jogo 1. Então, de repente Michael driblou Byron Russell no lado esquerdo do ataque para a esquerda e Stockton aproximou-se para fazer a marcação dupla, deixando Kerr aberto na cabeça do garrafão. Primeiro, Michael tentou passar pelos dois, mas assim que subiu, no ar, percebeu que isso não funcionaria.

– Foi inacreditável como ele pairou no ar – disse Hornacek mais tarde. – Stockton e Byron Russell estavam em cima dele enquanto eu marcava Kukoc, e tive que acompanhar Kukoc quando partiu para a cesta. Eu não podia deixá-lo sozinho e permitir que fizesse uma bandeja. Michael lançou um olhar significativo para Kukoc e, ainda suspenso, ele virou o corpo, sabe-se lá como, e fez o passe para Kerr.

Kerr ajeitou o corpo um pouco além da linha de lance livre, preparando e convertendo um arremesso fotográfico perfeito para desempatar, e Kukoc fez a enterrada final para ganhar o jogo – e o campeonato.

Acabava uma jornada cansativa com muitas lesões, suspensões e outros desafios. Mas a refinada harmonia – e versatilidade – da equipe nos últimos minutos fez tudo valer a pena. Mais tarde, Michael, que fez 39 pontos na partida, ao ser eleito o melhor jogador das finais, declarou que queria dividir o prêmio com Scottie Pippen.

– Vou ficar com o troféu, mas vou dar o carro para Scottie. Ele merece tanto quanto eu.

Michael aproveitou a coletiva de imprensa após o jogo para pressionar Jerry Reinsdorf, que se mostrara evasivo com a mídia em relação à manutenção dos jogadores para a temporada seguinte. Meu contrato de um ano expirava e outras equipes já manifestavam interesse. Além disso, era o último ano do contrato de Scottie e circulavam rumores de que poderia ser negociado. E para levantar a aposta, Michael, cujo contrato também estava prestes a expirar, declarou que não retornaria se eu e Pippen não estivéssemos na quadra.

Três dias depois dezenas de milhares de torcedores lotaram o Grant Park para celebrar a vitória dos Bulls. O destaque era o relato de Kerr de como o seu badalado arremesso "realmente" aconteceu.

– Quando pedimos tempo nos 25 segundos restantes – ele lembrou –, nos agrupamos ao redor de Phil e ele disse: "Michael, quero que você faça o último arremesso." Michael retrucou: "Phil, você sabe que não me sinto confortável nessas situações. Talvez seja melhor seguir em outra direção." Foi quando Scottie disse: "Phil, você sabe que Michael disse no comercial dele que errou nas 26 vezes que fez isso. Por que então não passamos para o Steve?"

Foi quando pensei comigo: Acho que terei que socorrer Michael novamente. Se o carreguei durante o ano todo, por que não mais uma vez? De qualquer forma, fiz o arremesso e essa é minha história e estou firme nisso.

Michael e Scottie caíram na risada e a multidão delirou. Mas quando olhei ao redor notei que uma pessoa sentada atrás de Kerr nem sequer esboçou um sorriso. Essa pessoa era Jerry Krause.

13
A ÚLTIMA DANÇA

Quando se rompem os padrões, novos mundos emergem.
TULI KUPFERBERG

Eu estava com os Knicks quando Dave DeBusschere me ensinou uma lição importante. Em 1971-72, os Knicks pegaram Jerry Lucas para ser reserva de Willis Reed, que vinha lutando contra contusões. Jerry era um versátil ala-pivô de 2,04 metros, que, além de ser ótimo no rebote, era adepto dos passes com um bom arremesso de fora. Até então Dave não tinha um bom conceito a respeito de Jerry. Achava que era um egoísta excêntrico que durante os jogos só se preocupava em aumentar a média de pontos e rebotes em detrimento da vitória. Mas, quando Lucas juntou-se ao Knicks, Dave logo descobriu um jeito de trabalhar com ele. E, quando lhe perguntei como conseguiu mudar com tanta rapidez, Dave respondeu:

— Eu não deixo que meus sentimentos pessoais interfiram nos objetivos a serem alcançados pela equipe.

Era assim que me sentia em relação a Jerry Krause nos meus últimos dois anos de contrato com os Bulls. Embora tivéssemos nossas diferenças, eu o respeitava pelo conhecimento que tinha do basquete e gostava de trabalhar com ele na construção das equipes dos Bulls para o campeonato. Mas esse relacionamento declinou lentamente a partir da discordância que tivemos sobre Johnny Bach três anos antes. Além disso, nossas negociações em torno do meu contrato haviam se deteriorado em um impasse legal durante a temporada 1996-97. Tal como ocorre na maioria dos relacionamentos, ambos contribuímos para o colapso. Enquanto eu era movido pela necessidade de proteger a privacidade e a autonomia da equipe a todo custo, Jerry fazia de tudo para recuperar o controle da organização. Não é um tipo de conflito incomum no mundo dos esportes, mas infelizmente para ambos as diferenças entre nós vazaram para a esfera do grande público.

Olhando para trás, concluo que nesse entrevero com Jerry aprendi coisas a meu respeito que não teria aprendido de outra maneira. O Dalai Lama se refere a isso como "presente do inimigo". Na perspectiva do budista, a luta com os inimigos pode ajudar a desenvolver a compaixão e a tolerância para com os outros. "Você só pratica com sinceridade e desenvolve a paciência", ele diz, "quando é machucado por alguém intencionalmente. Portanto, essas pessoas nos oferecem uma oportunidade concreta para praticar essas coisas. Elas testam nossa força interior de um modo que nem mesmo os gurus conseguem."

Eu não diria que Jerry era exatamente um "inimigo". Mas certamente o conflito entre nós testou a minha força interior. Concordávamos na maioria das questões relacionadas ao basquete, mas tínhamos pontos de vista opostos em relação a como gerenciar pessoas. Enquanto eu procurava ser o mais aberto e transparente possível, Jerry tendia a ser fechado e reservado. Até certo ponto era uma vítima do sistema; é difícil fechar bons negócios na NBA sem ser cauteloso ao dividir informações. Mas Jerry não era um comunicador habilidoso, de modo que quando conversava com os jogadores geralmente passava a impressão de não ser autêntico ou, pior, de ser dúbio. Eu sentia compaixão por ele porque no fundo não era o sujeito sem coração e maquiavélico retratado pela mídia. Ele só queria mostrar ao mundo que podia construir uma equipe campeã sem depender de Michael Jordan e estava ansioso para fazer isso acontecer.

No meio da temporada de 1996-97, o proprietário dos Bulls, Jerry Reinsdorf, propôs a Krause e ao meu agente Todd Musburger que elaborassem os termos básicos de um novo contrato para mim. Solicitamos um aumento que equiparasse o meu salário ao de outros técnicos de primeira linha, como Pat Riley e Chuck Daly. Mas, apesar do meu histórico, Krause tinha dificuldade em me situar nesse nível, e as negociações se desfizeram. Para não perder a autoridade, Jerry Reinsdorf disse que não era justo que eu chegasse às finais – quando a maioria das posições de treinadores já estava preenchida – sem saber se teria trabalho na temporada seguinte. Assim, permitiu que outras organizações entrassem em contato comigo e logo despertei o interesse de diversas outras equipes, incluindo a de Orlando.

Mas eu ainda não estava pronto para desistir dos Bulls. Logo após as finais, Reinsdorf fez um voo até Montana e arquitetamos um contrato de um ano que era bom para ambos. Ele queria que todos permanecessem para tentar ganhar outro anel. Mais tarde, naquele verão, ele também bateu o martelo para um contrato de um ano com Jordan (33 milhões) e com Rodman (4,5 milhões e mais incentivos de até 10 milhões), e fechou os salários de outros jogadores (menos o de Pippen) em 59 milhões para a temporada de 1997-98. O único ponto de interrogação que restava era então Pippen.

Scottie Pippen não estava tendo um bom verão. Lesionara o pé nas finais e precisava de uma cirurgia que o colocaria fora de ação de dois a três meses. Sem falar que cumpria o último ano de um contrato de sete anos e se ressentia cada vez mais com o baixo salário que recebia em relação a outros jogadores da liga. Em 1991, Scottie assinara uma extensão do seu contrato em mais cinco anos por 18 milhões, o que na época pareceu ser um bom negócio. Mas depois os salários da NBA se elevaram e agora mais de uma centena de jogadores ganhava mais do que ele, incluindo cinco outros de sua equipe. Dessa maneira, embora muitos o considerassem o melhor jogador da NBA depois de Jordan, ele teria que esperar mais um ano pelo final do contrato para ser remunerado pelo seu desempenho. E ainda havia uma chance remota de que pudesse ser negociado.

Para piorar a situação, Krause ameaçou tomar medidas legais se Scottie participasse de um jogo anual de caridade, com o risco de agravar a lesão no pé. Isso enfureceu Scottie, que declarou que Krause o tratava como uma propriedade pessoal. Krause me pediu para intervir, mas relutei porque poderia piorar ainda mais a situação. Enfim, Scottie participou do jogo beneficente e adiou a cirurgia em represália a Krause até o começo dos treinamentos para a próxima temporada.

Eu não fiquei feliz com o rumo dos acontecimentos. Muito menos Michael. Demos apoio a Scottie durante o verão, se bem que ele colocava toda a temporada em risco ao atrasar a cirurgia e tinha contribuído demais para unir o time, e era difícil imaginar ficar sem ele pela metade da temporada regular para se recuperar.

No encontro anual com a mídia, um dia antes de iniciar a temporada, Krause resolveu se abrir com os repórteres e cometeu a gafe de sua vida. Talvez tenha comparecido ao ato para esclarecer aos repórteres que minha despedida era uma decisão mútua entre mim e ele. Mas ele acabou declarando que "jogadores e técnicos não ganham campeonatos, e organizações, sim". No dia seguinte tentou corrigir o erro, dizendo que o que queria falar era que "jogadores e técnicos *sozinhos* não ganham campeonatos", mas o dano já estava feito. Michael ficou particularmente indignado com a observação desdenhosa de Krause e transformou-a em grito de guerra para o time durante toda a temporada.

Mais tarde, naquele mesmo dia, Krause me chamou ao seu escritório e disse:

– Mesmo que você ganhe 82 jogos, este será o seu último ano.

E ponto final. Eu já tinha conversado com Reinsdorf em Montana que aquela seria minha última temporada, mas só acreditei nisso depois que ouvi da boca de Krause. A princípio, isso me perturbou, mas depois pensei melhor e tudo me pareceu incrivelmente libertador. Pelo menos agora as coisas estavam claras.

O título da temporada como "a última dança" expressa o meu sentimento naquele momento. A despeito disso, a maioria dos jogadores cujos contratos ainda estavam de pé – como Michael, Scottie, Dennis, Luc, Steve e Jud – não estaria mais com o uniforme dos Bulls no ano seguinte. Um fatalismo que ressoou na temporada de maneira a unir ainda mais o time. Era como se estivéssemos em uma missão sagrada, motivados por uma força que ultrapassava a fama, a glória e todos os outros despojos de vitória. Jogávamos pelo puro prazer de jogarmos juntos mais uma vez. Era mágico.

Isso não quer dizer que foi fácil. O time envelhecera um ano mais. Rodman estava com 37 anos; Pippen, com 33, e naquele mesmo ano Michael e Harper completariam 35 e 34, respectivamente. O time precisava economizar as energias na temporada regular, de modo que todos estivessem em boa forma durante as finais. Mas isso seria difícil sem Scottie na quadra. Precisávamos descobrir um jeito de administrar isso até que ele voltasse.

Sem Pippen para dirigir a ação, o time teve dificuldade para encontrar o ritmo, e com isso teve um início enferrujado. O grande problema era vencer os jogos apertados, o que antes era nossa especialidade. O pior momento aconteceu no final de novembro em Seattle, com a derrota de 91-90 para os SuperSonics que nos colocou em oitavo lugar na Conferência Leste com um recorde de oito vitórias e seis derrotas. Nossos adversários começavam a sentir o cheiro de sangue.

Em nossa viagem para Seattle a raiva de Scottie transbordou. Ele disse aos jornalistas que não aguentava mais a gerência do time e que não queria mais jogar pelos Bulls. Após o jogo embriagou-se no ônibus que seguia para o aeroporto e começou a provocar Krause, que estava sentado na frente. Em dado momento tive que conter a explosão de Scottie, apontando para a garrafa de cerveja que estava na minha mão, em sinal de que tinha bebido muito.

Já em Chicago, marquei uma consulta para Scottie com o psicólogo da equipe que poderia ajudá-lo a lidar com a raiva, mas nem por isso deixei de me preocupar com o estado de espírito dele. Ele me ligou tarde da noite no Dia de Ação de Graças para discutir a situação. Falou que realmente queria ser negociado, e tentei convencê-lo a pensar no assunto de um ângulo diferente. Pois, se naquele momento continuasse muito duro com essa demanda, poderia ser tachado na liga como encrenqueiro e comprometer as chances de assinar com outras grandes equipes na temporada seguinte. Pelo que me lembro, o melhor para a carreira dele era terminar a temporada com os Bulls. Eu o aconselhei a não deixar que a raiva pela gerência envenenasse o projeto de retornar e ajudar o time a conquistar um sexto campeonato. E Scottie então disse que de jeito nenhum deixaria que a gerência partisse o coração dele.

Eu poderia ter dito que isso levaria tempo, mas achei que a melhor estratégia era aproximá-lo dos jogadores o máximo possível, tal como acontecera após um colapso de 1,8 segundo que o acometera quatro anos antes. Como Harper era o melhor amigo de Scottie lhe pedi que o fizesse saber que os companheiros precisavam muito dele. E também vetei as viagens dele com o time para evitar outros confrontos embaraçosos com Krause fora de casa. O pior é que a reabilitação de Scottie progredia mais lentamente do que o esperado. Já estava com os músculos atrofiados e seu pulo vertical caíra de 76 para 43 centímetros em meados de dezembro, o que significava que levaria mais um mês para voltar à forma. Por outro lado, isso era bom. Pois, quanto mais tempo malhasse com os companheiros, mais chances ele teria de readquirir a alegria que sempre mostrara na quadra. Ali pelo final de dezembro já era visível que Scottie acalentava a ideia de retornar ao Bulls.

Nesse meio-tempo o time tentava se endireitar. Em meados de dezembro estávamos com 15 vitórias e nove derrotas depois de termos batido os Lakers em casa por 104-83, mas o time ainda não estava integrado e dependia demais de Michael. Durante uma sessão de vídeos comentei em tom de brincadeira ao assistir a uma cena onde Luc estragava uma jogada:

– Todo mundo comete erros. Eu também cometi um erro ao continuar aqui com esse time este ano – eu disse.

Nesse exato momento Michael adicionou:

– E eu também. – Manifestando-se em tom sombrio.

Luc reagiu visivelmente ferido pelos comentários.

– É fácil ser crítico – Luc reclamou.

Tex encrespou-se e acusou Luc de ter uma atitude ruim.

– Eu não estava me referindo à comissão técnica – disse Luc. – O único crítico aqui é Michael.

Michael então replicou:

– O que me chateia são as derrotas. Acho que você devia melhorar na próxima vez. Mudar.

Fez-se silêncio na sala.

– Acabou – acrescentou Michael. – Não vamos mais perder.

De fato, isso não demorou. Logo começamos a nos recuperar e obtivemos nove vitórias e duas derrotas. Ocorreu uma grande mudança quando colocamos Toni Kukoc como titular para enfrentar equipes com alas grandes. Ele passou a atuar como terceiro armador, semelhante ao que Pippen fazia, e assim tirava proveito de sua criatividade no manejo da bola. Toni era rebelde e sempre estava em busca de jogadas inimagináveis. Às vezes isso funcionava com brilhantismo. Mas ele não tinha força mental e condição física suficiente para navegar no acidentado cronograma de 82 jogos da NBA nem como um cestinha confiável nem como um condutor de bola. E, sem ele para ancorar isso, o banco do time ficava mais fraco.

A grande surpresa acabou sendo Dennis Rodman. Ele teve muitas dificuldades em 1996-97, e meu temor era que se desinteressasse pelo jogo outra vez. Mas pedimos a Dennis que acelerasse e desse uma injeção de ânimo ao time enquanto Scottie se recuperava, e de repente ele começou a jogar um basquete de nível de melhor jogador da temporada nos dois lados da quadra.

Jordan conta a história de como se ligou a Dennis nesse período. A chave era o amor que ambos nutriam pelos charutos.

— Quando Scottie se machucou, a liderança do time sobrou para mim e Dennis. Então me aproximei e disse para ele: "Olhe, conheço suas palhaçadas. Sei que você gosta de levar faltas técnicas. Sei que tipo de imagem tenta projetar. Mas preciso de você, cara, para que fique no jogo. Não preciso que você seja expulso. Scottie não está aqui. Isso quer dizer que você terá que liderar na frente, sem ficar à sombra de Scottie e de mim."

Dennis esteve à altura do desafio por um bom tempo. Até que se irritou durante um jogo e foi expulso. — Fiquei bufando — disse Jordan. — Fiquei chateado porque já tínhamos nos entendido e ele acabou me deixando na mão. Naquela noite ele bateu na porta do meu quarto no hotel e pediu um charuto. Nunca tinha feito isso antes. Ele sabia que tinha me decepcionado e era uma maneira de me pedir "desculpas".

Scottie Pippen retornou em 10 de janeiro contra o Golden State Warriors. O time se transformou da noite para o dia. Era como assistir ao retorno do grande maestro após uma ausência licenciada. De repente, todos sabiam como executar as notas e a harmonia. A partir daí fizemos uma corrida de 38 vitórias e nove derrotas e empatamos com o Utah Jazz no melhor recorde da liga, 62 vitórias e vinte derrotas.

Quando a temporada regular chegou à reta final, pensei comigo que era importante que tivéssemos um fechamento enquanto equipe. Era o fim de uma era e precisávamos de um tempo para reconhecer as realizações e a sólida conexão de nossa equipe. Minha esposa June fazia um ritual com as crianças órfãs no programa do orfanato onde ela trabalhava e sugeriu que também o fizéssemos. Assim, agendei uma reunião especial com a equipe antes das finais e solicitei a todos que escrevessem um breve parágrafo sobre o significado daquela temporada e de nossa equipe.

O encontro ocorreu na sala tribal. Apenas o núcleo do time estava presente: jogadores, preparadores físicos, fisioterapeutas e comissão técnica. Apenas a metade do grupo escreveu alguma coisa, mas todos se pronunciaram. Steve Kerr referiu-se à emoção de ter se tornado pai enquanto estava conosco e de ter levado o filho de quatro anos de idade que era aficionado do basquete ao vestiário dos Bulls para conhecer Jordan, Pippen e Rodman. Chip Schaefer, fisioterapeuta-chefe, citou a famosa passagem de Coríntios 1-13:

> Se eu falasse a língua dos homens e dos anjos, mas não tivesse amor, seria apenas um bronze que ressoa ou um címbalo que retine. E se eu tivesse o dom da profecia e conhecesse todos os mistérios e toda a ciência, e tivesse uma fé que movesse montanhas, mas não tivesse amor, eu não seria nada.

Michael escreveu um pequeno poema para a ocasião. Um poema muito comovente. Elogiou a dedicação de todos e disse que esperava que o vínculo do time durasse para sempre. E depois acrescentou: Ninguém sabe o que o futuro nos reserva, mas vamos terminar isso bem.

Foi emocionante ouvir aqueles jogadores durões da NBA trocando revelações pessoais com suavidade. Falaram e depois colocaram mensagens dentro de uma lata de café. Por fim, apagamos a luz e ateamos fogo às palavras.

Nunca me esquecerei da aura serena daquela sala enquanto o fogo ardia no escuro. E da intensa intimidade que nos uniu enquanto estávamos sentados e silenciosos, observando o apagar das chamas. Talvez nossa ligação nunca tenha sido tão forte.

* * *

Perdemos dois jogos na última semana da temporada regular, incluindo um jogo em casa para os Pacers. Isso levantou algumas questões para mim quando chegamos às finais, embora tivéssemos conseguido a vantagem de decidir em casa na Conferência Leste. A principal preocupação era a fadiga. Michael e Pippen passavam muito tempo na quadra e nosso banco deixava dúvidas se era mesmo capaz de dar o espaço de que precisavam nos últimos jogos para respirar. Nossa estratégia desde o início era jogar duro na defesa, economizar energia e deixar que Michael assumisse os minutos finais. Um ponto positivo era o retorno de Kukoc, que no ano anterior estivera às voltas com uma grave fascite plantar, mas que de repente começou a jogar tão bem que Sam Smith sugeriu aos figurões dos Bulls que ele substituísse Rodman. O que me preocupava em relação a Rodman era a inconsistência e a desconcentração, sobretudo agora que já não tínhamos Brian Williams para apoiá-lo. Para fortalecermos o miolo da defesa, negociamos o ala Jason Caffey e trouxemos de volta Dickey Simpkins, que além de grande e agressivo era um ex-Bull – o que esperávamos é que ajudasse Rodman e Luc a fechar o garrafão.

Varremos o New Jersey Nets na primeira série depois de um começo lento nos dois primeiros jogos, comentados por Bernie Lincicome, colunista do *Chicago Tribune*, como "dribles de homens mortos". Na série seguinte fomos surpreendidos pelo Charlotte Hornets no jogo 2, que, liderados pelo ex-companheiro de time B. J. Armstrong, nos bateram com uma forte pressão no quarto período. A vantagem alavancada por B. J. inspirou nosso time – especialmente Michael – a explodir e acabar com os Hornets em cinco jogos.

Os Pacers, adversário seguinte, não cairiam com tanta facilidade. Era um candidato poderoso treinado pelo grande Larry Bird dos Celtics, que tinha Reggie Miller, um dos melhores arremessadores da liga, e uma forte linha de frente liderada pelo pivô Rik Smits. Durante uma das sessões do Clube do Café da Manhã, Michael, Pippen e Harp arquitetaram uma criativa estratégia defensiva para neutralizar os armadores dos Pacers na quadra. Pippen marcaria o armador Mark Jackson porque já tinha feito isso muito bem no passado, e Harper ficaria em cima de Miller porque era bom defender o corta-luz. Michael, por sua vez, faria marcação ao ala (tanto Jalen Rose como Chris Mullin), o que o pouparia de desperdiçar energia na perseguição defensiva a Reggie.

Coloquei o esquema em ação e funcionou, já que levou os Pacers a 46 perdas da posse da bola nos dois primeiros jogos e passamos a liderar a série. Mas, após o segundo jogo, Larry queixou-se nos meios de comunicação do jogo físico de Pippen. Assim, Pippen ficou carregado de faltas no início do confronto seguinte. E Larry frustrou nosso esquema defensivo ao colocar o veloz Travis Best no lugar de Jackson. Em contrapartida, fizemos uma mudança de plano ao colocar Harp (ou Kerr) em cima de Best e Michael em cima de Miller. No quarto período, Reggie conseguiu abrir espaços através dos corta-luzes e fez 13 pontos rumo a uma vitória de 107-105.

Nos segundos finais do jogo 4 me lembrei da final dos Jogos Olímpicos de 1972: totalmente caótico. Nós vencíamos de 94-93 nos 4,7 segundos restantes quando Pippen perdeu os dois lances livres de uma falta. Em seguida, Harper e Miller se estranharam, e Ron derrubou Reggie em nosso banco e começou a golpeá-lo. Ambos foram multados posteriormente e suspenderam Rose por um jogo pela participação na briga. (Também fui multado por comparar os árbitros com os dos Jogos Olímpicos de 1972, que anularam a vitória da equipe dos EUA com uma péssima marcação.) Serenados os ânimos, Reggie empurrou Michael com as mãos para receber um passe da lateral e fazer uma cesta de três pontos com 0,7 segundo para terminar que os levou à vitória.

No jogo 5, em Chicago, recorremos a uma de nossas armas letais – a defesa – para despachar os Pacers por 106-87 e ficar à frente na série por 3-2.

– Hoje à noite, o inesperado dominou – disse Michael. – Nós jogamos basquete de verdade quando nos concentramos e fazemos nosso jogo. – Triste ilusão. Dois dias depois os Pacers empataram a série em Indianápolis, em outro jogo manchado por uma arbitragem duvidosa. No 1,27 segundo restante Hue Hollins, o velho inimigo de Pippen, apontou uma defesa ilegal do nosso atleta, uma falta técnica que levou Miller a empatar o jogo em 87-87. Então, com os Pacers à frente, nos dois segundos finais Michael partiu para a cesta e caiu. Para nós pareceu ser um calço, mas os árbitros olharam para o outro lado. Jogo acabado.

Seria o fim da dinastia Bulls? Os sétimos jogos sempre me inspiraram desconfiança. Até porque tudo pode acontecer e geralmente acontece. Se perdêssemos talvez fosse o último jogo de Michael. Antes do jogo abordei a perspectiva de derrota com os jogadores. Comentei que poderíamos perder, mas que o importante era se esforçar de maneira adequada e não ter medo de perder. Michael entendeu isso. Mas a derrota não era uma opção para ele. E por isso disse com um olhar frio e determinado quando o time fez uma roda:

– Nós não vamos perder este jogo.

Nada estava fácil. Michael tentava, embora convertendo apenas nove arremessos em 25 tentativas de quadra. Mas, se o arremesso não funcionava, ele marcava pontos quando partia para a cesta no meio da multidão e recebia faltas. Acabou com 28 pontos duramente conquistados, dos quais 10 oriundos da linha do lance livre. E ainda pegou nove rebotes e fez oito assistências.

A determinação de Michael contagiou o banco, em especial. Toni emplacou 21 pontos, e Kerr, 11; Jud Buechler pegou cinco rebotes em 11 minutos. Na verdade, nosso trabalho na tabela era a chave para o jogo. Convertíamos apenas 38,2% dos arremessos de quadra, mas batíamos os Pacers por 50-34 e com isso tínhamos muitas oportunidades de segundas chances para pontuar. E Rodman, que naquela noite estava desligado, contribuiu com meros seis pontos no total.

Na metade do quarto período o time errou 10 pontos diretos e o adversário ficou à frente em 77-74 – cheguei a pensar que faríamos uma triste história. Mas logo o time todo se tornou criativo e passou a lutar pela bola e a procurar um jeito de abrir o jogo. Michael disparou um passe para Longley que errou o arremesso, mas Pippen, que naquela noite não estava bem no ataque, pegou o rebote e acertou um arremesso com menos de cinco minutos para o fim que nos colocou à frente para o resto do jogo, 81-79. Ganhamos por 88-83.

– Foi puro coração. Foram muitos corações na quadra de basquete – disse Michael exausto após a partida. – Foi um grande esforço. Foi realmente um time campeão no sentido de encontrar meios para ganhar e fazer isso acontecer.

* * *

A série seguinte – final do campeonato contra o Utah Jazz – também não seria um sonho de férias. Primeiro porque não tínhamos a vantagem de jogar em casa, uma vez que o Jazz nos tinha varrido na temporada regular. Isso significava que teríamos que vencer dois jogos na casa deles, a menos que vencêssemos três seguidos em casa e isso nunca aconteceu nas pós-temporadas anteriores. A chave para a vitória era sabotar o grande jogo de corta-luz do Jazz, pressionando os armadores John Stockton e Howard Eisley. Karl Malone era uma máquina no ataque, mas não era excelente na criação dos próprios arremessos como Michael. Malone dependia dos armadores para que as coisas se pusessem propícias para ele. Se sufocássemos os armadores, também o sufocaríamos.

No jogo 1 retirei Harper no final da partida porque estava hesitante no ataque. E como Kerr não conseguiu conter Stockton nos minutos finais acabamos perdendo de 88-85 na prorrogação. Superamos o Jazz no segundo jogo por 93-88 e retornamos a Chicago para fazer história. No jogo 3, colocamos Pippen fazendo a dobra na marcação quando Stockton cruzava no meio da quadra, e a estatura e envergadura de Pippen o dificultaram na iniciação do ataque. Ganhamos por 96-54, e o Jazz saiu com o recorde mais negativo de pontos convertidos de todos os times em partidas finais.

– Faz tempo que estou neste ramo e nunca vi um time jogar tão bem defensivamente – disse Jerry Sloan, treinador veterano do Jazz.

Vencemos os dois jogos seguintes em casa, obtendo uma vantagem de 3-1 na série. Pippen se destacou tanto no jogo 4 que Sam Smith o indicou para o prêmio de Most Valuable Player, melhor jogador das finais, em detrimento de Jordan. Mas primeiro precisávamos vencer e isso se mostrou mais difícil do que o esperado. Houve tanta campanha publicitária em Chicago no sentido de que o jogo 5 poderia ser a *grand finale* de Michael que os jogadores tiveram dificuldade para se concentrar e acabamos perdendo de 83-81.

Isso mudaria no jogo 6 em Utah; na verdade, mudou nos últimos 18,8 segundos da partida – um dos momentos mais dramáticos da história do basquete. Eu não queria participar de outro jogo 7, e muito menos no Delta Center, onde uma torcida ensurdecedora exercia uma poderosa influência sobre os árbitros nos grandes jogos. Mas as coisas não pareciam boas quando chegamos ao estádio para o jogo 6. Pippen estava com sérios espasmos nas costas que persistiram por quase todo o jogo. Harper tinha tido uma gastrenterite. Longley só dispunha de alguns minutos de jogo porque estava carregado de faltas. Dennis fazia uma média de 6,75 rebotes nas séries, bem abaixo da média de 15 na temporada regular. Kukoc e Kerr mostravam um bom desempenho, mas não achei que compensariam a perda de Pippen. Antes do jogo perguntei a Michael se ele poderia jogar os 48 minutos completos.

– Se você precisa, eu posso – ele respondeu.

Passados os primeiros sete minutos, Pippen deixou o jogo com dores e ficou fora pelo resto do primeiro período. De alguma forma nos mantivemos unidos e terminamos o período atrás apenas em 5 pontos. Pippen retornou depois do intervalo e jogou 19 minutos, quase o tempo todo como isca no ataque. Quando iniciou o quarto período, o Utah liderava por 66-61 e aos poucos cedeu terreno para os Bulls, que empataram o placar em 77 com cinco minutos para o fim do jogo.

Mas havia um problema: Jordan estava com as pernas cansadas e não tinha mais impulsão no arremesso. Sugeri então que partisse para a cesta porque o Jazz estava sem pivô na quadra para congestionar o garrafão. Se o forçassem ao arremesso, acrescentei, era melhor que se assegurasse de que tinha completado o *follow-through**, porque ele não vinha fazendo isso. Nos últimos 41,9 segundos, John Stockton converteu um arremesso de sete metros e meio que colocou o Jazz à frente por 86-83. Solicitei tempo e instruí os jogadores para que fizessem uma variação de uma das jogadas de minha preferência – na qual se abria espaço de um lado da quadra para facilitar o arremesso de Jordan. Pippen passou a bola para Jordan no meio da quadra e este driblou Byron Russell no lado direito e fez uma bandeja de alto arqueamento, reduzindo a vantagem do Utah a 86-85.

Como era esperado, o Utah não solicitou tempo e iniciou uma de suas jogadas básicas. Jordan antecipou aonde a bola iria e vindo por trás de Malone se aproximou, roubando-lhe a bola.

---

* Extensão completa do movimento de braço, mão e dedos e corpo após o arremesso ou passe. (N. do R.T.)

Foi quando tudo desacelerou. Jordan, que sempre tinha um senso sobrenatural do que acontecia no jogo, conduziu a bola pela quadra enquanto avaliava a situação. Kerr e Kukoc também estavam na quadra, de modo que o Utah não podia arriscar uma marcação dupla sobre ele. E com isso Russell se viu sozinho na marcação a Jordan que calmamente deixava o relógio correr, como um gato astuto estudando a presa. De repente, Russell investiu contra a bola e Jordan cortou para a direita como se fosse em direção à cesta, freou rápido, deu um leve empurrão em Byron e o fez voar ao chão. Lentamente, muito lentamente, Jordan se equilibrou e fez um belo e suave arremesso para ganhar o jogo.

Depois Jordan revelou o que lhe passava pela cabeça nos segundos finais. Soou como um poema de meditação plena.

– Quando consegui aquilo [roubar a bola], o momento tornou-se o momento – disse. – Karl não me viu chegar quando dei um tapa na bola. Quando Russell fez a investida, tirei proveito do momento. Nunca duvidei de mim mesmo. Foi um jogo de dois pontos e três pontos, e sempre nos mantivemos por perto. Quando peguei a bola, olhei para o alto e faltavam 18,8 segundos. Deixei o relógio correr até que a quadra se configurou como eu queria. John Stockton se esfolava em cima de Steve Kerr e não poderia se arriscar a sair. E, quando Russell investiu, o caminho já estava aberto para mim. Eu sabia que poderíamos segurar por uns 5,2 segundos.

Eu não conseguia acreditar no que acabara de acontecer. Até então achava que o grande momento de Michael ocorrera um ano antes naquele célebre jogo do qual participou com intoxicação estomacal. Mas o que eu acabava de presenciar era de um nível diferente. Era como se tudo tivesse seguido um script. Embora Michael tivesse retornado ao basquete alguns anos depois para jogar pelo Washington Wizards, esse arremesso é proclamado por unanimidade como o marco final desse atleta. Se alguma vez existiu algum final perfeito, esse final foi o de Michael.

Terminadas as celebrações, Michael convidou os integrantes da equipe e outras pessoas para uma festa em um dos seus restaurantes de Chicago. Terminado o jantar, a equipe retirou-se para fumar um charuto em outra sala e relembrar nosso tempo com os Bulls. As histórias oscilaram entre o mundano e o profano. No fim, cada um fez um brinde para determinado integrante da equipe. Fiz um brinde para Ron Harper porque tinha sido solidário ao time ao deixar de ser uma estrela ofensiva para ser um especialista defensivo, estabelecendo assim nossa corrida para o segundo tricampeonato. Pippen fez o brinde final para Michael, seu parceiro e líder companheiro.

– Nada disso teria acontecido sem você – disse.

Depois das finais circularam muitas especulações sobre o futuro dos Bulls. Será que Reinsdorf tentaria manter o mesmo time para mais uma corrida? Isso só seria possível se Jordan fechasse um contrato milagroso compatível com aquele último arremesso. Mas na minha cabeça eu já tinha saído fora. Em conversa com Jordan o desobriguei de associar a decisão que tomaria à minha.

Ainda tive outra reunião com Reinsdorf na celebração da conquista do campeonato. Ele me ofereceu uma chance de permanecer com os Bulls, mas sem qualquer garantia de que poderia manter Jordan e Pippen. Ele e Krause tinham decidido reconstruir o time, e isso não me interessava. Além do mais, eu precisava desesperadamente de uma pausa e já planejava com June uma mudança para Woodstock, Nova York, onde tínhamos residido antes da minha entrada nos Bulls. Então, recusei educadamente. Jordan esperou que a greve dos proprietários de franquias da NBA expirasse em janeiro de 1999 e depois anunciou oficialmente que estava de saída.

No último dia, saí do Berto Center e alguns repórteres me esperavam lá fora. Conversei brevemente com eles e depois escapei de moto. Foi um momento agridoce, um sentimento intenso de alívio deixar o drama do ano anterior para trás. Mas claro que seria um desafio me desapegar de uma equipe que tinha dado tanto a mim.

Segundo a mestra budista Pema Chodron, o desapego é uma ponte para o verdadeiro despertar. Ela explica com uma de suas frases mais usadas: "Apenas à medida que nos expomos cada vez mais à aniquilação é que encontramos o indestrutível que há em nós."

Era isso que eu procurava. E sabia que não seria fácil. Mas à medida que um novo destino se afigurava à frente me dava conta de que, embora o desapego seja uma condição necessária, às vezes é uma dolorosa porta de entrada para a transformação genuína.

"As coisas que se despedaçam também são uma espécie de teste e de cura", escreve Chodron. "Pensamos que o objetivo é passar no teste ou superar o problema, mas a verdade é que as coisas realmente não se resolvem. Erguem-se novamente e desmoronam-se novamente. É simplesmente assim. A cura se dá quando se deixa espaço para que tudo aconteça: espaço para a dor, para o alívio, para a miséria e para a alegria."

Senti todas as emoções no meu último ano em Chicago. E algum tempo depois estaria rumo a outra empreitada selvagem que me colocaria ainda mais à prova.

14
UMA RESPIRAÇÃO, UMA MENTE

Sentimentos veem e vão como nuvens ao vento.
A respiração consciente é minha âncora.
THICH NHAT HANH

Eu estava no meio do nada, numa pequena aldeia no Iliamna Lake, Alaska, quando ouvi a notícia. Meus filhos Ben e Charlie estavam comigo. Fazíamos uma viagem de pesca numa área desértica, e a pescaria não ia muito bem. Então, naquela tarde recolhemos os anzóis mais cedo e navegamos até o rio Iliamna para apreciar as cataratas. Quando chegamos à aldeia nos vimos cercados por uma multidão de crianças.

– Você é Phil Jackson? – perguntou um dos meninos.
– Sim – respondi. – Por quê?
– Ouvi que você vai trabalhar com os Lakers.
– O quê? Como sabe disso?
– Acabamos de assistir. Na ESPN.

Foi assim que minha aventura começou, se bem que a notícia não me pegava de surpresa. Antes de sair para o Alaska já tinha conversado a respeito do contrato com meu agente Tood e dado sinal verde para que ele negociasse com os Lakers porque eu estaria inalcançável por telefone. Mesmo assim, acabou sendo um tanto chocante receber a notícia de um menino inuit naquele lugar distante da espetaculosa cultura de Los Angeles.

Não seria uma mudança fácil. Após a temporada de 1997-98, eu e June acabamos nos mudando para a cidade de Woodstock, Nova York, onde já havíamos residido. Tínhamos a esperança de revitalizar nosso casamento abalado pela jornada estressante com os Bulls no ano anterior. June estava cansada de ser esposa da NBA. Além disso, nossos filhos já tinham saído de casa e agora ela podia vislumbrar um estilo de vida mais gratificante à frente. E eu também – ou pelo menos pensava assim. Embora tivesse explorado outros interesses como palestras sobre liderança e participação na campanha presidencial do meu amigo Bill Bradley, nada instigava tanto a minha imaginação quanto o trabalho de conduzir jovens atletas para vitórias nas quadras de basquete.

Já no final da temporada de 1998-99 comecei a receber telefonemas de equipes interessadas em mim e cheguei a me reunir com o New Jersey Nets e o New York Knicks. Nenhuma negociação chegou a bom termo, mas isso aguçou o meu apetite para retornar ao basquete. É desnecessário dizer que não era a reação que June esperava. Ela achava que eu já estava pronto para deixar o basquete de lado em troca de uma atividade com uma agenda de viagens menos exigente. Mas isso não aconteceu e durante o verão decidimos nos separar.

Depois disso, acabava de me mudar para Montana – um lugar de refúgio para mim – quando os Lakers me chamaram. O time tinha muitos talentos, incluindo as estrelas em ascensão, Shaquille O'Neal e Kobe Bryant, e dois dos melhores arremessadores de longa distância da competição, Glen Rice e Robert Horry. Mas os Lakers tinham uma química de grupo reduzida que os dificultou nas finais do campeonato anterior, e os jogadores se ressentiam de uma maior força mental para poderem terminar bem os grandes jogos.

Ao refletir sobre a decisão a ser tomada me lembrei de quando sentei no quarto de hotel depois de uma caminhada pelo campo e assisti à derrota flagrante dos Lakers para o San Antonio Spurs, nas semifinais da Conferência Oeste. Foi doloroso de assistir. Os grandalhões dos Spurs, Tim Duncan e David Robinson, forçavam Shaq a fazer arremessos desequilibrados caindo para trás, em vez de permitir que ele fosse para o meio do garrafão como fazia muito bem, e depois disparavam para os contra-ataques quebrando a defesa dos Lakers e deixando Shaq no meio da quadra. Com esses jogos visualizei as maneiras de conter a estratégia dos Spurs para transformar os Lakers na equipe que estavam destinados a ser.

Foi essa mensagem que tentei passar na minha primeira coletiva de imprensa no final de junho, já como novo técnico principal da equipe. Enquanto preparava minhas observações, antes do evento realizado no

Beverly Hills Hilton, Kobe entrou no meu quarto com um exemplar do livro *Cestas sagradas* nas mãos. Ele me pediu para autografá-lo e disse que estava animado em trabalhar comigo porque era um grande fã dos Bulls. Isso era um bom sinal.

– É um time talentoso, jovem e pronto para deslanchar – declarei aos repórteres naquele dia. – Faz algum tempo que está assim e não chega ao topo. É uma situação similar à do Chicago dez anos atrás, e espero que tenhamos o mesmo sucesso.

E depois eu disse que o segredo era fazer com que os Lakers confiassem uns nos outros e trabalhassem com eficiência e unidos para fazerem a transição de uma equipe do tipo *eu* para uma equipe do tipo *nós*, tal como os Bulls tinham feito no início de 1990.

– Quando se tem um sistema ofensivo, você não pode ser o jogador para levar a bola e tentar pontuar – expliquei. – Você tem que movimentar a bola, porque no basquete a bola precisa ser dividida por todos. Só assim se compartilha o jogo e se faz diferença.

Depois da coletiva de imprensa, Jerry West levou-me a Westchester para visitar Jerry Buss no seu novo palácio de estilo espanhol nos penhascos com vista para o mar. Embora Ph.D. em física e química, o dr. Buss fez fortuna no setor imobiliário na década de 1970 e teve a sorte de comprar a equipe dos Lakers (e também o Fórum e os Los Angeles Kings) em 1979, ano que Magic Johnson chegou e conquistou cinco campeonatos ao longo da década seguinte. Depois disso, a equipe estagnou.

O dr. Buss vestia jeans, camisa e tênis de marca. Foi inteligente e discreto quando disse que se orgulhava do grande sucesso dos Lakers no passado, mas que queria ganhar mais um campeonato.

– Talvez você possa ganhar três ou até quatro campeonatos – retruquei.

– Sério? – Ele pareceu surpreso.

Ficou impressionado com minha ousadia. Mais tarde, disse que nunca tinha conhecido um técnico com tanta confiança em si mesmo. Mas eu não estava blefando.

Foi um verão estranho. Depois de um encontro com a organização dos Lakers retornei a Montana e recebi a visita de minha filha Chelsea e seu namorado. Ela acabou quebrando o tornozelo em um acidente de moto que a deixou de molho por oito semanas. E sem poder andar direito resolveu tirar uma licença do seu trabalho em Nova York para se recuperar em Montana, onde seria cuidada por mim e pelo meu filho Ben. June também apareceu e ajudou durante algumas semanas.

Um dia, Shaq chegou lá em casa sem avisar. Era uma aventura em Montana antes de se apresentar em um concerto de rap na cidade vizinha de Kalispell. Eu não estava em casa e June então o convidou a entrar. Quando cheguei, Shaq pulava de um trampolim à beira de um lago, causando um grande rebuliço na vizinhança. De repente, dezenas de embarcações com curiosos embasbacados pelos pulos daquele gigante lotaram a baía nos arredores da casa. Shaq não decepcionou. Após a exibição no trampolim, começou a fazer cambalhotas cômicas no ancoradouro e depois fez uma enlouquecida turnê de jet ski pela baía adentro.

Ele ainda estava molhado quando lhe pedi para que me ajudasse a remover uma árvore derrubada no quintal durante a última tempestade. Foi impressionante observá-lo trabalhando.

– Nós vamos nos divertir muito, treinador – ele disse depois que terminamos. Era o que o definia: diversão.

Fiquei ansioso em relação ao que viria pela frente quando chegou o momento de arrumar as malas e partir de carro para L.A. Estava preocupado com o futuro dos meus filhos porque agora era um pai solteiro e me mudava para uma cidade nova e desconhecida. Para me ajudarem nessa transição, minhas filhas Chelsea e Brooke gravaram um vídeo com diversas canções que giravam em torno de começar tudo de novo. Fazia mais de 25 anos que não dirigia pelas estradas secundárias da Califórnia. Atravessei as montanhas de Sierra Nevada com a pungente interpretação de Willie Nelson para "Amazing Grace" à minha volta. A certa altura fiquei tão comovido que parei o carro e comecei a chorar. Fixei os olhos nos picos ensolarados da Califórnia e me senti como se estivesse deixando um capítulo obscuro de minha vida para trás rumo a um novo e brilhante destino. E meus filhos tinham compreendido. Era como se tivessem dito: "Siga em frente, papai. Viva a vida. Não se feche."

Os primeiros dias em L.A. foram mágicos. Um amigo me ajudou a conseguir uma linda casa em Playa del Rey, que além de arejada e bonita ficava de frente para o mar, e não muito distante do aeroporto e das instalações do futuro centro de treinamento dos Lakers. Era uma casa com muito espaço para os hóspedes. Para minha alegria, Brooke, que acabara de se formar na Universidade do Colorado, chegou algumas semanas depois para me ajudar na mudança e acabou permanecendo para fazer pós-graduação em psicologia. E na minha primeira semana na cidade, Bruce Hornsby, um amigo compositor que me apresentara ao Grateful Dead, convidou-me para um concerto no Greek Theatre, no Griffith Park, onde ele se apresentava com Linda Ronstadt, Jackson Browne e outros ícones do mundo da música. Foi uma noite cálida de setembro e com uma plateia amistosa e descontraída. A cara da Califórnia. Foi quando me senti em casa.

Entre minhas primeiras tarefas participei da reunião anual de negócios da NBA, em Vancouver. Foi quando finalmente conheci Jeanie, filha do dr. Buss e vice-presidente executiva de operações da equipe. Ela oferecia um jantar para os executivos dos Lakers. Além de inteligente e atraente tinha olhos bonitos e um senso de humor brincalhão. No dia seguinte topei com ela no aeroporto. Estava de volta a casa para comemorar seu aniversário com amigos, mas o voo dela atrasou e começamos a conversar no saguão. Contou-me algumas histórias divertidas sobre a desastrosa passagem de Dennis Rodman pelos Lakers em 1999 que mais parecia um reality show de horror do Teatro de Absurdo.

Eu ainda me sentia fragilizado emocionalmente e sem saber se estava pronto para um novo relacionamento. Mas acabou acontecendo. No dia seguinte entrei no meu escritório e encontrei uma fatia de bolo do aniversário de Jeanie em cima da mesa. Fui ao escritório dela e agradeci. Ela ruborizou e percebi que aquele presente era mais do que um simples gesto de colegial. Convidei-a para jantar naquela noite. As coisas estavam definitivamente melhores.

Quando nos reunimos na Universidade de Santa Barbara para o início dos treinamentos, me dei conta de que os Lakers eram um time da etapa 3, com um ponto de vista decididamente fixado no "eu sou o máximo, e você não é". Um dos pontos fortes do time era o domínio de Shaq como pivô. O triângulo ofensivo era projetado para pivôs poderosos que dominavam efetivamente na parte de baixo do garrafão e passes precisos que catalisavam a movimentação do ataque. Shaq poderia fazer tudo isso tão bem ou até melhor do que os pivôs do Chicago, mas também era um cestinha explosivo que atraía marcações duplas e triplas dos adversários, e isso abria um amplo leque de possibilidades. Segundo Mark Heisler, colunista do *Los Angeles Times*, Shaq representava um passo evolutivo: "O primeiro jogador da NBA com 2,13 metros e 136 quilos que não era gordo." Durante o verão, Shaq chegava a pesar 158 quilos, mas quando entrava em forma era mais forte, mais rápido e mais ágil do que qualquer outro pivô da competição. E também era extremamente talentoso na execução de contra-ataques. Mas não era tão forte nos rebotes e na defesa como o esperado. Notei que não gostava de sair do garrafão para defender corta-luzes, e que isso o deixava vulnerável para os times com bons bloqueios, como o Jazz, os Spurs e os Trail Blazers.

Kobe era um arremessador com características de armador e um dos jogadores mais criativos da época, capaz de jogadas deslumbrantes comparáveis em muitos aspectos às do seu ídolo Michael Jordan. Eu admirava o ardor de Kobe por vitórias, mas ainda tinha muito a aprender sobre trabalho em equipe e autossacrifício. Apesar de ser brilhante nos passes, tinha como primeira opção penetrar através do drible e enterrar por cima de quem estivesse à frente. Como muitos outros jogadores mais jovens, Kobe forçava a ação, em vez de esperar que o jogo chegasse a ele. Cheguei a cogitar a ideia de colocá-lo como armador, mas me questionei se ele deixaria o ego de lado a tempo de dominar o sistema do triângulo.

Glen Rice era outro jogador talentoso. Ala integrante do Time das Estrelas nos tempos do Charlotte Hornets, ele tinha um arremesso preciso que enlouquecia Scottie Pippen. No início da carreira, Glen era ágil e agressivo na defesa, mas perdeu essa característica depois que ingressou nos Lakers. A formação também incluía Horry, um ala de força esguio de 2,08 metros que mais tarde ganhou o apelido de "Big Shot Rob" pelo talento de arremessar bolas campeãs no último instante das partidas. Rob ganhara dois anéis com o Houston antes de ser negociado inicialmente com o Phoenix e depois com o L.A. Mas depois sua média de pontuação caiu e isso me fez pensar se ele teria força e envergadura para combater os alas de força maiores da liga.

A equipe também tinha alguns jogadores reservas promissores como Rick Fox e Derek Fisher. Mais tarde, ambos se tornariam importantes líderes. Rick era uma ex-estrela da Universidade da Carolina do Norte cuja estatura e agilidade o capacitavam a jogar nas duas posições de ala. Fora recrutado pelo Boston, mas acabou definhando ao longo dos anos na era pós-Larry Bird. Rick era conhecido pelos erros absurdos que cometia e que eram chamados pelos outros jogadores de "bolas Ricky", mas arremessava na hora do aperto e era um defensor forte e solidário para a equipe. Fisher, um armador de 1,85 metro de altura e 90 quilos da Universidade do Arkansas, em Little Rock, era inteligente, agressivo, versátil e tinha um bom arremesso de longa distância e habilidades naturais de liderança.

Os pontos fracos do time estavam no armador e no ala de força. Fizemos grande pressão para um acordo com o Houston em torno de Scottie Pippen, mas perdemos para o Portland Trail Blazers, nosso rival mais forte na Conferência Oeste daquele ano. Felizmente, conseguimos adquirir Ron Harper, cujo contrato com os Bulls expirara, e A. C. Green, um ala de força veterano que além de ser forte na defesa também era versado no triângulo porque tinha sido treinado no Dallas Mavericks pelo ex-assistente técnico dos Bulls, Jim Cleamons. Também pinçamos John Salley, um pivô reserva que conquistara anéis com os Bulls e os Pistons.

Recrutamos ainda muitos jogadores experientes a fim de reverter a triste história dos Lakers de ceder sob pressão devido à imaturidade e à indisciplina. Em 1998, os Lakers perderam 15 dos primeiros 18 arremessos, no que seria a derrota mais vergonhosa na história do time, uma surra de 112-77 que tomaram do Jazz no jogo 1 das finais da Conferência Oeste. Segundo Horry, o jogo o fez lembrar *O mágico de Oz* porque o time jogou "sem coração, sem cérebro, sem coragem". Ao que o técnico Del Harris acrescentou: "E sem o mágico."

Formei também uma comissão técnica experiente, sobretudo de veteranos com quem trabalhara no Chicago, como Cleamons, Frank Hamblen e Tex Winter (para o desgosto de Jerry Krause). Mas conservei Bill Bertka, assistente técnico dos Lakers.

O plano era começar pelo início, ensinando os rudimentos do sistema aos jogadores, principalmente passes e arremessos básicos. O time absorveu tudo. No primeiro dia de treino solicitei aos jogadores que fizessem um círculo no centro da quadra, e o fisioterapeuta/coordenador de performance atlética Chip Schaefer, que chegara dos Bulls, lembrou um velho comercial de E. F. Hutton na TV.

– Todos escutavam cada palavra do que falava, até os veteranos. Todos faziam shhhhh. Quero ouvir tudo que esse cara tem a dizer.

Mais tarde, Chip reparou que Rick Fox sorria de orelha a orelha durante o treino e comentou:

– Rick disse: "Parece que estou de volta à escola secundária." Mas não era como se dissesse: "Ó, meu Deus, estou de volta à escola secundária." Ele estava radiante porque os jogadores adoram os fundamentos do basquete.

Fish fez um comentário mais amplo:

– Nós acabávamos de sair de finais frustrantes nos dois anos anteriores. Embora tivéssemos muitos talentos, ainda não tínhamos descoberto um jeito de realizar nosso potencial. E quando contrataram Phil e sua comissão técnica nos tornamos atentos e concentrados de um modo que ainda não tinha visto naqueles primeiros três anos que jogamos juntos. Qualquer coisa que Phil dizia ou queria, a despeito de como o demonstrava, era acatado por todos com um ânimo impressionante que mais parecia de um jardim de infância. Isso fez de nós uma máquina, um grupo eficiente e comparável aos melhores times da história.

No primeiro dia tive uma experiência ligeiramente diferente. Fiquei satisfeito com a vontade do time aprender, mas a falta de atenção dos jogadores me irritou. Na pré-temporada, antes de iniciarmos os trabalhos no centro de treinamento, mandei uma carta de três páginas para os jogadores que incluía o triângulo ofensivo, a meditação de mente plena e outros temas que planejava colocar em debate durante os treinos. Mas, quando comecei a conversar mais seriamente, os jogadores tiveram dificuldade em se concentrar no que ouviam. Ora olhavam para o teto, ora se agitavam, ora arrastavam os pés. Isso nunca acontecia com os Bulls.

Para remediar o problema projetei com o psicólogo George Mumford um programa de prática de meditação diária para os jogadores, e aos poucos aumentamos o tempo de cada sessão de três minutos até 10 minutos. Eles também foram iniciados na ioga, no tai chi e em outras práticas orientais que equilibram corpo, mente e espírito. Em Chicago utilizávamos a meditação principalmente para ampliar o nível de discernimento na quadra. Mas, com os Lakers, o objetivo era uni-los de maneira que pudessem vivenciar o que chamamos de "uma respiração, uma mente".

De acordo com um dos princípios básicos do pensamento budista, o conceito convencional do *eu* como entidade separada é uma ilusão. O que entendemos como *eu* só parece separado e distinto de todo o resto em nível superficial. Isso porque parecemos diferentes e com personalidades distintas. Mas fazemos parte de um todo interligado em nível mais profundo.

Martin Luther King Jr. foi eloquente sobre o assunto: "Na realidade, toda a vida está inter-relacionada. Todas as pessoas estão ligadas a uma inescapável rede de reciprocidade, enlaçadas em uma única peça do destino. O que afeta diretamente a um também afeta a todos indiretamente. Jamais poderei ser o que posso ser até que você também seja o que pode ser, e você só poderá ser o que pode ser quando eu também for o que posso ser. Essa é a estrutura da realidade inter-relacionada."

Nichiren, mestre budista japonês do século XIII, apresenta uma visão mais pragmática. Ele recomenda em carta aos discípulos perseguidos pelas autoridades feudais que cantassem juntos, "com o espírito de muitos no corpo, mas com uma única mente transcendendo as diferenças individuais para que todos se tornem tão inseparáveis quanto os peixes e as águas onde nadam". A unidade prescrita por Nichiren não é mecânica, imposta de fora, e sim uma conexão que respeita as qualidades únicas de cada indivíduo. "Quando o espírito de muitos no corpo com uma única mente prevalece entre as pessoas", acrescenta, "elas atingem todos os objetivos, mas com cada um no próprio corpo e com mentes distintas elas não conseguem nada de extraordinário."

Esse era o tipo de unidade a ser promovida entre os Lakers. Eu não pretendia transformar os jogadores em adeptos, mas a prática da meditação poderia ajudá-los a se desapegarem do ponto de vista orientado para si mesmos. E dessa maneira poderiam vislumbrar uma forma diferente de relacionamento com os outros e com o mundo circundante.

Os Bulls já estavam se transformando em um time orientado por uma única mente quando comecei a treiná-los. O ideal do guerreiro lakota teve então um apelo forte porque já tinham travado grandes batalhas com o time do Detroit Pistons, seu principal rival. Mas essa visão não ressoou com tanta intensidade para os Lakers. Eles tinham muitos inimigos e não apenas um, e de minha perspectiva o mais preocupante era a cultura que os alimentava.

A maioria dos futuros jogadores da NBA submerge em um mundo que reforça o comportamento egoísta ainda nos tempos de estudante. E à medida que desenvolvem e acumulam sucesso se veem rodeados por legiões de agentes, promotores, torcedores fanáticos e outros bajuladores que proclamam que eles são "os caras". Logo eles próprios começam a acreditar nisso. Além do mais, L.A. é um mundo dedicado à celebração da autoglorificação. Os Lakers – tanto os astros como os outros jogadores – eram recebidos em todos os lugares como heróis e com intermináveis ofertas quase sempre lucrativas e que aqueciam a grandiosidade do time.

Aquilo de que precisavam era então um refúgio seguro e distante de toda aquela loucura, onde pudessem entrar em contato com o profundo sentimento de conexão – até então ainda não desenvolvido. Esse era o primeiro passo essencial do qual dependia o futuro sucesso do time.

15
ATAQUE ÓCTUPLO

Grandeza é uma condição espiritual.
MATTHEW ARNOLD

Rick Fox descreve a minha abordagem de treinamento como uma peça em três atos. Ele chega a essa conclusão porque durante os primeiros vinte ou trinta jogos de cada temporada permaneço sentado para que os personagens se revelem. "A maioria dos técnicos entra em cada temporada com uma ideia preconcebida do que será feito e imposto aos jogadores", ele explica. "Mas sempre notei que Phil chegava à quadra de mente aberta, como se pensando: *Vamos ver como cada indivíduo se expressa; vamos ver como o grupo reage debaixo do fogo e se consegue resolver os problemas.* Nessas ocasiões nunca parecia muito preocupado com o time. Nunca dava sinal de pânico. Nunca analisava demais porque isso seria prematuro."

O segundo ato se desenrola ao longo dos vinte ou trinta jogos no meio da temporada, antes e depois do Jogo das Estrelas. "Era quando Phil nutria o time que já começava a se entediar", continua Rick. "Só então ele passava mais tempo com cada um de nós. Era quando nos indicava livros. Eu sempre achei que era nesse período que ele exigia mais de mim."

Ainda segundo Fox, o terceiro ato se dá com a mudança do meu comportamento a partir desses últimos vinte ou trinta jogos até as finais. Isso tanto na expressão dos olhos como na expressão da voz e do corpo, como se eu dissesse: "Agora é minha vez." Na sequência até as finais, eu geralmente restringia o acesso dos meios de comunicação aos jogadores e destacava a promoção da equipe como um todo. "Phil imprimia uma nova confiança e uma nova identidade ao time", diz Rick. "Mas também tirava a pressão de cima de nós e a tomava para si. Isso levantava cidades inteiras contra ele. Todo mundo se aborrecia com ele e nos deixava de lado. Era como se ele dissesse: *Olhem para a bagunça que estou fazendo aqui*, e sem os refletores em cima de nós conseguíamos fazer o que tínhamos que fazer."

Claro que as coisas nem sempre terminavam bem quando os jogadores diziam "parece bom".

Antes de começar a primeira temporada com os Lakers encontrei-me com Shaq, Harper e Kobe. Falei que o time seria de Shaq e que o ataque centralizaria nele. Mas acrescentei que Kobe seria o líder na quadra e que a relação entre os dois não seria muito diferente da que havia entre Kareem e Magic na era anterior. Ao perceber que Kobe ainda não estava pronto para ser cocapitão, coloquei Ron nesse papel e lhe pedi para ajudar Kobe no aprendizado da liderança. Esclareci tudo desde o início para que não houvesse ambiguidades sobre os papéis, especialmente o de Kobe.

Mas não tivemos a chance de colocar essa estrutura em ação porque Kobe fraturou a mão direita no primeiro jogo da pré-temporada e ficou afastado até dezembro. Brian Shaw, um armador versátil de grande estatura, cobriu a lacuna enquanto Kobe estava fora, e o time uniu-se e chegou a 12 vitórias e quatro derrotas no primeiro mês. A nossa primeira derrota foi para os Trail Blazers, que fizeram um bom trabalho, encurralando nossos armadores, sabotando nosso ataque e fazendo faltas em Shaq todas as vezes que pegava na bola. Depois do jogo perguntei a Pippen, que havia se transferido para os Trail Blazers, o que achava do nosso time.

– Acho que esse seu triângulo se parece mais com um quadrado – ele respondeu em tom de brincadeira.

Naquele mesmo mês, chamei uma jogada apelidada de "home run" durante um jogo contra os Nets, mas Horry não a executou e a jogada se desfez. Perguntei o que tinha acontecido e ele respondeu:

– Não ouvi sua chamada.

Então, fiz uma referência à Bíblia porque sabia que Horry era de uma família religiosa.

– As ovelhas conhecem a voz do mestre, ou seja, reconhecem a voz do mestre e respondem ao seu chamado.

Salley quis saber o que eu queria dizer com essa declaração politicamente incorreta e respondi que a parábola das ovelhas e da voz do mestre referia-se à voz de Jesus ao explicar a vontade de Deus para os discípulos. Nas semanas que se seguiram ao incidente os jogadores sempre brincavam comigo quando os chamava para um círculo no início do treino, dizendo: "Sim, meu mestre."

Kobe retornou no primeiro dia de dezembro e o time continuou com a invencibilidade pelo mês de janeiro adentro. Mas o ataque já não fluía mais. Kobe não se mantinha no triângulo e frequentemente o desrespeitava, irritando os outros jogadores. Alguns chegaram a dizer que não gostavam de jogar com Kobe porque ele desrespeitava o sistema. Eu já tinha passado por isso com Jordan, mas Kobe acabara de completar 21 anos e não tinha a maturidade e a mente aberta de Jordan.

Kobe era um exemplo clássico das crianças que estão fadadas a viver os sonhos não realizados dos pais. Seu pai Joe "Jellybean" Bryant tinha sido um ala de 2,05 metros de altura do lendário Philadelphia 76ers de 1970. Certa vez, o sr. Bryant afirmou que tinha o mesmo estilo de jogo de Magic Johnson, mas que naquele tempo a NBA ainda não estava pronta para um estilo livre. Ele ainda passou por outras duas equipes e terminou a carreira na Itália, onde Kobe cresceu.

Como caçula de três filhos (e único menino), Kobe era a criança de ouro da família que não podia fazer nada errado. Era prodigioso, brilhante e tinha um talento nato para o basquete. Praticava por horas a fio, imitando os movimentos de Jordan e de outros jogadores a que assistia nos vídeos que os parentes mandavam dos Estados Unidos. Ele estava com 13 anos quando a família retornou à Filadélfia, e logo se revelou uma estrela na Lower Merion High School. John Lucas, então treinador principal dos 76ers, convidou-o para treinar com o time no verão e surpreendeu-se com a coragem e a habilidade do jovem jogador. Pouco tempo depois, Kobe saiu do ensino médio e seguiu direto para os profissionais, embora tivesse uma pontuação alta no SAT* que o ca-

---

* Scholastic Assessment Test (teste de aptidão escolar que classifica os estudantes do high school [ensino médio] para que ingressem em uma universidade ou faculdade nos Estados Unidos da América). (N. do R.T.)

pacitava a ingressar nas melhores universidades. Segundo Jerry West, a aquisição de Kobe aos 17 anos de idade era a melhor que tinha feito até então. Jerry fez uma troca com os Hornets e adquiriu Kobe como 13º escolhido em 1996 – no mesmo ano que tirou Shaq do Orlando com um contrato de 120 milhões por sete anos.

Kobe tinha grandes sonhos. Logo depois que comecei com os Lakers, Jerry me chamou ao seu escritório para informar que Kobe perguntara como ele fazia uma média de mais de 30 pontos por jogo enquanto seu companheiro de time Elgin Baylor também fazia mais de 30 pontos por jogo. Kobe estava determinado a superar Jordan como o maior jogador de basquete. Sua impressionante obsessão por Jordan estava cutucando-o. Não apenas ele tinha dominado várias jogadas de Jordan como também adquirido os maneirismos do ídolo. Orquestrei uma reunião entre as duas estrelas quando jogamos em Chicago naquela temporada, na esperança de que Jordan o ajudasse a mudar de atitude em prol do trabalho solidário de equipe. Eles apertaram as mãos e as primeiras palavras que saíram da boca de Kobe foram as seguintes: "Você sabe que posso chutar seu traseiro no um contra um."

Eu admirava a ambição de Kobe. Mas sabia que ele teria que romper o casulo se quisesse ganhar os 10 anéis que sempre dizia para os companheiros que ganharia. Obviamente, o basquete não é um esporte individual e para alcançar a grandeza deve-se contar com os bons ofícios dos outros. Kobe então precisava se aproximar dos companheiros e conhecê-los. Após os jogos, ele geralmente voltava para o quarto do hotel a fim de estudar os vídeos ou conversar com os amigos de escola pelo telefone e nunca passava o tempo com os outros jogadores do time.

Kobe também era um aprendiz teimoso e turrão. Confiava tanto em si mesmo que não se podia simplesmente apontar os erros e esperar que ele mudasse de atitude. Só depois que ele próprio experimentasse o fracasso é que essa resistência começaria a quebrar. Isso muitas vezes era um processo torturante tanto para o jogador como para todos os envolvidos. Só depois daquele "ah" de vislumbre é que o atleta descobria um jeito de mudar.

E um desses vislumbres se deu no início de fevereiro. Foi quando o time se viu em meio a um intrigante mal-estar. Fechei o vestiário depois de um desempenho medíocre e perguntei o que tinha acontecido para que de repente eles tivessem parado de jogar como equipe. Era uma pergunta retórica, mas os fiz saber que seria levada até depois do treino do dia seguinte. A reunião ocorreu em uma salinha de vídeo da Southwest Los Angeles Community College – um espaço provisório de treinos. Havia quatro fileiras de cinco cadeiras e na primeira sentaram-se Shaq, Fox, Fish, Harp e Shaw. Kobe sentou-se na última fileira com um moletom de capuz puxado sobre a cabeça. Revi as demandas que o triângulo ofensivo exigia de cada jogador e concluí:

– Você não pode ser um jogador egoísta e querer fazer o ataque funcionar em prol do time. Ponto.

Abri a palavra para comentários e fez-se um silêncio absoluto. Já estava pronto para adiar a reunião quando Shaq se manifestou. Foi direto ao ponto:

– Acho que o jogo egoísta de Kobe nos impede de vencer.

Isso empolgou os outros jogadores. Alguns balançaram a cabeça em apoio a Shaq, incluindo Rick Fox, que disse:

– Quantas vezes passamos por esse mesmo problema?

Ninguém na sala se pronunciou em defesa de Kobe. Perguntei se tinha alguma coisa a dizer. E ele finalmente se dirigiu ao grupo em tom sereno, dizendo que se preocupava com todos e que só queria fazer parte de um time vencedor.

Não fiquei satisfeito com a reunião. Embora com as reclamações de todos sobre a mesa, a falta de resoluções poderia gerar um impacto negativo na harmonia do time. Nos dias que se seguiram perdemos quatro de cinco jogos, incluindo um "massacre" de 105-81 que os Spurs nos infligiram no Alamodome. Naquela mesma semana, uma noite sonhei que dava umas palmadas em Kobe e um beijo em Shaq. "Shaq necessita e Kobe deseja – o mistério dos Lakers." Foi o que escrevi no meu diário.

Os jogadores começaram a se culpar uns aos outros pelos transtornos, de modo que era hora de enfrentar isso abertamente. Chamei Shaq para um café da manhã e conversamos sobre o significado de ser líder. Contei que Michael eletrizara os Bulls antes do decisivo jogo 5 contra o Cleveland nas finais de 1989 porque confiava em si mesmo e nos seus companheiros. Os Cavaliers tinham nos batido em casa e empatado a série, e Michael tinha tido uma noite ruim, o que não o abateu e ele reanimou o time com uma fé inquebrantável que nos levou à vitória no último jogo – não surpreendendo ninguém, com um arremesso milagroso nos segundos finais.

Falei para Shaq que ele precisava encontrar o próprio caminho para inspirar os Lakers. Necessitava expressar a confiança e a alegria natural que sentia pelo jogo de maneira que os companheiros – especialmente Kobe – sentissem o mesmo e juntassem forças. Nada era impossível. Expliquei que o primeiro trabalho de um líder era construir e não destruir os companheiros de time. Talvez Shaq já tivesse ouvido esse tipo de discurso, mas acho que dessa vez o absorveu.

Com Kobe tomei outro rumo. Fui o mais direto possível quando disse na frente dos outros jogadores que ele estava prejudicando o time com erros egoístas.

– Já sei por que eles não gostam de jogar com você. Você não joga junto com eles. – Comentei isso durante uma sessão de vídeos. E deixei bem claro que se ele não quisesse dividir a bola com o resto do time não me incomodaria em conseguir uma troca para ele. Não tive o menor problema em fazer o papel do policial ruim em tais circunstâncias (entenda-se: *às vezes você tem que usar uma vara*). Mas eu sabia que Harper amenizaria o golpe mais tarde, explicando para Kobe, em termos bem menos contundentes, que era possível jogar com desapego sem sacrificar a criatividade.

Expliquei ainda para Kobe o que era preciso para ser um líder.

– Acho que você gostará de ser o capitão do time quando estiver mais velho... talvez quando estiver com 25 anos. – Depois da explicação ele me disse que poderia ser o capitão no dia seguinte. Isso me fez acrescentar:
– Você não poderá ser o capitão porque ninguém o segue.

Acho que Kobe ouviu porque logo arranjou um jeito de se encaixar no sistema e jogar de modo mais colaborativo. E também se esforçou para se socializar com os companheiros, sobretudo quando estávamos jogando fora de casa. Assim, após o intervalo do Jogo das Estrelas, tudo começou a se encaixar. Chegamos a 27 vitórias e uma derrota, e terminamos a temporada com o melhor recorde na liga, 67 vitórias e 15 derrotas.

Os jogadores pareciam aliviados porque tinham deixado um problema que assombrara o time nos últimos três anos para trás. Como disse

Rick Fox em relação à primeira atitude que tive com Kobe: "Ele era uma mina terrestre que estava prestes a explodir. Sabíamos que alguém tinha que pisar nessa mina, mas ninguém fazia isso. E depois que Phil fez isso passamos a caminhar com mais liberdade."

Já nos preparávamos para as finais quando me ocorreu que seria útil para os jogadores um curso sobre o basquete solidário, mas dessa vez com a perspectiva de Buda. Aproveitei então uma das sessões de treinos e expus como o pensamento de Buda se aplicava ao basquete. Acho que a princípio perdi alguns jogadores, mas pelo menos isso acabou atenuando a pressão mental pela aproximação da pós-temporada.

Em poucas palavras, de acordo com Buda, a vida é sofrimento, e a principal causa disso é o desejo de que as coisas sejam diferentes do que realmente são. O que acontece em dado momento deixa de ocorrer no momento seguinte. E sempre sofremos quando tentamos prolongar o prazer ou rejeitar a dor. De uma perspectiva positiva, Buda também prescreveu uma forma prática para eliminar o desejo e a infelicidade através do chamado Nobre Caminho Óctuplo, cujas etapas consistem em visão correta, pensamento correto, fala correta, ação correta, estilo de vida correto, esforço correto, atenção plena correta e concentração correta.

Os ensinamentos a seguir poderiam ajudar a explicar o que estávamos tentando fazer enquanto time de basquete.

1. VISÃO CORRETA – olhar para o jogo como um todo e trabalhar em conjunto como uma equipe, como os cinco dedos da mão.
2. PENSAMENTO CORRETO – se ver a si mesmo como parte de um sistema e não como o único integrante de uma banda. Isso também implica entrar em cada jogo com a intenção de se envolver intimamente com o que ocorre com toda a equipe simplesmente porque se está estreitamente ligado a todos que a integram.
3. FALA CORRETA – aqui existem dois componentes. O primeiro diz respeito a falar positivamente para si mesmo e não se perder sem rumo nas falas de revide durante os jogos ("Odeio esse juiz"; "Vou dar um troco naquele safado"). O segundo diz respeito a

controlar o que se fala quando se está conversando com os outros, especialmente os companheiros de equipe, e estar concentrado para sempre dar um retorno positivo a eles.
4. AÇÃO CORRETA – fazer movimentos apropriados ao que acontece na quadra, sem exibições repetidas e sem ações que perturbem a harmonia da equipe.
5. ESTILO DE VIDA CORRETO – respeito pelo trabalho e empreendê-lo a favor da comunidade e não apenas para lustrar o próprio ego. Seja humilde. Lembre-se de que está ganhando uma quantidade absurda de dinheiro para fazer algo realmente simples. E divertido.
6. ESFORÇO CORRETO – implica ser solidário e empregar a quantidade suficiente de energia para fazer o trabalho. Segundo Tex Winter não há substitutos para raça, e a isso acrescento, se você não tem raça, você vai para o banco de reservas.
7. ATENÇÃO PLENA CORRETA – chegar a todos os jogos com uma compreensão clara do plano ofensivo e do que se espera do adversário. Implica ainda jogar com precisão, fazer os movimentos certos nos momentos certos e manter a consciência desperta durante o jogo todo, quer se esteja na quadra ou no banco.
8. CONCENTRAÇÃO CORRETA – concentrar-se apenas no que se faz a cada momento, sem se obcecar com os erros cometidos anteriormente ou com o que poderá acontecer de ruim.

O que me preocupava a respeito da equipe eram os fantasmas das finais anteriores. Os jogadores tendiam a perder a paciência e entravam em pânico quando aumentava a pressão. E com isso não expressavam o próprio talento. Como dizia um amigo mestre budista, eles tendiam a colocar outra cabeça em cima da própria cabeça quando o jogo entrava em queda livre. Em outras palavras, deixavam-se tomar pelo medo ou pela raiva e perdiam o foco da tarefa que tinham em mãos.

Com os Lakers me dei conta de que precisava ser um modelo de calma e paciência, muito mais do que tinha sido com os Bulls. E teria que demonstrar que a chave para a paz interior é a confiança na interconexão essencial de todas as coisas. Uma respiração, uma mente. Isso é o que nos fortalece e nos revitaliza em meio ao caos.

* * *

A primeira rodada das finais contra o Sacramento foi uma experiência esclarecedora. Os Kings tinham um time jovem, rápido, explosivo e hábil nos passes que eram difíceis de ser interceptados quando os jogadores estavam em total movimentação no ataque. O jogador que mais me preocupava era Chris Webber, que era muito forte e rápido para nossa dupla de alas de força, A. C. Green e Robert Horry. Isso significava que ele poderia se livrar e ajudar Vlade Divac na marcação de Shaq. Mas o banco dos Kings liderado pelo frio arremessador de longa distância Predrag Stojakovic também me impressionava. Imaginei que a melhor aposta seria reduzir o ritmo para neutralizar a velocidade dos Kings.

Aplicamos a tática nos dois primeiros jogos e ganhamos com folga, mas a série de cinco jogos deslocou-se para o ginásio inflamado do Sacramento e os Kings se aproveitaram da generosidade da arbitragem e do jogo defensivo medíocre de Shaq para empatarem a série em 2-2. Após o terceiro jogo, um repórter de Sacramento me perguntou se aqueles torcedores eram os mais exaltados que eu já tinha visto e respondi que não.

– Já treinei basquete em Porto Rico, onde eles cortam seus pneus e geralmente o expulsam da cidade com pedradas nas janelas do seu carro quando você ganha um jogo como visitante – continuei. – Mas aqui em Sacramento o caso é de pessoas semicivilizadas que talvez não passem de caipiras. – Falei isso em tom de gozação, mas a observação provocou uma reação na capital do estado que nos assombrou durante anos.

O último e decisivo jogo, no Staples Center, era uma prova de fogo para os jovens Lakers.

– Se vocês não ganharem este jogo, é porque não merecem passar para a próxima rodada. – Foi o que falei para os jogadores. – Vocês precisam jogar para ganhar e não para não perder.

E eles se ergueram para a ocasião. Finalmente, os árbitros começaram a advertir Webber por flutuar na defesa e marcar por zona contra Shaq, de modo que o grandalhão se libertou e tomou conta do jogo, acertando sete arremessos nas primeiras oito tentativas de quadra e terminando com 32 pontos e 18 rebotes. Ganhamos de 113-86.

– Nós sabíamos que esta noite faríamos uma história ruim se não jogássemos nosso melhor jogo – disse Shaq. – E não queríamos fazer esse tipo de história.

Nas séries seguintes fizemos uma vantagem relativamente fácil de 3-0 sobre o Phoenix, mas nos desentrosamos no jogo 4 e permitimos que os Suns convertessem 71 pontos constrangedores no primeiro tempo.

No intervalo deixei os jogadores entregues ao mau humor e às discussões até uns dois minutos antes do recomeço do jogo. Em seguida entrei como um raio no vestiário e arremessei uma garrafa de Gaterlode na parede para chamar a atenção de todos. Raramente ajo dessa maneira, mas precisava mostrar a minha insatisfação com a inconsistência e a falta de disciplina do time que já não podia mais se dar ao luxo de desleixos. Mas após esse jogo que perdemos de 117-98 me mostrei reflexivo no comentário.

– Vocês estão um pouco cansados uns dos outros e não querem mais trabalhar como uma unidade coesa – disse. – Isso é compreensível quando se chega a essa fase depois de uma longa temporada. Mas se querem ser campeões precisam encontrar um jeito de combinar a energia de cada um de vocês e igualar contra a energia do adversário. Vocês só precisam descobrir o que é preciso fazer para conquistar vitórias uma noite após outra. Aprendam com o jogo de hoje e não deixem que isso aconteça outra vez. – Duas noites depois nada deu certo para os Suns e saboreamos uma vitória de 87-65.

Eu sabia desde o início que nosso adversário nas finais da Conferência Oeste – Portland Trail Blazers – seria o time a ser batido nas finais da competição. Eles tinham o plantel mais caro da liga (73,9 milhões), incluindo o pivô Arvydas Sabonis (maior que Shaq e com 2,20 metros de altura e 132 quilos), o impetuoso ala de força Rasheed Wallace, o armador Damon Stoudamire, o versátil arremessador Steve Smith e Pippen que podia fazer de tudo. Eles também tinham um banco dinâmico, com os armadores Bonzi Wells e Greg Anthony e o ala Detlef Schrempf de 2,08 metros. Para provocar os Blazers, os chamei de "a melhor equipe que o dinheiro pode comprar".

Claro que o jogador que me preocupava era Scottie Pippen. Ele tinha Ph.D. no triângulo ofensivo e conhecia todas as manhas para sabotá-lo.

Para evitar que ele apoquentasse nossos armadores, colocamos Horry de 2,05 metros de altura como armador e Harper, como uma espécie de isca, se movimentando pela linha de três pontos como um ala. E também colocamos Kobe como armador tradicional para explorar a discrepância de estatura entre nossos armadores grandes e Stoudamire, o jogador do Portland que tinha 1,77 metro. As duas estratégias funcionaram melhor do que o esperado. Mas a grande vantagem do nosso time era o pivô. Apesar de sua estatura, Sabonis não era ágil o bastante para conter Shaq e por isso muitas vezes os Blazers faziam marcação tripla e recorriam no final dos jogos às faltas propositais em nosso pivô. Segundo Kobe, os Blazers podiam ser maiores e mais atléticos do que nós, mas "Shaq correspondia a quatro deles".

Fizemos um passeio no primeiro jogo. Nosso banco fez um grande segundo quarto e Shaq acabou com o jogo anotando 41 pontos enquanto navegamos para uma vitória de 109-94. Mas, no jogo 2, Scottie começou a forçar o jogo para cima de Glen Rice e a penetrar em nossa defesa, acumulando 17 pontos no primeiro tempo e levando os Blazers a uma liderança de dois dígitos antes de sofrer uma queda e deslocar dois dedos. Milagrosamente, ficamos atrás apenas por três pontos no primeiro tempo, mas no terceiro quarto o nosso ataque praticamente implodiu, convertendo apenas oito pontos, a pontuação mais baixa da história da franquia para as finais. Isso foi um sinal de alerta para mim. Mas deixei que os próprios jogadores assumissem um novo estado mental para resolver e reverter o colapso, embora isso não tenha acontecido. De qualquer forma, uma coisa era indiscutível: tínhamos que reduzir a liberdade ofensiva de Scottie. Então, após o jogo, disse para Kobe que ele iria marcar Scottie.

Vencemos os dois jogos seguintes em Portland e fizemos uma vantagem de 3-1 na série. O desfecho da primeira vitória se deu com um longo e inspirado arremesso de Harper quando faltavam apenas 29,09 segundos para o fim. O destaque da segunda vitória foi o desempenho perfeito de Shaq ao converter nove arremessos em nove tentativas da linha do lance livre, o melhor realizado por ele nas finais. Mas em seguida o sonho do anel começou a flutuar na cabeça dos jogadores e os Blazers então nos alcançaram, empatando a série em 3-3.

Nada funcionava. Estávamos 15 pontos atrás na metade do jogo 6 quando Fox teve um acesso de fúria.

— Lá vamos nós outra vez. — Ele se referia ao histórico de colapsos dos Lakers durante as finais. — Todo mundo com um olhar vazio na cara. E o que vamos fazer a respeito disso? Vamos deixar que os árbitros ditem os termos do jogo? Vamos ser passivos e ferrar com tudo outra vez? Ou vamos nos levantar com nossos próprios pés? Vamos apoiar uns aos outros?

— É melhor mandar que ele cale a boca — disse-me Tex.

— Não — retruquei. — Alguém precisa dizer essas coisas. — E, no caso em questão, um jogador do time e não o técnico.

Será que já falei o suficiente que não gosto dos sétimos jogos? Bem, o de agora acabou sendo particularmente desafiador. O time dos Blazers era um rolo compressor e nos esforçávamos para contê-los. Até que no terceiro quarto eles nos arrasaram, convertendo 18 pontos em sete posses de bola, e de repente estávamos afundando com 16 pontos atrás. Para ser honesto, cheguei a pensar que estávamos morrendo na praia. Então, solicitei tempo e tentei injetar ânimo em nossa tropa atordoada e confusa.

E seguiu-se um acontecimento maravilhoso: o time encontrou-se. Os Blazers estavam nos matando com corta-luzes altos na linha de três pontos porque Shaq se recusava a sair de sua zona de conforto para marcar jogadores como Stoudamire e Smith. Em outras ocasiões, Shaq teria despencado em uma espiral de derrotismo, como em outros grandes jogos no passado. Isso era o exemplo perfeito de colocar outra cabeça em cima da própria cabeça. Foi quando lhe disse em tom firme que aquele era o momento dele. De um jeito ou de outro, precisava sair do garrafão e defender os corta-luzes. Ele balançou a cabeça concordando.

Outra coisa que precisávamos fazer era deixar de passar a bola para Shaq porque ele sofria marcação cerrada e só havia acertado dois arremessos de quadra nos três primeiros quartos. Tínhamos muitos jogadores abertos que os Blazers deixavam livres para arremessar.

— Esqueçam de Shaq — instruí. — Há quatro caras em cima dele. Arremessem, apenas arremessem.

Atacamos de todos os ângulos. Brian Shaw, que substituía Harper, decolou e acertou alguns arremessos-chaves de três pontos, dando a Shaq a oportunidade para fazer mais cestas e a batalhar contra Brian Grant pelos rebotes importantes. Kobe começou a desenvolver algumas jogadas que orquestramos para ele. E nossa defesa liderada pelo recém-encorajado Shaq anulou os arremessadores dos Blazers. Durante um determinado momento, os Lakers superaram os Blazers por 25-4.

Então, com menos de um minuto para o fim, os Lakers estavam quatro pontos à frente quando Kobe se arremeteu à cesta e, para surpresa de todos, lançou uma bela *ponte aérea** a uns 60 centímetros acima do aro para uma enterrada de Shaq. Foi gratificante assistir à união daqueles dois homens para uma jogada perfeitamente coordenada que colocou o jogo fora de alcance. Aquele passe simbolizava a distância que Kobe e Shaq tinham percorrido a partir daquela inquietante reunião do time durante o inverno quando os dois egos colidiram. Um trabalho perfeitamente irmanado que culminou no fechamento daquela maravilhosa jogada. Foi um ponto de virada importante para esse novo time.

As finais do campeonato contra o Indiana Pacers não seriam tão transformadoras quanto a batalha travada com os Trail Blazers. Mas tinham os seus perigos. Os Pacers eram os melhores em arremessos na liga e tinham muitos meios para dificultar nossa vida.

Claro, a maior ameaça era Reggie Miller, um armador com características ofensivas conhecido pela incrível habilidade nos dribles e os arremessos certeiros. Mas eles também tinham o ala Jalen Rose, um artista no mano a mano; o pivô Rik Smits, um impressionante arremessador; o armador Mark Jackson, que era forte quando fazia a posição do pivô baixo; os versáteis alas de força Dale Davis e Austin Croshere; e um banco respeitável que incluía o gênio dos três pontos Sam Perkins e o velocíssimo armador Travis Best. Além disso, os Pacers tinham uma das melhores comissões técnicas do basquete, com Dick Harter, guru defensivo, Rick Carlisle, coordenador ofensivo, e Larry Bird, técnico principal.

---

* Jogada combinada em que um jogador joga a bola na direção e acima do aro para que outro jogador salte para pegar a bola e enterrar na cesta. (N. do R.T.)

Tivemos um bom começo. No jogo 1, em L.A., Shaq engoliu os Pacers com 43 pontos e 19 rebotes, e, bem dispersivo, Miller acertou apenas um arremesso em 16 tentativas. O jogo foi decidido no início. E dois dias depois tivemos uma reprise, batendo os Pacers com outro desempenho virtuoso de Shaq e 21 pontos de Rice e Harper naquela noite. Uma baixa: Kobe torceu o tornozelo no primeiro quarto e parecia que estaria fora no jogo seguinte.

Indiana recuperou-se e venceu o jogo 3, em Indianápolis. Mas a grande história não seria essa. Após o jogo, Christina, esposa de Rice, queixou-se aos jornalistas que eu dava pouco tempo de jogo para o marido, e a mídia fez uma festa a respeito. Eis o que ela declarou para Bill Plaschke, colunista do *Los Angeles Times*: "Se fosse comigo, eu já teria encarnado Latrell Sprewell II." Isso era uma referência a Latrell Sprewell, estrela dos Warriors que tentara estrangular o técnico P. J. Carlesimo. Era um comentário escandaloso, mas Rice já tinha ouvido de mim que teria pouco tempo de jogo em determinadas situações e havia aceitado isso. Ele lidou com a mídia com maestria, apoiando a esposa, mas sem defender publicamente as acusações dela.

No entanto, havia algo mais imediato que me preocupava: o tornozelo de Kobe. Ele implorou para jogar antes do início do jogo 3, mesmo com o tornozelo em péssimas condições. Mas ele sentia muita dor e andava na ponta dos pés pelo corredor do vestiário e preferi deixá-lo no banco a me arriscar com o azar.

Três noites depois Kobe ainda estava com muita dor para o jogo 4, mas insistiu em jogar e acabou tendo uma grande noite. Foi um jogo apertado que se estendeu até a prorrogação, mas, no primeiro minuto, Shaq saiu da quadra desqualificado por faltas e Kobe assumiu e converteu 8 dos 16 pontos que nos levaram a uma vitória de 120-118. No fim do jogo Shaq entrou na quadra e abraçou o companheiro que agora chamava de "grande maninho".

Fiquei impressionado com Kobe. Era a primeira vez que o via impermeável a uma dor insuportável. Naquela noite nada poderia detê-lo e isso fez lembrar-me de Michael Jordan.

Depois, fiéis ao padrão, deixamos que o jogo seguinte escapasse de forma dramática ao perdermos por uma diferença de 33 pontos, a pior derrota da temporada. Foi um fiasco tão grande que me perguntei se aquele time estava à altura de ser campeão. Mas Fox acrescentou um viés mais otimista ao jogo.

– A revanche fica mais divertida quando se toma uma surra como a de hoje.

Depois que assistimos aos vídeos do jogo decidimos mudar alguns posicionamentos defensivos, colocando Harper em cima de Miller, Kobe em cima de Jackson e Rice em cima de Rose. Também pusemos A. C. marcando pela frente de Smits que apresentara dificuldades recebendo passes por cima do marcador. Como era esperado, Smits teve um mau jogo, convertendo apenas um arremesso em oito tentativas de quadra. Mas o resto do time adversário estava arremessando no Staples Center como se estivesse jogando na própria casa. Foi só quando os Pacers estavam à frente por 84-79 no quarto período que o jogo começou a virar.

Chamávamos uma de nossas melhores jogadas de *fist chest*, "punho no peito". Era quando dois jogadores, armador e ala, faziam corta-luzes no prolongamento da lateral ofensiva enquanto outro ocupava o corner da quadra. A beleza da jogada é que tirava três Pacers do próprio garrafão para dar cobertura ao corta-luz e ao arremessador do corner. E, com isso, os forçava a fazer uma marcação mano a mano em Shaq (um grande erro) ou a deixar o jogador do córner totalmente livre para arremessos de três pontos (erro pior ainda).

No quarto período, aplicamos o punho no peito seis vezes, e isso abriu a quadra para nós. Mas também nos saímos bem com algumas outras jogadas, incluindo a que chamávamos de "redenção de Shaw-Shaq", na qual Brian Shaw fazia uma ponte aérea para Shaq. Kobe também se reanimou, convertendo arremessos, pegando rebotes e, melhor ainda, alimentando Shaq à medida que a diferença de 15-4 do adversário no início do período era deixada para trás e assumíamos a liderança.

Estávamos à frente por 110-103 com 3,02 para terminar quando Bird finalmente recorreu à estratégia de faltas em cima de Shaq. Nos 21 segundos seguintes, Shaq sofreu duas faltas e só converteu um dos quatro lances livres. Eu o tirei da quadra até a marca dos dois minutos porque aí os Pacers poderiam ser penalizados com faltas técnicas por fazerem faltas intencionais. Mas o Indiana se manteve no ataque e se aproximou da liderança no 1,32 restante, 110-109.

Isso foi o mais perto que conseguiram chegar. Faltando 13 segundos Kobe converteu dois lances livres e selou a vitória em 116-111. Ele saiu da quadra apontando para o dedo anelar e acenando com o dedo indicador no ar, sugerindo que era apenas o primeiro de muitos títulos.

Depois do jogo, o dr. Buss referiu-se em tom de brincadeira a uma suposta falta de paciência de minha parte:

– Por que você sempre tem que ganhar no primeiro ano e fazer isso parecer tão fácil? Isso nos deixa com cara de estúpidos por não termos feito o mesmo antes.

Para ser honesto, eu não achava que o time ganharia o primeiro anel com tanta rapidez. Achava que os jogadores levariam dois anos para aprender o sistema e compor uma unidade coesa. Mas aquele time estava no caminho certo para a glória. Foi gratificante porque os princípios básicos desenvolvidos com os Bulls mostravam a mesma eficácia e os transformavam em um time de campeões. Claro, o fator-chave da vitória tinha sido o domínio de Shaq somado à incansável criatividade de Kobe. Mas a sinergia entre os dois na última parte da temporada foi o que realmente me agradou, e eles só a conseguiram quando se deram conta de que precisavam um do outro para alcançar o único objetivo que importava.

Naquela temporada também progredi pessoalmente. Aprendi a superar o medo do desconhecido, fazendo uma vida nova em uma cidade nova e sem perder o que mais amava. Foi quando estabeleci um relacionamento mais profundo com meus filhos – não apenas com Brooke, que vivia lá em casa, mas também com meus outros filhos que me visitavam com regularidade. Foi também um tempo em que continuei me abrindo espiritualmente. A meditação me ajudou a lidar com as incertezas e inseguranças que emergem nos momentos difíceis em que se rompe com o passado em direção a uma vida nova. Fazia alguns anos que não me sentia tão vivo.

Mas o maior prazer era poder acompanhar um grupo de jogadores talentosos e indisciplinados que moldavam uma nova força. Eles ainda tinham muito a aprender, mas era impressionante a rapidez com que haviam se transformado de uma equipe da etapa 3 voltada para o *eu* em uma equipe da etapa 4 voltada para o *nós*. Lentamente, muito lentamente, eles desenvolveram a confiança e deixaram as adversidades para trás, chegando à fonte de uma força interior ainda desconhecida para a maioria. Enfim, agora enfrentavam os próprios demônios de frente e sem piscar.

16
O PRAZER DE NÃO FAZER NADA

Em quietude, sem fazer nada, chega a primavera,
e a grama brota por si mesma.
PROVÉRBIO ZEN

Às vezes quando estou preenchendo alguns formulários, classifico minha profissão como "mágica". Faço isso sem malícia. O que me ocorre é que os técnicos da NBA precisam fazer mágica para equilibrar os egos, o que certamente tornou-se verdadeiro quando nos reagrupamos no outono de 2000 em L.A. para iniciar a nova temporada. O ano *posterior* à conquista de um título é sempre o mais difícil. É quando o ego sobe à cabeça de todos e subitamente a estranha química que unia o time alguns meses antes se dissolve no ar.

Rick Fox compara o título de um campeonato da NBA à conquista de um primeiro Oscar.

– Isso é o que o define – diz. – Você passa a significar alguma coisa pelo resto da vida. – Mas isso também muda suas expectativas. – Depois da conquista e de muitos tapinhas nas costas pelos meses afora, você retorna para outra temporada dizendo para si mesmo: "Quero que isso aconteça comigo de novo."

A maioria dos jogadores se esquiva quando o assunto é agenda pessoal, mas isso não é difícil de detectar, sobretudo quando o time começa a jogar unido. Uma das belezas do triângulo ofensivo é que os pensamentos dos jogadores se deixam expor sem que precisem dizer uma palavra.

A primeira coisa que notei é que eles tinham perdido a direção. Haviam conquistado o campeonato de corpo e alma e agora muitos estavam no piloto automático. Mas achei melhor não pegar pesado no início da temporada. Agora eram campeões, e o que falei é que já era hora de tentar descobrir um jeito de resolver os problemas por conta própria.

De qualquer forma, só faltavam algumas peças. Durante as férias perdêramos alguns dos jogadores mais experientes: Glen Rice adquiriu passe livre e se foi para Nova York; A. C. Green se transferiu para Miami; e John Salley se aposentou. Para preenchermos os buracos, pinçamos alguns atletas sólidos, incluindo dois ex-jogadores dos Bulls – o ala Horace Grant e o pivô Greg Foster – e J. R. Rider, um armador capaz de converter mais de 20 pontos por jogo quando estava concentrado. Além disso, tentei convencer Ron Harper a adiar a aposentadoria por mais um ano e efetivei Rick Fox como cocapitão e ala titular. Mas, à medida que nos arrastávamos e perdíamos jogos que não devíamos perder nos dois primeiros meses da temporada, tornou-se evidente que havia uma montanha-russa emocional a ser controlada. O time estava sem entusiasmo.

Kobe Bryant foi um dos jogadores cuja agenda se mostrou transparente. Ele tinha trabalhado duro durante o verão – segundo ele, dois mil arremessos por dia –, e isso o levou a outro salto quântico no desempenho. Os torcedores deliravam com suas novas e espetaculares jogadas, e sua popularidade já ameaçava ultrapassar Shaquille O'Neal na todo-poderosa estatística de vendas de camisa de jogo. Kobe fez um início emocionante, liderando na pontuação do campeonato com aproximadamente 50% dos arremessos de quadra convertidos. No início de dezembro ele superou em pontos o rival Vince Carter por 40-31 na vitória sobre os Raptors em Toronto, o que levou uma emissora local a proclamar: "No ano passado os Lakers eram conhecidos como o time de Shaq. E agora não mais."

Mas Kobe estava construindo um currículo em detrimento do resto da equipe. No início da temporada, recomendei que continuasse jogando como no ano anterior, conduzindo o ataque através de Shaq e mantendo-se no sistema até os minutos finais da partida. Kobe contra-argumentou minhas recomendações quase dobrando o número de arremessos por jogo e adotando um estilo errático de passes – na verdade, quase *não fazia* passes –, e isso enfurecia os companheiros, especialmente Shaq. O egoísmo e a imprevisibilidade de Kobe deixavam os outros jogadores com a sensação de que ele não confiava mais no time, e isso corroía ainda mais a harmonia entre eles.

No ano anterior, Kobe assumira o triângulo ofensivo. E até se apressara em testar o sistema que tornara Michael e os Bulls campeões. Mas no início da segunda temporada me confidenciou que o sistema ofensivo era tedioso e muito simplista, e que isso o impedia de exibir suas qualidades. Entendi, mas argumentei que precisávamos ganhar a maioria dos jogos e com poucos acidentes, muito menos lesões e fadigas do final de temporada. Não acho que tenha comprado essa ideia.

Parte do desafio é que os times dos Lakers e dos Bulls eram bem diferentes. Em Chicago, não tínhamos um pivô dominante como Shaq e ajustáramos o sistema de modo a fazer o ataque se acomodar a Jordan. E nos Bulls também tínhamos Scottie Pippen como grande líder na quadra e a quem sempre me referi como o homem que ajudou Michael a se tornar Michael. Na falta de um líder, o papel de orquestrar os Lakers recaiu em Kobe, mas ele não estava interessado em se tornar o Pippen de Shaq. Ele queria criar arremessos para si mesmo.

Rick Fox o descreve durante essa fase como "obstinado e determinado, como um touro dentro de uma loja de artigos de porcelana". Nos seus primeiros anos com os Lakers, geralmente Rick competia com Kobe por tempo de jogo.

– Kobe é um macho alfa – diz Rick. – Olha para o mundo como se querendo dizer "sei mais do que você", e, se você está no caminho, ele o empurra até deixá-lo para trás. E ele o come se você não o empurrar de volta.

Rick compara o comportamento competitivo de Kobe ao de Michael Jordan, com quem nos tempos de universitário trabalhou nos acampamentos de basquetebol de Jordan.

– Não conheço ninguém que se comporte como eles. Para eles o que importa é vencer a qualquer preço. E exigem que todos ao redor se comportem da mesma maneira, pouco se lixando se podem ou não. Eles dizem: "Encontre um lugar em si mesmo para melhorar porque é isso que faço cada dia da semana e cada minuto do dia." Eles não toleram o menos. De jeito nenhum.

Mas Fox menciona uma diferença entre Michael e Kobe.

– Michael tinha que ganhar *em tudo* – lembra. – Quer dizer, ele nunca dirigia de Chapel Hill até Wilmington sem fazer do trajeto uma corrida. Ele sempre competia com você, quer você quisesse competir ou não. Mas acho que Kobe concorre com *ele mesmo* mais do que com qualquer outro. Projeta obstáculos e desafios para si mesmo e só precisa dos outros para acompanhá-lo. Pratica um esporte individual com uniforme de um time... e domina isso. Mas quando sai da quadra não se interessa em competir com você nem em como se vestir nem em como dirigir. Kobe é obcecado em perseguir os objetivos que estabeleceu para si mesmo aos 15 ou 16 anos.

Era exatamente isso que dificultava o treinamento com ele. Já tinha tudo planejado na cabeça. Seu objetivo era ser o maior jogador de basquete de todos os tempos. E estava convicto de que sabia o que teria de fazer para chegar a isso. Por que ouviria alguém mais? Se ele seguisse o meu conselho e reduzisse a pontuação acabaria aquém do seu objetivo final.

Como é que eu poderia chegar àquele garoto?

Shaq era quem mais se irritava com o estilo de jogo egoísta de Kobe.

Após as finais, disse a Shaq que tivesse um bom tempo durante o verão e que voltasse relaxado e pronto para tudo. Ele captou a primeira parte da mensagem, mas infelizmente não captou o "pronto para tudo". Chegou ao centro de treinamento com excesso de peso e fora de forma, e batalhou quase até a metade da temporada para recuperar a forma. Ele parecia exausto, como se ainda estivesse se recuperando da temporada anterior na qual liderara a liga em pontuação e conquistara os três prêmios de melhor jogador da temporada.

Mas, no início de 2000-01, seu percentual de arremessos declinou e seu acerto no lance livre que já não era bom desapareceu. No início de dezembro, Shaq quebrou o recorde de inutilidade de Wilt Chamberlain na linha de lance livre arremessando 0 de 11 contra o Seattle. Isso pegou tão mal que os torcedores começaram a lhe mandar amuletos e cristais de sorte. Shaq chegou a receber dicas até de sua filhinha de três anos.

Tex Winter tentou trabalhar com ele, mas desistiu depois de dois dias com a alegação de que era impossível "treiná-lo nos lances livres". Foi quando trouxemos Ed Palubinskas, um australiano campeão em lances livres descoberto pelo agente de Shaq e que acabou fazendo um excelente trabalho. Ali pelo final da temporada, Shaq já tinha melhorado o percentual de acerto na linha de lance livre de 37,2% para 65,1%.

No final de dezembro, após um jogo contra os Suns no qual Kobe fez 38 pontos e Shaq batalhou para fazer 18, Shaq disse para o gerente-geral Mitch Kupchak e para mim que queria ser negociado. Kupchak, que assumira o cargo após a inesperada renúncia de Jerry West durante o verão, não levou o pedido a sério. Achou que ele estava simplesmente expressando a frustração pelas tentativas de Kobe de se apropriar do ataque.

Isso evoluiu para uma briga de foice entre Shaq e Kobe sobre a questão de quem lideraria a equipe. A aliança estabelecida entre os dois no ano anterior caía aos pedaços a olhos vistos.

Cheguei a incentivá-los a se conhecerem melhor na esperança de que isso estreitaria um vínculo entre eles. Mas Kobe se recusou a se aproximar de Shaq e revelou que não gostava das tentativas do grandalhão de transformá-lo no seu "maninho". Kobe se justificou dizendo que eram oriundos de culturas diferentes e que havia muito pouco em comum entre eles. Shaq era um pirralho do exército do Sul, crescido nas cercanias de Newark, New Jersey, e Kobe era o filho experiente de um ex-jogador da NBA natural da Filadélfia que fixara residência na Itália.

Eles também tinham temperamentos bem diferentes. Shaq era um cara generoso, divertido e carinhoso que estava mais interessado em tirar risadas dos outros com piadas do que ganhar o título de cestinha do campeonato. Ele não entendia por que Kobe sempre queria fazer tudo da forma mais difícil.

– Isso era o que deixava Kobe louco em relação a Shaq – diz Fox. – Nos momentos mais sérios, Shaq tinha que se divertir. Ele se apartava quando não estava se divertindo.

Por outro lado, Kobe era frio, introvertido e por vezes pungentemente sarcástico. Embora seis anos mais novo do que Shaq, parecia mais velho e mais maduro. Segundo Del Harris, ex-treinador dos Lakers: "Não pergunte como Kobe era quando criança. Pois ele nunca foi criança." Mas acho que a experiência e a maturidade precoce de Kobe não me confundiam. Até onde os meus olhos alcançavam, ele ainda tinha muito a crescer – e, pelo temperamento que possuía, isso seria feito da maneira mais difícil.

Logo depois que Shaq fez seu tímido apelo por uma negociação apareceu um artigo de capa na *ESPN the Magazine*, de Ric Bucher, no qual Kobe insinuava que estava interessado em se transferir para outra equipe. Isso se referia a uma conversa que tínhamos tido no início da temporada e na qual sugeri a ele que pegasse leve no jogo.

– Pegar leve no jogo? – ele rebateu na ocasião. – Eu preciso pegar pesado no jogo. Estou melhorando. Por que você quer me engarrafar? Eu estaria melhor se jogasse em outro lugar. – Kobe também não poupou Shaq. – Se Shaq convertesse 70% dos lances livres, as coisas ficariam bem mais fáceis. Precisamos conhecer nossos pontos fortes e fracos. Confio no time. Só que confio mais em mim mesmo. Claro, ganhamos no ano passado com Shaq como referência ofensiva. Mas este ano teremos varreduras em vez de ganharmos as séries em cinco e sete jogos.

Kobe sabia que as observações poderiam inflamar os companheiros de equipe e os alertou antes da publicação do artigo para mitigar o golpe. Mas isso não impediu o revide de Shaq.

– Não vejo outra razão para alguém querer mudar a não ser por egoísmo – disse aos jornalistas após o treino seguinte. – No ano passado jogamos com 67 vitórias e 15 derrotas de entusiasmo. A cidade pulava para cima e para baixo. Fizemos um desfile e tudo o mais. E agora estamos com 23 vitórias e 11 derrotas, imagine. – Em seguida, soltou a bomba. – É evidente que a casa ficará desprotegida se o ataque não me tiver como referência. Ponto.

Foi uma tentação poder injetar o meu próprio ego nessa disputa. Na verdade, era o que grande parte dos especialistas da mídia queria que eu fizesse. Mas fiquei cheio de dedos para transformar aquilo que para mim era uma briga ridícula em algo sério. Já tinha visto esse mesmo filme em Chicago quando Jerry Krause vociferava em meio a circunstâncias voláteis e piorava ainda mais as coisas. Eu geralmente preferia me guiar pela página do livro de jogadas do outro Jerry de Chicago – Jerry Reinsdorf. Uma vez ele disse que a melhor maneira de lidar com as brigas inflamadas era colocá-las para dormir. O objetivo era evitar condutas raivosas que desencadeassem bagunças pegajosas. E com sorte o problema poderia se resolver por si mesmo.

Eu não sou avesso a ações diretas quando necessário, mas aprendi com Reinsdorf que podemos resolver muitas dificuldades com o que Lao-Tsé chamava de inação. Isso geralmente é interpretado de maneira equivocada como passividade quando na verdade é justamente o inverso. A inação consiste em entrar em sintonia com o que ocorre ao redor e agir – ou não agir – de acordo com isso. No prefácio de sua adaptação do *Tao Te Ching*, de Lao-Tsé, Stephen Mitchell compara a inação ao desempenho atlético: "Um bom atleta assume um estado de consciência corporal no qual o impulso certo e o movimento certo ocorrem por si mesmos, sem esforço e sem qualquer interferência da vontade consciente." Ele continua: "Eis o paradigma da inação: a forma mais pura e mais eficaz de ação. O jogo joga o jogo; o poema escreve o poema; não podemos falar do dançarino pela dança." Ou como proclama Lao-Tsé na adaptação de Mitchell:

> *Você força as coisas cada vez menos,*
> *até que finalmente chega à inação.*
> *Quando nada é feito,*
> *nada é deixado sem fazer.*

Resolvi então não forçar nada com Shaq e Kobe. Em vez de forçá-los a se dar bem, deixei que o conflito se desdobrasse ao longo das semanas seguintes. Não valia a pena me envolver na briga e distrair a equipe do verdadeiro problema: levar os jogadores a recuperar a concentração e a autodisciplina demonstradas na corrida do campeonato anterior.

No dia seguinte à publicação do artigo na *ESPN the Magazine*, solicitei à mídia que se afastasse da história.

– Isso só diz respeito a nós – disse. – Não é da conta de vocês. – Claro que eu sabia que esse meu pedido soava fútil. Afinal, estávamos na cidade de Los Angeles, a capital narrativa do mundo. Como é que os repórteres poderiam resistir à história de dois jovens astros que se engalfinhavam para ver quem tinha mais poder?

Mas ao mesmo tempo não tentei suprimir a história nem fingir que era boataria. Segundo Brian Shaw, deixei que "manifestasse" por si mesma.

– Phil deixou que Shaq e Kobe fossem eles mesmos – diz Brian –, mas também deixou bem claro que ele é quem dirigia o ônibus. Assim, cada vez que o ônibus saísse do curso, ele é que o conduziria de volta ao lugar. Mas poderíamos seguir em frente na estrada e tomá-lo onde bem entendêssemos.

Nas semanas seguintes Shaq e Kobe levaram a novela a extremos absurdos. Quando Kobe notava que Shaq se esgueirava até um repórter, ele se recusava a falar com esse repórter e prometia uma exclusiva para outro repórter. E quando Shaq percebia que Kobe estava tendo os tornozelos enfaixados por um fisioterapeuta, ele insistia em ter os próprios tornozelos enfaixados por outro fisioterapeuta. E assim foi.

Fiquei impressionado com a maneira como o resto dos jogadores lidou com a situação. A maioria recusou-se a tomar partido. Robert Horry fazia graça do episódio, chamando-o de "a famosa rixa entre dois grandes cachorros furiosos". Brian Shaw, que jogara com O'Neal em Orlando, comentava que aquilo o fazia lembrar do confronto entre Shaq e Penny Hardaway, uma estrela em ascensão, com a diferença de que Penny se encaixava bem no papel de Robin para o Batman de Shaq, e Kobe, não. Brian sempre dizia que os Lakers não eram um time nem de Shaq nem de Kobe, e sim do dr. Buss, porque ele é que assinava os cheques.

Segundo Rick Fox, a disputa entre Shaq e Kobe era uma reminiscência do impasse entre Larry Bird e Kevin McHale no início dos anos 1990, quando Fox juntou-se aos Celtics. Enquanto Larry era sério em relação a tudo, Kevin adotava uma postura mais lúdica perante o jogo. Fazia piadas nos treinos e às vezes atirava arremessos loucos na hora da fila da bandeja, o que deixava Larry furioso. E a expectativa é que o time tomasse partido entre Larry e Kevin. Isso acabou se tornando um pesadelo.

Felizmente, a disputa entre Shaq e Kobe não chegou a esse ponto. Em meados de fevereiro, próximo ao Jogo das Estrelas, ambos já estavam cansados da briga e declararam aos jornalistas que tinham seguido em frente.

— Já estou preparado para deixar de responder a perguntas estúpidas — disse Shaq.

Mas Kobe assumiu um ponto de vista compartilhado por muitos companheiros do time.

— As coisas que não o matam só o tornam mais forte — disse.

Agora, amadurecido e criando duas filhas teimosas, Kobe acha graça do que era lidar com ele durante aquela temporada louca.

— Minhas duas meninas estão no palco, onde se sentem como se soubessem de tudo — diz. — Isso me faz lembrar de mim. Posso imaginar as dores de cabeça que provoquei em Phil — acrescenta. — Mas, mesmo nos momentos em que aparentemente eu não aprendia nada, eu aprendia.

Sob a perspectiva de Kobe me vali daquele racha entre ele e Shaq para fortalecer a equipe.

— Phil tinha à mão dois machos alfa que teriam de seguir na mesma direção — ele diz agora. — E a melhor maneira de fazer isso era montar no meu lombo porque sabia que dessa maneira Shaq também faria o que ele queria. Isso era bom para mim, mas eu agia como se não soubesse o que estava acontecendo.

Nesse sentido Kobe está certo. Eu o forcei duramente naquele episódio porque ele era mais adaptável do que Shaq. Por outro lado, Tex, que tinha sido o crítico mais duro de Michael, achava que eu deveria pegar mais leve com Kobe. Mas eu sabia que Kobe precisava de uma orientação forte para amadurecer e crescer. Ele tinha todos os requisitos. Era capaz de passar, arremessar e driblar no setor ofensivo. Mas, se não aprendesse a tirar proveito do grande poder de Shaq e usá-lo da maneira certa, o time poderia se perder. A melhor estratégia para o time era passar a bola para Shaq para desarticular a defesa adversária, mesmo que de alguma forma isso pudesse inibir o estilo livre improvisado de Kobe. Isso não é diferente do que ocorre no futebol americano, onde se cria o jogo de chão antes de se iniciar o jogo aéreo. No basquete, só depois de estabelecer o jogo dentro do garrafão é que você pode passar a bola para os que arremessam e para os que penetram em direção à cesta.

Kobe entendia isso, mas outras forças o dirigiam.

— Era difícil para Phil me controlar porque sou o número um por natureza — ele reflete. — Fui contra minha natureza ao me tornar o número dois. Eu sabia que poderia liderar a equipe, mas para mim era um desafio porque nunca tinha ouvido falar de um número dois que desempenhasse um papel de liderança e saísse vitorioso.

Mas Kobe repensou o problema, como ele próprio diz:

– Eu me via nessa história como uma espécie de mergulhador de combate, aquele militar que faz o trabalho silencioso. Não recebe elogios pelo que faz, mas os verdadeiros entendidos do basquete sabem o que ele faz.

Fizemos uma longa viagem de jogos fora de casa após o intervalo do Jogo das Estrelas. Isso me deu a esperança de que poderia unir a equipe. No programa de livros para os jogadores, Shaq recebeu um exemplar de *Sidarta*, um relato ficcional de Hermann Hesse sobre a vida de Buda que poderia inspirá-lo a reexaminar o apego que ele tinha pelos bens materiais. Na trama, o jovem príncipe Sidarta renuncia a uma vida de luxo para buscar a iluminação. O objetivo era fazer Shaq entender que cada um tem que encontrar o próprio caminho espiritual – e certamente a acumulação de brinquedos não era um caminho para chegar a isso. Era uma cutucada para fazê-lo explorar a estrada da paz interior – aquietando a mente, concentrando-se além dos próprios desejos e tornando-se mais compassivo com os companheiros de equipe, especialmente com Kobe, que lidava com alguns problemas pessoais.

Foi divertido o relatório de Shaq sobre o livro algumas semanas depois. Em essência: o livro fala de um jovem que tem poder, riqueza e mulheres (tanto quanto eu), e que se desfaz de tudo para alcançar uma vida santa (nem tanto quanto eu). Eu teria ficado surpreso se de repente ele saísse em busca de iluminação depois da leitura do livro, mas acho que a mensagem sobre a compaixão o tocou. Shaq tem uma alma generosa.

Já com Kobe foi outra história. Selecionei o romance *Corelli's Mandolin*, ambientado em uma pequena ilha grega ocupada pelo exército italiano durante a Segunda Guerra Mundial. No curso da história os ilhéus precisam aceitar o fato de que não controlam mais o próprio destino e que devem se unir para se adaptarem à nova realidade. No final, eles se saem vitoriosos com a derrota. A mensagem poderia ressoar de maneira a Kobe traçar um paralelo com as lutas que travava com os Lakers. Infelizmente, ele não se interessou.

Mas a vida sempre tem um jeito de nos ensinar as lições que precisamos aprender. Na segunda metade da temporada, Kobe sofreu uma série de lesões – entorse no tornozelo direito, dor no quadril direito, dor no ombro direito e ferimento no mindinho direito – que o obrigaram a encarar a própria vulnerabilidade. Embora tivesse irritado alguns veteranos no início da temporada, dizendo que o time tinha "muitas pernas velhas", em março ele revelou para Brian Shaw em meio às dificuldades que os jogadores que mais identificava como veteranos eram Harper, Grant e o próprio Shaw. No livro sobre a temporada de 2000-01, *Ain't No Tomorrow*, a autora Elizabeth Kaye acentua que as lesões suavizaram a conduta de Kobe com os companheiros de equipe e consigo próprio. "Pela primeira vez na quadra", narra Kaye, "Kobe simplesmente não podia mais forçar caminho por cima de tudo e de todos. Foi quando ele disse para Shaw: 'Existem rachaduras e buracos que sempre fui capaz de atravessar e que agora já não consigo mais atravessar. Já não consigo mais abrir caminho do jeito que quero.' A isso Shaw retrucou: 'É assim que me sinto todo dia; é justamente neste lugar que você cresce e também é neste lugar que você diz para si mesmo, tudo bem, preciso confiar menos na minha capacidade atlética e mais na minha inteligência.'"

Felizmente, nem todos os jogadores se viram às voltas com lesões na última parte da temporada. Depois de perder 62 jogos devido a uma fratura no pé, Derek Fisher retornou aceso e com a confiança renovada. Seu gás não poderia ter sido melhor. Com Harper machucado e Kobe gripado, o time precisava de alguém para levantar o ânimo ofensivo e o liderar em meio ao marasmo na metade da temporada.

Quando ele entrou na quadra para o primeiro jogo na casa do Boston Celtics pensei comigo que aquele era um Derek diferente. Ele explodiu com um recorde em pontuação na carreira com 26 pontos, oito assistências e seis roubos de bola. E, não apenas isso, incendiou o time com a sua agressividade corajosa nas duas metades da quadra. Foi o ponto de virada na temporada.

Mas ainda tínhamos alguns obstáculos a superar. Na semana seguinte, pouco antes de um jogo em Milwaukee, eclodiu uma história no *Chicago*

Sun-Times, assinada pelo colunista Rick Telander, onde era dito que eu tinha mencionado o rumor de uma sabotagem de Kobe no início das partidas na sua escola secundária para forçá-lo a uma atuação dramática com um desempenho brilhante no fim dos jogos. Além de ser irresponsável, era uma informação falsa. Kobe não gostou e logo o advogado dele telefonou para os Lakers com ameaças de que me processaria por calúnia. Eu pedi desculpas pessoalmente a Kobe e depois fiz o mesmo na frente de toda a equipe. Mas eu já tinha cruzado a linha e sabia disso. O que não sabia é que precisaria de anos para recuperar totalmente a confiança de Kobe.

E, para piorar a situação, Kobe torceu o mesmo tornozelo durante o jogo em Milwaukee, o que o manteve afastado nos nove jogos seguintes. Foi um golpe duro porque as finais estavam próximas. Mas enquanto ele estava afastado o time subiu para outro patamar. No início de abril vencemos o oitavo jogo seguido e encerramos a temporada regular. Nesse meio-tempo, Kobe retornou para o jogo contra o Phoenix em casa, e naquela noite deixou claro que estava adaptado ao papel do "mergulhador de combate". Ele deu uma clínica para os Suns de como jogar um basquete certo durante quase todo o jogo, servindo regularmente os companheiros de time sem se importar quando desperdiçavam os arremessos e fazendo uma defesa bem agressiva. Atropelamos com uma vitória fácil de 106-80. Depois de terminar com meros (para ele) 20 pontos, Kobe declarou aos jornalistas:

– Não se trata de pontuar e sim de deter o adversário.

O basquete se desenrola de maneira estranha. Em muitos níveis aquela temporada tinha sido a mais difícil de minha carreira – bem mais difícil do que minha última competição no Chicago. Quem poderia imaginar que aquela equipe que parecia prestes a implodir se recomporia no final da temporada rumo a uma sequência de vitórias que rivalizava com as melhores equipes da história do basquete?

Apesar de toda a turbulência a equipe sabia que estava destinada à grandeza e que só a sua maneira alcançaria isso. No calor da crise insisti em destacar o poder da comunidade. Em L.A. não era muito fácil construir comunidades pela via tradicional porque as casas dos jogadores eram distantes umas das outras e a cidade em si era sedutora e perturbadora. Mas as dificuldades enfrentadas ao longo da temporada nos conduziram à união.

No livro *The Zen Leader*, Ginny Whitelaw descreve a eclosão da alegria quando as pessoas se interligam por um intenso sentimento de conexão. "Esta alegria pode ser mais sutil do que os inúmeros *pulos de alegria*", explica a autora. "Pode ser sentida como um engajamento total naquilo que é feito e a tranquila satisfação que se segue. Pode ser sentida como uma energia que se renova por si mesma, tal como um fluxo bombeado e aparentemente mais abundante do que a necessidade", ou seja, uma alegria contagiante e impossível de ser falsificada. Eis o que observa o mestre espiritual Eckhart Tolle: "O entusiasmo o leva a pensar que você não precisa fazer tudo sozinho. Na verdade, nunca se faz nada de significativo sozinho. O entusiasmo sustentado traz uma onda de energia criadora à existência e tudo que você tem a fazer é aproveitar a onda."

Os Lakers aproveitaram essa onda quando começaram as finais. Fiquei impressionado com o equilíbrio e o relaxamento dos jogadores nos minutos finais dos jogos ao compará-los com o ano anterior. Nada parecia intimidá-los.

– Só agora é que as pessoas começam a perceber o quanto nossa equipe tem compostura – disse Fish para Tim Brown, do *Los Angeles Times*. – Não estávamos jogando fora de controle nem estávamos bagunçando o basquete. Talvez a marca registrada tanto de Phil como de nossa comissão técnica seja a personalidade. – Fish estava impressionado com a atitude da comissão técnica que meticulosamente continuou preparando a equipe para cada jogo, a despeito do incidente entre Shaq e Kobe.

É evidente que os jogadores internalizaram a atitude "corta madeira e carrega água" da comissão técnica. Um momento-chave se deu durante o segundo jogo das finais da Conferência Oeste contra o San Antonio Spurs. Foi quando me expulsaram no terceiro quarto por eu ter invadido a área do árbitro e supostamente o impedido de trabalhar. Em dias passados os jogadores teriam perdido o rumo e se abatido, mas dessa vez se desdobraram no setor defensivo e terminaram o jogo com uma sequência de 13-5 para uma vitória de 88-81.

– Nós amadurecemos a tal ponto que mantivemos a compostura. Mesmo depois que Phil saiu – disse Fox em seguida.

Depois que varremos o Portland Trail Blazers na primeira série, enfrentamos o time do Sacramento Kings que utilizou diferentes táticas para deter Shaq, mas sem muito êxito. No jogo 1, Vlade Divac marcou por trás de Shaq, que fez 44 pontos e pegou 21 rebotes. No jogo 2, colocaram Scot Pollard em cima dele na maior parte do tempo, mas isso só reduziu os números de Shaq em um ponto e um rebote. Finalmente no jogo 3, em sua própria casa, os Kings aumentaram ainda mais a pressão, agrupando-se em torno de Shaq e cometendo faltas implacáveis no quarto período. Felizmente, isso criou um mundo de oportunidades para os outros jogadores, especialmente para Kobe, que converteu 36 pontos enquanto acumulávamos uma vantagem de 3-0 na série.

Naquela mesma noite, Kobe seguiu de avião até Los Angeles para passar um tempo com sua esposa Vanessa, que estava hospitalizada com dores torturantes. Ele voou de volta a Sacramento para o jogo 4 depois que a esposa melhorou, e entrou em erupção com 48 pontos e 16 rebotes que lideraram o time em outra varredura. Seu entusiasmo selvagem inspirou os outros jogadores.

– Eu estava preparado para fazer qualquer coisa – disse. – Estava preparado para correr e forçar até a exaustão. Sem me importar com nada.

Quando chegamos a San Antonio para as finais da Conferência Oeste, já tínhamos vencido 15 jogos seguidos (incluindo os da temporada regular), e os comentaristas já especulavam no sentido de que seríamos o primeiro time a varrer todas as séries das finais. Mas não seria fácil passar pelo San Antonio. Eles tinham dois ótimos grandalhões no jogo – David Robinson e Tim Duncan – e o melhor recorde na liga daquela temporada, 58 vitórias e 24 derrotas. E haviam nos derrotado em nossa própria quadra no último confronto. Mas isso tinha sido em março, antes da volta de Fish. História do passado.

Robinson e Duncan fizeram um trabalho respeitável em cima de Shaq, limitando-o a 28 pontos. Mas os Spurs pareciam não saber o que fazer com Kobe, que converteu 45 pontos, o maior total obtido por um atleta contra os Spurs na história das finais. Foi emocionante quando Shaq saudou efusivamente Kobe no final do jogo.

– Você é meu ídolo. – Mais tarde, Shaq declarou aos repórteres: – Acho que ele é o melhor jogador da liga... até agora. Quando joga assim, pontuando, envolvendo a todos, defendendo bem, o que se pode dizer. Foi para esse lugar que tentei levá-lo o ano todo.

Quando comecei a trabalhar com Kobe, tratei de convencê-lo a não forçar muito e deixar o jogo fluir naturalmente. Ele resistiu na ocasião, mas agora não resistia mais.

– Pessoalmente, só tentei distribuir a bola para meus companheiros – disse após o jogo. – Foi o jeito que encontrei para melhorar: aprendendo a criar oportunidades junto com os companheiros de time, jogando com consistência e deixando que o jogo e as oportunidades viessem a mim.
– Ele se parecia cada vez mais comigo.

Retornamos a L.A. para o jogo 3 e fizemos um passeio na vitória de 111-72, durante o qual Kobe e Shaq somaram 71 pontos, menos um ponto que o total dos Spurs. Dois dias depois encerramos a série. Fish tornou-se o herói da vez, convertendo seis dos sete arremessos de três pontos e fazendo 28 pontos ao todo.

Tentamos minimizar o episódio, mas evidentemente era um grande acontecimento.

– Maior até do que Shaquille – disse Fox após a vitória no jogo 3. – Maior do que Kobe e maior do que qualquer esforço dos jogadores isolados. Nunca vi isso. Foi como se nos tornássemos o time sonhado por nós.

Nenhuma dessas palavras que soaram como se fizessem história intimidou o Philadelphia 76ers, o time que enfrentamos na final do campeonato. Era um time duro, arrojado e liderado pelo armador Allen Iverson de 1,82 metro de altura e 75 quilos, que naquele ano tornara-se o jogador de menor estatura a ganhar o prêmio de Melhor Jogador da Temporada. Iverson recusou-se a comentar uma possível varredura e apontou para o próprio coração, dizendo:

– Os campeonatos são conquistados aqui.

Depois de uma estonteante atuação de Iverson no jogo 1, no Staples Center, tudo indicava que talvez ele estivesse certo. Fez 48 pontos e os Sixers superaram nossa vantagem de 5 pontos na prorrogação, encerrando nossa invencibilidade de 19 jogos. Fiquei realmente aliviado quando o alvoroço em torno da invencibilidade arrefeceu na mídia. Já podíamos nos concentrar em bater os Sixers sem distrações. Antes do jogo seguinte, Iverson disse aos jornalistas que os Sixers partiriam para "espalhar a guerra", na esperança de intimidar Kobe e o resto do time. Mas Kobe não se intimidou com as piadas de Iverson que se tornaram uma competição de xingamentos na quadra. Ele o silenciou convertendo 31 pontos com oito rebotes em nossa vitória de 98-89.

Isso era apenas o começo. O jogo 3 na Filadélfia transformou-se em briga de rua, mas, dessa vez, Shaq e Fish saíram por faltas com pouco mais de dois minutos para terminar, deixando os Lakers com uma vantagem de 2. Sem problema. Nesses minutos finais, Kobe e Fox estriparam os Sixers enquanto Horry saía do nada para cravar nossa vitória com um dos seus famosos arremessos de três pontos e quatro lances livres.

– Os 76ers têm coração? E daí? – disse Shaw. – Você pode ter coração e perder. E nós jogamos feridos e com coração.

Nós voamos no resto da série. Ganhamos o jogo 4 com "toda a garra de Shaquille O'Neal", como bem colocou Iverson. E dois dias depois conquistamos o título com um jogo chamado por alguns de obra de arte. Como em muitas outras ocasiões, Horry resumiu o momento perfeitamente:

– É o encerramento. – Ele se referia à temporada difícil. – Enfim, muita confusão, muitos problemas. E depois muita gente dizendo que não faríamos isso e aquilo. É o encerramento. Isso coloca a fervura abaixo.

Fiquei aliviado quando finalmente aquela temporada louca terminou. Mas agora reflito e me dou conta de que naquele ano aprendi uma importante lição sobre como fazer dos conflitos uma cura. De acordo com Gandhi: "O sofrimento suportado com ânimo transmuta-o em inefável alegria." Se tivéssemos reprimido os conflitos, impedindo-os de purgar naturalmente, talvez aquele time de jovens em amadurecimento não tivesse se unido como se uniu depois. Sem a dor, os Lakers não teriam descoberto a própria alma.

17
UM-DOIS-TRÊS-LAKERS!

Ser acreditado é um cumprimento maior do que ser amado.
GEORGE MACDONALD

No início da temporada de 2001-02, Rick Fox me confidenciou que não estava mais se sentindo "ligado" e que isso o estava enlouquecendo. Ele não se referia às drogas e sim à euforia espiritual sentida em nossa segunda campanha na conquista do campeonato. Rick era de uma família pentecostal das Bahamas e entendeu quando me referi ao basquete como um jogo espiritual. Ele então comentou que o que tinha sentido quando o time estava jogando com uma única mente era mais intenso do que qualquer outra coisa que já tinha sentido. E que de repente esse sentimento se dissipara como um sonho e que tudo que ele queria era recuperá-lo.

Entendi o que Rick quis dizer. Já tinha experimentado isso. O que descrevia às vezes é chamado de "vício espiritual" – um sentimento de conexão tão poderoso e tão jubiloso que desperta o desejo de que nunca acabe. O problema é que quanto mais se tenta retê-lo, mais esse sentimento se evade. Então, expliquei para Rick que aquela experiência profunda na temporada anterior era apenas um momento no tempo e que a tentativa de recuperá-la era uma batalha perdida porque tudo se transformara, incluindo ele próprio. Às vezes o basquete se torna uma jornada feliz, como o tinha sido o final de 2000-01 para nós, e outras vezes se torna um trabalho longo e árduo. Mas o jogo assume uma beleza própria quando se encara cada temporada como uma aventura.

Eu sabia desde o primeiro dia que 2001-02 não seria fácil. Os tricampeonatos nunca o são. A boa notícia era que Kobe e Shaq estavam unidos. Já não se espicaçavam com farpas e muitas vezes riam juntos nos treinos e após os jogos. Durante uma viagem de jogos fora de casa até Filadélfia, Shaq e outros jogadores participaram de uma cerimônia para aposentar a camisa de jogo de Kobe na Lower Merion High School e, no final, Shaq e Kobe se abraçaram no palco.

Mas nem todas as mudanças eram bem-vindas, a equipe estava de novo em processo de volatilidade. Geralmente o plantel dos Lakers era muito mais volátil do que o dos Bulls anterior. No escritório de Jeanie uma foto estampava o grupo de jogadores que participaram dos três campeonatos na minha primeira série como técnico dos Lakers. O quadro apresenta apenas sete jogadores: O'Neal, Bryant, Horry, Fox, Fisher, Shaw e Devean George. O resto da lista era preenchido por uma constante rotação de atletas, alguns que desempenharam papéis importantes, outros que nunca se adaptaram ao nicho. Essa dança das cadeiras dificultou o estreitamento do sentido de unidade da equipe de uma temporada para outra.

No período de entressafra perdemos os dois últimos ex-Bulls da equipe: Ron Harper, para uma longa e adiada aposentadoria, e Horace Grant, para o Orlando Magic. Foram substituídos por dois sólidos atletas: Mitch Richmond, seis vezes armador no Time das Estrelas, e Samaki Walker, um ala de força promissor do San Antonio Spurs. Mas era impossível substituir a experiência de uma campanha vitoriosa e a estabilidade que Ron e Horace imprimiam à equipe.

Se a segunda temporada me pareceu uma novela, por vezes a terceira me pareceu uma reminiscência de *Oblomov*, um romance russo sobre um jovem sem força de vontade que passa a maior parte do tempo deitado na cama. O maior problema era o tédio. Isso é recorrente em muitas equipes ao longo da competição, mas estava mais pronunciado nos Lakers. O sucesso chegara com tanta rapidez que os jogadores acreditavam que poderiam virar a chave quando bem entendessem para subir automaticamente para outro nível – tal como tinham feito no ano anterior.

Rick Fox apresentava uma teoria interessante para o que estava acontecendo. Ele dizia que os egos estavam tão inflados no início da temporada que os jogadores acreditavam que sabiam mais do que os técnicos sobre o que era necessário fazer para ganhar outro anel. Como Rick dizia: "No primeiro ano seguimos tudo às cegas. No segundo ano contribuímos com alegria. E no terceiro ano já queríamos conduzir o navio." Depois de lembrar que nesse terceiro ano ocorreram muito mais controvérsias em torno das tomadas de decisão dos técnicos, ele acrescenta: "Eu não chamaria isso de anarquia, mas era visível que muitas ações e opiniões dos jogadores eram tentativas de descobrir um jeito de contornar o triângulo." E como resultado, ele conclui, a equipe quase sempre estava fora de sincronia.

Isso não me surpreendia. Já tinha visto o mesmo com os Bulls na primeira série do tricampeonato. Até onde me dizia respeito, os Lakers estavam amadurecendo, um resultado inevitável do nosso esforço para capacitá-los a pensar por conta própria e se tornar independentes da comissão técnica na solução dos problemas. Sempre acolhi o debate com simpatia, mesmo quando isso interrompia temporariamente a harmonia da equipe porque era uma demonstração de que todos estavam empenhados em resolver os problemas. O grande perigo era quando uma massa crítica de jogadores descartava o princípio do desprendimento que edificava a equipe. A isso se seguia o caos.

Geralmente as equipes campeãs cometem o erro de tentar repetir a fórmula vencedora. Mas isso raramente funciona porque na temporada seguinte os adversários já estudaram todos os vídeos e já descobriram como combater as jogadas do time vencedor. A chave para a manutenção do sucesso é continuar evoluindo como equipe. Ganhar tem a ver com a busca do desconhecido e a criação do novo. Em uma cena do primeiro filme de Indiana Jones alguém pergunta o que Indy fará a seguir: "Não faço ideia, invento isso enquanto avanço", ele responde. É assim que concebo a liderança: uma improvisação controlada, um exercício dedilhado a Thelonious Monk de um momento para outro.

No entanto, a complacência e os egos inflados não eram os únicos problemas da equipe.

A maior preocupação era a saúde de Shaq. Antes das férias prometeu que retomaria o peso de 132 quilos. E em vez disso apresentou-se com mais de 150 quilos, recuperando-se de uma cirurgia no dedo mindinho esquerdo e com problemas sérios nos dedões dos pés.

Eu precisava de uma forma mais eficiente de me comunicar com Shaq e os outros jogadores. Felizmente, desde o início me entendi com Shaq sem muitas bobagens. Se bem que às vezes eu era muito direto, como aconteceu antes do segundo jogo das finais em 2001. Falei que ele podia partir para cima de Allen Iverson com destemor quando se dirigisse à cesta. Shaq achou que isso era uma insinuação de que estava com medo de Iverson e antes do início do jogo acabou se esquecendo de conduzir o canto de guerra do time – um-dois-três-Lakers! Mas nem por isso deixou de dar oito tocos naquela noite, neutralizando a ameaça de Iverson. Em outras ocasiões procurava motivá-lo indiretamente através da mídia. Em meio ao marasmo do time na metade da temporada 2000-01 o instiguei a ser mais agitado, declarando aos repórteres que os únicos jogadores que estavam fazendo de tudo eram Kobe e Fox. Shaq se ressentiu da alfinetada, mas logo se mostrou bem mais agressivo na quadra.

Shaq devotava um enorme respeito pela figura da autoridade masculina, já que tinha sido criado assim pelo padrasto Phil, um militar de carreira a quem chamava de "Sarge". Por isso mesmo, ele se referia a mim como "pai branco" no meu primeiro ano com a equipe. Já estava tão habituado a respeitar a autoridade que muitas vezes recorria a outros para me dizer que não queria fazer alguma coisa. Foi nessa primeira temporada que lhe pedi para jogar 48 minutos e não os seus típicos quarenta. Ele cumpriu isso à risca em diversos jogos nas duas semanas seguintes, e depois decidiu que precisava de mais descanso. Em vez de me dizer isso pessoalmente, escolheu John Salley como mensageiro. Em outra ocasião ele pediu a um dos assistentes técnicos para me dizer que não treinaria naquele dia. Perguntei por quê, e o assistente técnico disse que Shaq estava em treinamento para se tornar policial e que cruzara a cidade a noite toda em busca de carros da lista de veículos roubados do Departamento de Polícia de L.A. No fundo o grandalhão sonhava em ser um Clark Kent na vida real.

A comissão técnica dos Lakers o chamava de "Choramingão". Isso porque ficava mal-humorado quando estava às voltas com lesões ou decepcionado com o próprio jogo. E ele descontava grande parte da frustração em cima de mim. Eu o havia multado logo no início da temporada de 2001-02 porque tinha solicitado um dia de folga para o nascimento da filha e estendeu para dois por conta própria. Em resposta, disse aos repórteres:

– Aquele filho da puta sabe o que pode fazer com a multa.

Porém, no jogo seguinte contra o Houston, ele converteu 30 pontos com 13 rebotes.

Em outra ocasião a arrogância da imprensa me incomodou muito menos do que o ataque pessoal de Shaq a um companheiro de equipe. Isso aconteceu em um dos jogos contra o San Antonio Spurs nas finais de 2003. Shaq ficou furioso com um erro de Devean George no final da partida que permitiu a Malik Rose pegar o rebote ofensivo para acertar o arremesso da vitória. Após o jogo, Shaq partiu para cima de Devean no vestiário, mas Brian Shaw o deteve a tempo.

Brian era o narrador da verdade da equipe. Fazia uma boa leitura da espinhosa dinâmica interpessoal da equipe, e o encorajei a dizer o que tinha em mente.

– Minha mãe sempre dizia que um dia o tamanho de minha boca me colocaria em apuros porque eu sempre apontava as coisas que não estavam bem – ele disse. – Eu achava que, se dissesse a verdade, tudo ficaria bem. Não se pode ficar bravo com a verdade.

Shaq investiu contra Devean, e Brian então disse aos gritos:

– Se você tivesse usado essa energia para bloquear dentro do garrafão, você mesmo teria pegado o rebote e talvez tivéssemos vencido o jogo. Então, em vez de descontar em Devean, por que não assume a responsabilidade pelo que não fez?

Shaq logo deixou Devean de lado e partiu para cima de Brian, que embora tenha tentado derrubar o grandalhão acabou sendo arrastado pelo vestiário até que seus joelhos sangraram e os outros jogadores interferiram.

– Shaq ficou com raiva de mim porque feri os sentimentos dele – comentou Brian. – Mas alguns dias depois ele me disse: "Sabe, cara, você estava certo. Foi mal. Eu não devia ter me descontrolado daquele jeito."

Naquela temporada, Kobe também fez uma transição difícil. Ele tinha se desentendido com a família na última primavera porque queria se casar com Vanessa Laine, uma garota de 18 anos recém-saída do ensino médio. Joe e Pam, os pais de Kobe, moravam na casa dele em Brentwood e argumentaram que o filho ainda era muito jovem para se casar. Mas Kobe estava ansioso para começar uma vida nova.

– Faço tudo ainda jovem – ele disse aos repórteres.

Joe e Pam que eram assíduos nos jogos dos Lakers retornaram à Filadélfia e não assistiram às finais do campeonato que naquele ano ocorreu na cidade natal da família. Só dois anos depois é que Kobe e os pais se reconciliaram. Nesse meio-tempo ele e Vanessa se mudaram para uma casa nova, a um quarteirão da casa da mãe dela em Newport Beach, e tiveram a primeira filha, Natalia.

Na pressa de fazer carreira na NBA, Kobe deixara de lado a faculdade e as dores que acompanham o crescimento de quem está recentemente no mundo. Só depois de romper com os pais é que se posicionou como adulto e às vezes de maneiras surpreendentes. Ele que sempre evitava confrontos com outros jogadores tornou-se agressivo na temporada de 2001-02. Certa vez começou a discutir com Samaki Walker durante uma viagem de ônibus com a equipe e, de repente, deu uma bofetada no companheiro.

– Foi bom provar a intensidade disso – disse Samaki, escarnecendo da bofetada.

Mais tarde, durante um jogo no Staples Center, Kobe reagiu com violência à provocação de Reggie Miller, que exibia o punho e o perseguiu ao redor da quadra até colidir com a mesa do apontador. Kobe foi suspenso por dois jogos.

O que me preocupava é que a raiva reprimida de Kobe poderia levá-lo a fazer alguma coisa da qual pudesse se arrepender mais tarde. Mas Brian que se tornara confidente e mentor de Kobe argumentou que tais confrontos eram sinais de que o companheiro estava "desabrochando para a idade adulta e estabelecendo prioridades". Brian acompanhou as dores do crescimento de Kobe, que naquele ano tinha sido promovido por mim a cocapitão. Eis o que diz agora: "Era visível que Kobe estava amadurecendo, tornando-se um bom companheiro de time e um de nós. Em certos momentos ainda perdia a cabeça e dizia bobagens, mas geralmente se sentia autoconfiante e muito mais confortável na própria pele."

* * *

O improviso acabou sendo o único jeito de atravessar a temporada de 2001-02. Nenhum episódio seguiu os padrões anteriores. Decolamos com 16 vitórias e uma derrota, o melhor começo na história da franquia, e a mídia começou a cochichar que poderíamos quebrar o recorde dos Bulls de 72 vitórias e 10 derrotas em uma temporada. Isso não durou muito. Em dezembro afundamos em uma letargia intrigante que persistiu até meados de fevereiro. Já tínhamos passado pelos adversários mais difíceis, mas com seis derrotas para equipes que estavam nas últimas posições da competição, incluindo duas vezes para os Bulls em plena fase de reconstrução. Depois disso, nivelamos ligeiramente, mas não fomos capazes de ligar o ilusório interruptor alardeado por todos.

Eu sabia que a equipe era capaz de jogar um basquete melhor. O truque era tentar manter o corpo, a mente e o espírito interligados até as finais. Uma de minhas grandes frustrações era não saber como tirar um bom proveito de Mitch Richmond. Mitch era um cestinha fantástico com uma média de 22,1 pontos no começo da temporada, mas que estava com dificuldade para se adaptar ao triângulo ofensivo. E ele não gostava de entrar na quadra e voltar para o banco porque precisava de muito tempo para aquecer as pernas. Felizmente, Shaw preencheu a lacuna de Mitch como terceiro armador no final da temporada. Não tínhamos um banco forte e dependíamos dos titulares para jogar alguns minutos mais, de modo que as rachaduras começaram a aparecer. Foi quando resolvi poupar os titulares na reta final para que não se desgastassem muito cedo. E como resultado entramos nas finais da Conferência Oeste empatados no segundo lugar e ainda em busca do nosso amuleto *mojo*.

Varremos o Portland na primeira série, mas sem impressionar. Foi somente quando perdemos em casa para os Spurs no segundo jogo das semifinais da Conferência Oeste, empatando a série em 1-1, que acordamos e começamos a jogar como campeões.

Shaq estava sofrendo. E, para piorar o problema dos dedões, cortou o dedo indicador da mão de arremesso no jogo 1 e torceu o tornozelo esquerdo no jogo 2. Mesmo assim, precisava ser mais agressivo e falei isso para ele. Antes do jogo 3 em San Antonio, os repórteres me questionaram sobre ele e respondi:

— Já tive uma conversa acalorada com Shaq e o alertei para se envolver ativamente no encalço da bola... Ele se referiu basicamente ao dedo do pé [lesionado].

Naquela semana, Shaq evitou os meios de comunicação, mas um repórter insistiu e então se pronunciou:

— Pergunte ao Phil, ele é que sabe das outras merdas.

Mas Shaq acabou jogando como era esperado. Apesar do corte no dedo e dos pés machucados, fez 22 pontos e pegou 15 rebotes. E ainda ajudou a conter Tim Duncan que era a maior ameaça dos Spurs e que errou 17 arremessos de 26 tentativas de quadra.

Shaq se recompôs, mas o momento foi de Kobe. Os Lakers estavam à frente em 81-80 com seis minutos e 28 segundos para terminar quando Kobe converteu 7 pontos em uma arrancada final de 11-2, e selando a vitória. Após o jogo ele parecia que tinha saído de um workshop de meditação.

— Eu estava mais centrado e mais concentrado em tudo ao redor — disse. — Quando você fica muito envolvido emocionalmente com o jogo, se esquece dos pequenos detalhes. Você tem que sair do círculo.

Esse jogo me mostrou que o time poderia ficar bem melhor no quarto período. No jogo 4, estávamos atrás por 10 pontos com quatro minutos e 55 segundos para terminar quando Kobe renasceu, acertando dois arremessos de três pontos e, depois, pegando um rebote seguido de uma cesta nos últimos cinco segundos e 10 décimos para colocar o jogo a nosso favor em 87-85. Duas noites depois construímos uma vantagem de 10-4 nos minutos finais e vencemos a série em 4-1. Finalmente, a equipe estava encontrando a própria identidade no encerramento das grandes partidas, o que não se daria com rapidez.

Os torcedores do Sacramento — casa dos nossos adversários na final da Conferência Oeste — odiavam os Lakers. Isso porque alguns anos antes eu tinha feito uma piada com a capital do estado dizendo que era uma cidade de vacas semicivilizadas. Os torcedores se vingaram de mim batendo chocalhos, gritando obscenidades e empregando outras táticas diversionistas atrás do nosso banco. Claro que a isso se somava o fato de que tínhamos eliminado os Kings nas finais dos últimos dois anos.

Mas dessa vez aqueles torcedores tinham motivos para ser otimistas. Seus garotos tinham terminado a temporada com a melhor campanha da liga (61 vitórias e 21 derrotas) e também estavam com a vantagem de decidir em casa nas finais. Os Kings possuíam os melhores arremessadores já vistos. Além de Chris Webber, ala de força do Time das Estrelas, o time apresentava uma formação equilibrada de arremessadores que podiam ser letais em todas as partes da quadra, entre eles Vlade Divac, Predrag Stojakovic, Doug Christie e Hedo Turkoglu, e ainda o novo e veloz armador Mike Bibby, que era destemido ao penetrar nas defesas e decisivo nos arremessos.

Vencemos o primeiro jogo em Sacramento, estabelecendo um recorde de vitórias consecutivas fora de casa nas finais (12). Mas no jogo 2 os Kings contra-atacaram, aproveitando-se de Kobe, que se recuperava de uma intoxicação alimentar. A grande surpresa se deu com a fácil vitória dos Kings no jogo 3, liderada por Bibby e Webber, que somaram 50 pontos.

– Bem, agora já não estamos mais entediados – disse um imperturbável Kobe em tom de brincadeira para os repórteres após o jogo.

O arremesso milagroso ocorreu no jogo 4. No primeiro tempo o jogo parecia sombrio, os Lakers estavam 20 pontos atrás e não se movimentavam no ataque. Mas no segundo tempo o time mudou o ritmo, reduzindo a velocidade ofensiva do adversário e aproximando-se no placar. Com 11 segundos para o fim estreitamos a vantagem do adversário para dois. Kobe tentou uma cesta e errou. Shaq pulou para um rebote e também errou. Vlade Divac, pivô dos Kings, rebateu uma bola que acabou nas mãos de Robert Horry, que estava sozinho e atrás da linha de três pontos. Como se tudo estivesse roteirizado, ele equilibrou-se, arremessou e assistiu enquanto a campainha soava e a bola entrava na cesta com perfeição. Lakers 100, Kings 99.

Era a vindima de Robert Horry, aquele tipo de arremesso sonhado por todos os meninos. Mas ainda tínhamos um longo caminho a percorrer antes de silenciar os chocalhos. Os Kings voltaram a rugir e ganharam o jogo 5 em casa, colocando-se à frente em 3-2 na série de sete jogos. Mas os Lakers não entraram em pânico. Às 2:30 da madrugada do jogo 6, Kobe telefonou para Shaq, seu novo e melhor amigo:

– Amigão, amanhã preciso de você. Vamos fazer história. – Claro que Shaq ainda estava acordado e matutava sobre o próximo jogo, e os dois então incentivaram um ao outro. – Enfrentar uma eliminação não é nada para nós. – Mais tarde, Kobe disse aos repórteres: – Ele estava sentindo o mesmo que eu.

Shaq estava incontrolável naquela noite. Converteu 41 pontos com 17 rebotes e dominou completamente a quadra. Todos os Kings partiam com tudo para cima dele, de modo que Divac e Scot Pollard nos minutos finais saíram por faltas, e a eles só restou o pivô reserva Lawrence Funderburke, que se mostrou impotente contra a movimentação de Shaq pela quadra.

– Para me deter, só com falta... ponto – disse Shaq depois. Kobe também estava inflamado e fez 31 pontos, incluindo quatro lances livres críticos nos segundos finais que cravaram a vitória em 106-100.

No domingo seguinte, um comitê de boas-vindas dos torcedores dos Kings exibiu as nádegas quando nosso ônibus chegou ao Arco Arena para o jogo 7. Os jogadores riram. Se nada mais se extraiu disso, pelo menos a brincadeira descontraiu a tensão de uma disputa que poderia ser a mais difícil de todas. Os Lakers eram excelentes na quadra dos adversários, mas um sétimo jogo na quadra do adversário é sempre um teste letalmente desafiador. Eu já tinha tido essa mesma experiência como jogador em 1973, quando batemos os Celtics no sétimo jogo em Boston e encerramos as finais da Conferência Leste. Foi um dos mais enervantes – e emocionantes – momentos de minha carreira.

Os Lakers estavam notavelmente tranquilos. Naquele mesmo dia tínhamos meditado mais cedo no hotel e me senti agradavelmente surpreso quando entrei no quarto e encontrei todos sentados e prontos para a meditação. Ficamos sentados em silêncio em meio a uma atmosfera de união que preparava os jogadores mentalmente para o confronto à frente. Eles tinham passado por muitas coisas juntos e sabiam por instinto que a conexão entre todos é a força que dissipa a ansiedade quando se está sob pressão durante um jogo.

Eles estavam certos. Aquilo não era apenas um jogo de basquete e sim uma extenuante maratona que se prolongou por mais de três horas. Mas no final a compostura coletiva dos Lakers ganhou o dia. A liderança mudou de lado 17 vezes e o jogo se estendeu até a prorrogação, durante a qual Bibby converteu dois lances livres para empatar o placar em 100 e Shaq perdeu um arremesso de curta distância no soar da campainha. Foi uma prova brutal de vontades e, como disse Fish para Bill Plaschke, tivemos que cavar "bem mais fundo como nunca".

Fiquei mais animado que o habitual porque queria manter os jogadores concentrados. Kobe chegou a dizer que os Kings estavam jogando um basquete melhor do que o nosso, mas os Lakers eram mais obstinados na disputa e isso valeu a pena nos minutos finais da partida. Fox quebrou o seu recorde das finais com 14 rebotes e Horry pegou outros 12. Os Kings pareciam visivelmente abalados. Eles, que geralmente eram tranquilos e frios, erraram 14 de 30 lances livres enquanto erramos apenas seis de 33. E nos dois últimos minutos da prorrogação desperdiçaram uma vantagem de 2 pontos ao errarem cinco arremessos seguidos e cometerem duas perdas de bola.

O encerramento acabou sendo um esforço coletivo. Shaq converteu um arremesso curto e depois acertou dois lances livres, e Fish e Kobe acertaram dois arremessos da linha do lance livre cada um para deixar o jogo fora de alcance. No fim os jogadores estavam tão exauridos que mal puderam comemorar, mas não estavam surpresos com o resultado.

– Faz cinco anos que estamos jogando juntos – disse Horry. – Se não estivéssemos entrosados, alguma coisa estaria errada.

Shaq, que tinha jogado um extenuante tempo de 51 minutos, parecia menos dinâmico do que o habitual após o jogo. Mas, quando nosso ônibus saiu do estacionamento, uma multidão de torcedores do Sacramento lançou xingamentos em nossa direção e ele então abaixou as calças para um afeiçoado adeus ao estilo Sacramento. Um dos nossos atletas referiu-se a isso como "a lua cheia".

Na minha cabeça, esse era o jogo do título, mas ainda tínhamos que atravessar a final do campeonato. Enfrentaríamos o New Jersey Nets, que tinha um dos melhores armadores do basquete, Jason Kidd, e um impressionante ala de força, Kenyon Martin, mas não tinha uma solução para Shaq. Eles colocaram o estreante Jason Collins para contê-lo, mas Shaq passou por cima do oponente com uma média de 36 pontos rumo ao seu terceiro prêmio de Melhor Jogador da Temporada. Varremos os Nets montados nos ombros de Shaq e nos tornamos o primeiro time dos Lakers a conquistar três anéis consecutivos desde que o clube saíra de Minneapolis no início da década de 1960. E agora já podíamos nos chamar com legitimidade de dinastia.

Com esta vitória, empatei com o recorde de Red Auerbach no total de títulos conquistados no campeonato: nove. A mídia fez um escarcéu em torno do assunto, sobretudo depois que Auerbach declarou que era difícil me considerar um grande técnico porque eu nunca tinha construído uma equipe ou treinado atletas jovens. Dediquei a vitória ao meu mentor Red Holzman, que se ainda estivesse vivo certamente estaria emocionado se me visse empatar com seu arquirrival.

Mas o mais importante para mim era o que tinha acontecido com a equipe. Pensei que poderíamos realizar grandes coisas quando comecei com os Lakers, caso os jogadores confiassem uns nos outros e se comprometessem com algo maior do que eles mesmos. Mas não sei se teria apostado dinheiro em nossa chance de fazer história quando chegamos à metade dessa temporada longa e dura, e nos vimos constrangidos pelo Memphis Grizzlies. Contudo, na hora da decisão, quando realmente importava, os jogadores se empenharam a fundo e se tornaram uma equipe baseada na confiança.

Surpreendentemente, Kobe Bryant acabou sendo o jogador que melhor entendeu isso. Algum tempo antes teria zombado da ideia, mas cresceu, e a equipe cresceu junto com ele.

– Travamos tantas batalhas juntos que a confiança cresceu naturalmente. Quanto mais guerras você luta junto com os seus companheiros, mais entende que estão no mesmo campo de batalha – ele disse.

Uma respiração. Uma mente. Um espírito.

18
A SABEDORIA DA RAIVA

Agarrar-se à raiva é como agarrar um carvão quente com o intuito de jogá-lo em outra pessoa; você é o único que se queima.
BUDA

Era para ser um verão tranquilo. Eu estava feliz por ter deixado a temporada de 2002-03 para trás enquanto atravessava as Montanhas Rochosas de moto no final de junho. O ano tinha sido difícil e marcado por muitas lesões – no dedão do pé de Shaq, no joelho de Kobe e no pé de Rick Fox. O time chegara mancando às finais e quase não sobrevivera à esgotante primeira série contra os Timberwolves. Em relação a mim, o clímax dos problemas de saúde ocorreu durante a semifinal contra o San Antonio Spurs. Foi quando soube que uma de minhas artérias coronárias estava bloqueada em 90% e que me fariam uma angioplastia de emergência. Um procedimento cardíaco com um final mais feliz do que a disputa com os Spurs. Pela primeira vez nos meus quatro anos com os Lakers não chegamos às finais da Conferência Oeste e perdemos a chance de conquistar outro anel.

Claro que me determinei a deixar essa temporada para trás. Fazia alguns anos que não me sentia tão bem como depois daquela cirurgia, e enquanto atravessava as montanhas refletia sobre o capítulo seguinte. Nós havíamos perdido Robert Horry para os Spurs depois da temporada, mas tínhamos adquirido Gary Payton e Karl Malone, um futuro integrante do Hall da Fama. Como quintessência do ala de força, Malone podia fazer mais de 20 pontos e pegar oito ou 10 rebotes por jogo, e ocupava grande parte do garrafão com o seu considerável tamanho. Payton não era apenas um dos melhores armadores da liga, mas também tenaz na defesa (seu apelido era "a Luva") e uma esperança para arrefecer o ritmo das traquinagens de alguns armadores da liga. O que de certa forma me preocupava era como engrenar esses grandes talentos com Shaq e Kobe sem ferir os egos. De todo modo, isso era um problema positivo e me deixava animado.

Fiquei perambulando na moto BMW ao longo de L.A. e Arizona por um bom tempo, e depois subi ao Four Corners até Durango, Colorado, onde encontrei um amigo e um primo. Depois de atravessar a estonteante passagem da montanha até Ouray, a próxima parada seria Eagle, Colorado, uma cidadezinha nos arredores de Vail. Eu pegaria um amigo dos tempos de ensino médio e juntos seguiríamos para um quadragésimo reencontro de escola em Williston, Dakota do Norte. A essa altura nem me passava pela cabeça que alguns dias depois as manchetes de Eagle me envolveriam em um pesadelo de dor e desinformação.

Nós dois já tínhamos cruzado Deadwood, Dakota do Sul, e acabávamos de chegar a um motel de minha cidade Williston quando recebi o telefonema.

Era uma chamada de Mitch Kupchak para me alertar que Kobe acabara de ser preso em Eagle por suposta agressão sexual. Sem comunicar para mim ou para qualquer outro membro de nossa equipe, ele programara uma cirurgia no joelho com um especialista de Vail. Pelo que fiquei sabendo, na noite que antecedeu a cirurgia, Kobe levara uma mulher de 19 anos ao seu quarto de hotel, próximo a Edwards, para um sexo "consensual". No dia seguinte, a mulher queixou-se na polícia de um estupro violento.

Observando o desenrolar da trama ao longo das semanas seguintes, era difícil avaliar o que realmente tinha acontecido. Eu não acreditava que Kobe havia cometido um estupro, e, na melhor das hipóteses, a evidência parecia superficial. No dia 18 de julho o acusaram formalmente e ele concedeu uma entrevista coletiva com sua esposa Vanessa. Negou veementemente o estupro, mas admitiu chorando que tinha praticado o adultério com a tal mulher.

Ao ouvir a notícia, tentei me comunicar com ele para me solidarizar, mas sem êxito. Era um peso enorme para um jovem que acabara de completar 24 anos e que sempre se gabava com os companheiros que planejava ser monogâmico pelo resto da vida. Ele estava sendo acusado de um crime que poderia colocá-lo atrás das grades por alguns anos. E o pior é que Kobe era meticuloso em relação à sua imagem pública e, da noite para o dia, transformara-se em assunto para os tabloides e as piadinhas dos comediantes de fim de noite.

No que me dizia respeito, o incidente abria uma velha ferida ainda não de todo curada. Fazia alguns anos que minha filha Brooke tinha sido vítima de um abuso durante um encontro com um atleta da faculdade onde estudava. Mas fiquei indeciso e sem saber claramente como reagir. Brooke esperava que eu ficasse com raiva e a fizesse se sentir protegida, mas em vez disso acabei reprimindo a raiva – como fora condicionado a fazer quando pequeno. Na verdade, não havia muito a ser feito, o caso estava nas mãos da polícia, e uma intromissão provavelmente seria ruim e não boa. Enfim, enterrei a raiva e aparentei serenidade. Isso não apenas não trouxe qualquer conforto a Brooke, mas também a fez se sentir vulnerável. (Tanto é que, depois de ter registrado a ocorrência na polícia, ela optou por retirar a queixa.)

O incidente com Kobe detonou uma velha raiva ainda não processada e contaminou minha percepção sobre ele. Confidenciei o embate emocional para Jeanie, e ela me surpreendeu com uma visão pragmática sobre a situação de Kobe. Argumentou que se tratava de uma batalha legal e que ele era um dos nossos atletas e uma estrela, ou seja, teríamos que apoiá-lo o máximo possível e ajudá-lo a vencer a batalha.

Mas o caminho a seguir ainda não estava claro para mim. Embora soubesse que tinha a responsabilidade profissional de ajudá-lo a atravessar aquela provação, me era difícil reprimir a raiva por conta do ocorrido com Brooke.

Minha luta interna para chegar a um acordo com a raiva me fez lembrar de uma antiga história zen: Certa noite chuvosa dois monges caminhavam de volta para o mosteiro e de repente avistaram uma bela mulher que não estava conseguindo atravessar as poças da estrada. O monge mais velho ofereceu ajuda e a carregou até a beira da estrada.

Mais tarde, naquela mesma noite, o monge mais jovem aproximou-se do outro monge e disse:

– Senhor, nós somos monges e não devemos tocar nas mulheres.

– Sim, irmão – disse o monge mais velho.

– Então, por que o senhor carregou aquela mulher até a beira da estrada?

O monge mais velho sorriu e respondeu:

– Eu a carreguei até a beira da estrada, mas você ainda a está carregando.

Fui então o monge mais jovem que com uma ideia fixa na cabeça acabou distorcendo a percepção a respeito de Kobe na temporada 2003-04. Fiz de tudo para dissipá-la, mas a raiva se manteve latente. Infelizmente, isso deu o tom para grande parte da estranheza que se seguiu.

Claro, o suposto crime de Kobe e minha reação a isso não foram os únicos fatores em jogo naquele ano, pois, quando retornei a L.A. em setembro, uma tremenda tormenta eclodiu na equipe. Teríamos que lidar com as questões legais de Kobe, e ele por sua vez teria passe livre no final da temporada. Isso obrigaria Buss a tomar algumas decisões difíceis sobre o futuro da organização. Os primeiros sinais indicavam que Kobe queria se transferir para uma equipe onde pudesse ser o atleta principal sem ter que competir com Shaq por essa honra. A equipe aparentemente mais interessada na negociação era o nosso adversário local, os Clippers. No início da temporada Kobe tinha feito uma tentativa desajeitada para discutir seu futuro com Mike Dunleavy, o técnico dos Clippers – uma violação das regras da NBA. Mas ainda bem que Mike não deixou que a conversa se estendesse muito.

Por outro lado, Shaq não estava lá cheio de amores. Chegou ao centro de treinamento e pediu 60 milhões de dólares por dois anos de contrato a ser terminado em 2006, um preço alto a pagar por uma estrela que começava a perder a forma. Dr. Buss, que sempre era generoso com Shaq, hesitou diante da proposta. E Shaq então agiu exatamente como Shaq. Fez uma enterrada espetacular durante um jogo de exibição contra o Golden State Warriors e gritou para o dr. Buss que estava sentado ao lado da quadra:

– E agora, vai me pagar?

Outro aspecto da tormenta era o meu contrato que expirava naquele ano. Encontrei-me com o dr. Buss antes do início da temporada para discutir as linhas gerais de um acordo e decidimos bater o martelo mais tarde em relação aos detalhes. No fundo, eu queria me afastar por um tempo do basquete para clarear a cabeça e me concentrar em outros interesses. A decisão dependeria em grande parte do resultado das negociações com Kobe e Shaq. Se os Lakers tivessem que fazer uma escolha entre as duas estrelas, eu optaria por manter Shaq porque seria mais fácil construir um time competitivo em torno dele. Mas, à medida que a temporada avançou, se tornou claro que o dr. Buss tinha outro ponto de vista.

Antes de iniciar o trabalho no centro de treinamento me encontrei com Kobe para avaliá-lo. Ele estava magro, cansado e com uma tensão nunca vista até então. Depois de assegurar que faria o possível para facilitar a estada dele ao longo da temporada, perguntei como estava se sentindo. Ele se fechou em copas porque sua maneira de lidar com o estresse era escapar para dentro de si. Mas ali pelo fim da conversa me olhou com ar determinado e disse que não queria mais aguentar a merda do Shaq.

Kobe estava falando sério. Depois de sua estreia bisonha em um jogo de exibição, Shaq o alfinetou dizendo que ele precisava modificar o jogo e confiar mais nos companheiros até que estivesse com as pernas fortalecidas. Kobe rebateu dizendo que Shaq devia se preocupar com a própria posição e não com a posição do armador. Mas Shaq não deixou isso de lado.

– É só perguntar para Karl e Gary por que vieram para cá. Por uma única pessoa. Não duas. Uma. Ponto. Mas ele está certo, se bem que não fiz referência alguma sobre a posição dele. O que eu disse é que ele devia jogar em equipe.

Shaq também disse que, se Kobe não gostava de que os outros tivessem opinião própria, ele é que saísse no ano seguinte porque "eu não vou a lugar nenhum".

Alguns dias depois, Kobe replicou em uma entrevista para Jim Gray na ESPN, fazendo uma crítica lancinante sobre a liderança de Shaq. Segundo Kobe, se o time era de Shaq, o próprio Shaq é que precisava dar o exemplo, o que significava não chegar ao centro de treinamento gordo e fora de forma e não culpar os outros pelas falhas do time.

– O time não é desse ou daquele apenas nas vitórias – continuou Kobe. – O time é de quem carrega o fardo nas derrotas com a mesma graça de quando ergue o troféu de campeão.

Ele acrescentou que, se decidisse deixar os Lakers no final da temporada, uma das razões seria "o egoísmo e a inveja infantis de Shaq".

Shaq ficou furioso e disse para Mitch Kupchak que arrebentaria a cara de Kobe na próxima vez que o visse. Foi quando Mitch e eu decidimos que no dia seguinte deixaríamos Shaq e Kobe separados no centro de treinamento para que nenhum dos dois fizesse alguma coisa estúpida. Fiquei encarregado de Shaq, e Mitch, de Kobe. Mais tarde, em conversa comigo, Kobe me revelou que o que realmente o irritava era o fato de que Shaq marcara a cirurgia no dedão do pé para pouco antes do início da temporada anterior. Para Kobe, isso acabara com nossas chances de ganhar um quarto anel. Era a primeira vez que ele mencionava isso.

Felizmente, as coisas acalmaram depois de uma última rodada de discussões acaloradas. Foi de grande ajuda o convívio com jogadores veteranos como Karl e Gary, que tinham pouca ou nenhuma paciência com esses ímpetos de superioridade juvenil. E tivemos outra ajuda com um começo brilhante de 19 vitórias e cinco derrotas. Infelizmente, um sucesso de curta duração. Em dezembro, Karl machucou o joelho direito durante um jogo em casa contra os Suns e ficou afastado por quase toda a temporada. Como não tínhamos um reserva à altura de Karl, atravessamos uma fase de mal-estar antes de nos recuperarmos no final da temporada.

Aparentemente, a estratégia de dar espaço para Kobe não estava funcionando. Quanto mais liberdade recebia, mais agressivo se mostrava. E descontava grande parte da raiva em mim. Se antes adotava uma postura sadomasoquista quando se recusava a fazer o que lhe pedia, agora adotava uma postura puramente sádica. Fazia comentários sarcásticos nos treinos e desafiava minha autoridade na frente dos outros jogadores.

Consultei um psicoterapeuta, que sugeriu que a melhor maneira de lidar com pessoas como Kobe era (1) esquecer as críticas e replicar apenas com comentários positivos, (2) não fazer nada que pudesse constrangê-lo na frente dos companheiros e (3) fazê-lo pensar que as instruções que recebia eram ideias dele. Coloquei em prática algumas sugestões, e isso ajudou um pouco. Mas Kobe estava no modo de sobrevivência barra-pesada e atacava por instinto quando a pressão era insuportável.

A certa altura me dei conta de que não havia muito a fazer para transformá-lo e que só poderia mudar as minhas reações aos acessos de raiva de Kobe. Foi uma importante lição para mim.

A tarefa mais difícil de qualquer técnico é administrar a raiva. Exige uma grande dose de paciência e gentileza porque a linha divisória entre a intensidade agressiva necessária às vitórias e a raiva destrutiva passa por cima do fio de uma navalha.

Em algumas tribos indígenas norte-americanas os anciãos identificavam os guerreiros mais raivosos e os ensinavam a transformar a energia selvagem e descontrolada em fonte de força e poder criativo. Geralmente esses bravos guerreiros tornavam-se os líderes tribais mais eficientes. Era o que eu procurava fazer com os jogadores mais jovens de minhas equipes.

A cultura ocidental tende a encarar a raiva como um desvio a ser eliminado. Foi assim que me educaram. Como cristãos devotos, os meus pais a concebiam como um pecado a ser dissipado, mas reprimi-la nunca funciona. Quanto mais se tenta reprimir a raiva, mais virulenta irrompe mais tarde. O melhor a fazer é conhecer a fundo os seus efeitos sobre o corpo e a mente, e transmutar a energia subjacente em algo produtivo. Como escreve o erudito budista Robert Thurman: "O objetivo é certamente conquistar a raiva e não destruir o fogo desbaratado. Ao exercer esse fogo com sabedoria, nós o transmutamos para fins criativos."

De fato, dois estudos recentes publicados no *Journal of Experimental Social Psychology* estabelecem uma ligação entre raiva e criatividade. Um dos estudos acentua a descoberta das pesquisas no sentido de que inicialmente a raiva aprimorava os debates dos participantes com um salto de criatividade. O outro estudo destaca a descoberta das pesquisas no sentido de que os indivíduos solicitados a extravasar a raiva produziam ideias mais criativas do que os envolvidos com a tristeza e os estados de inércia emocional. Conclusão: a raiva, além de gerar pensamentos mais flexíveis e mais amplos, é uma emoção que energiza e sustenta a continuidade da atenção necessária na resolução dos problemas.

Sem dúvida alguma a raiva concentra a mente. É um sistema de alerta que antecipa as ameaças contra o bem-estar. Sob esse ponto de vista, a raiva se converte em uma poderosa força que acarreta mudanças positivas. Mas apenas a prática – e não um pouco de coragem – torna-nos imunes aos sentimentos desconfortáveis.

Sempre me sento para meditar quando a raiva irrompe de dentro de mim. Simplesmente observo-a indo e vindo e indo e vindo. Aprendi paulatinamente ao longo do tempo que, quando se mantém a raiva, que geralmente se manifesta como ansiedade, resistindo ao reflexo condicionado para suprimi-la, a intensidade emocional se dissipa de modo a se poder ouvir a sabedoria que isso tem a transmitir.

Sentar-se junto com a raiva não significa ser passivo. Significa se tornar mais consciente e se familiarizar com a experiência interior, de modo a poder agir com mais consciência e compaixão no calor dos embates.

Embora não seja fácil, a conduta consciente é a chave para a construção das relações estreitas de confiança, especialmente quando se desempenha o papel de liderança. De acordo com a mestra de meditação budista Sylvia Boorstein: "A repressão da raiva gera uma rachadura nas relações impermeável aos sorrisos. É um segredo. É uma mentira. A resposta compassiva mantém as ligações vivas. Isso implica dizer a verdade. E dizer a verdade pode ser difícil, sobretudo quando a mente está conturbada pela raiva."

Fiz um trabalho incessante com minha raiva a partir da prisão de Kobe naquele ano que, por isso mesmo, se tornou meu professor titular. No final de janeiro ele apareceu no centro de treinamento com a mão enfaixada e anunciou que não jogaria naquela noite. Estava com 10 pontos no dedo indicador porque tinha enfiado a mão acidentalmente através de uma janela de vidro enquanto carregava caixas na garagem. Recomendei que corresse durante os treinos e ele assentiu, mas não fez. E quando perguntei por que havia assentido com uma mentira respondeu-me que tinha sido sarcástico.

Não achei nada engraçado. Que tipo de jogo adolescente aquele cara estava jogando? Fosse qual fosse, eu faria parte disso.

Após o treino comuniquei a Mitch Kupchak que precisávamos conversar sobre a negociação de Kobe antes do prazo de meados de fevereiro.

– Já não posso mais treiná-lo – justifiquei-me. – Kobe não escuta ninguém. Não consigo chegar a ele.

Foi um apelo inútil. Kobe era o prodígio do dr. Buss, e uma negociação era improvável, mesmo que colocasse em risco a chance de outro anel.

Com medo de que a jovem estrela se transferisse para outra equipe, o dr. Buss apareceu em Newport Beach alguns dias depois para convencê-lo a permanecer com os Lakers. Obviamente, não participei da reunião, mas logo depois estávamos no ônibus da equipe e Kobe disse para Derek Fisher:

– Seu homem não volta no próximo ano. – O tal "homem" era eu.

Fui pego totalmente de surpresa. Claro que o dr. Buss lhe passara informações a respeito da equipe – e do meu futuro – antes de me consultar. Foi um golpe duro, e Kobe parecia se divertir com isso. O rumo dos acontecimentos me fez questionar comigo mesmo se Kobe e o dr. Buss eram confiáveis.

Naquele mesmo dia, em conversa com Mitch ao telefone, disse-lhe que ele e o dr. Buss estavam cometendo um grande erro, pois se tivessem que escolher entre Shaq e Kobe era melhor continuar com Shaq porque Kobe se recusava a receber instruções.

– Pode levar isso para o dono – acrescentei.

Alguns dias depois meu agente me ligou e disse que os Lakers tinham suspendido a negociação do meu contrato. Os Lakers anunciaram a notícia em 11 de fevereiro e os repórteres então perguntaram a Kobe se minha partida afetaria os planos de passe livre dele.

– Não me importo – ele respondeu com frieza.

Shaq ficou aturdido. Ele não fazia ideia do por que Kobe me jogara debaixo do ônibus depois de tudo que passáramos juntos. Sugeri a ele que não agitasse ainda mais as situações. A última coisa de que o time precisava era outra batalha verbal entre os dois jogadores.

Jeanie estava convencida de que os Lakers realmente queriam me prejudicar e talvez estivesse certa. De qualquer forma, o anúncio me soou estranhamente libertador. Já poderia me concentrar no objetivo a ser atingido – ganhar o campeonato –, sem precisar me preocupar com o futuro. A sorte estava lançada.

Após o intervalo do Jogo das Estrelas, o All-Star Game, encontrei-me com Kobe para limpar o ambiente. Obviamente que a minha postura do *laissez-faire* com ele saiu pela culatra e surtiu um efeito negativo sobre a equipe. Kobe interpretara os meus esforços para lhe propiciar um espaço mais amplo com indiferença. Então, decidi que tomaria outro rumo e trabalharia mais ativamente com ele. O objetivo era ajudá-lo a se concentrar no basquete de maneira que isso se tornasse um refúgio, como tinha sido para Michael Jordan quando a mídia o perseguira pelos problemas com apostas em jogos.

Mas a equipe passava por um momento perigosamente frágil. Solicitei a Kobe que deixasse de fazer comentários dissidentes que confundiam os jogadores mais jovens e separavam ainda mais a equipe. A questão do meu contrato estava resolvida, acrescentei, e agora podíamos nos concentrar apenas naquela temporada sem nos preocuparmos com mais nada.

– Será que nós dois podemos resolver isso? – perguntei. Ele assentiu com a cabeça. Eu sabia que não era o fim do atrito entre nós, mas era um bom começo.

A questão do término do contrato de Kobe era uma nuvem negra que pairava sobre o time. Ninguém sabia de que lado ele estava. Para complicar, ele se mantinha distante do time de corpo e alma. E quando estava presente se isolava e às vezes retomava o velho hábito de tentar vencer os jogos por conta própria. Não se podia dizer que nos transformamos no "Dream Team IV" previsto no início da temporada pelos comentaristas esportivos.

Kobe não era o único problema. Gary Payton estava com dificuldade para se adaptar. Estava acostumado a ter a bola nas mãos a maior parte do tempo e agora a dividia com outros jogadores fominhas de bola. E com isso lutava para encontrar o próprio ritmo. Antes, como armador dos Sonics, sempre procurava a cesta com dribles em penetração e caía no pivô contra armadores mais baixos. E agora tinha que trabalhar dentro do triângulo ofensivo, o que o fazia se sentir sufocado na capacidade de expressar a criatividade. Além disso, ele tinha perdido um pouco do ímpeto no setor defensivo, o que inspirou uma ironia do colunista Mark Heisler, que disse que o apelido de Payton não era mais "a Luva" e sim "o Pegador de Panela".

Ainda assim, depois que Karl Malone retornou em março, o time ganhou 11 jogos seguidos. Foi quando dei mais tempo de jogo a Fish nos finais das partidas porque captava o sistema melhor do que Payton. E também encarreguei Kobe de comandar a ação na quadra.

Mas o abismo entre Kobe e o resto do time era evidente. Na última semana da temporada, Kobe, que nunca tinha sido tímido nos arremessos, fez apenas um arremesso no primeiro tempo de um jogo contra o Sacramento, permitindo que os Kings assumissem a liderança em 19 pontos e vencessem com folga. A mídia concluiu que ele tinha intencionalmente entregado o jogo para tirar proveito na negociação com o dr. Buss. Ele declarou que só tinha feito o que os técnicos haviam mandado fazer – dividir a bola – e que os outros não fizeram isso. Um jogador que se manteve anônimo disse para Tim Brown do *Los Angeles Times*:

"Não sei se poderemos perdoar-lhe."

Isso gerou uma cena feia no treino do dia seguinte. Kobe irrompeu no treino furioso e inquiriu cada jogador em particular na tentativa de descobrir quem tinha sido o responsável pela citação. Foi um episódio violentamente doloroso.

No início da temporada um escritor se referira ao Lakers como "a maior variedade de talentos já reunida em um único time". E agora chegávamos às finais da Conferência Oeste em segundo lugar e nos sentindo como se estivéssemos com as costuras rasgadas. As lesões se amontoavam. Malone estava com uma torção no tornozelo direito; Devean George, com um estiramento na panturrilha; Fish, com uma contratura muscular na virilha; e Fox, com o polegar direito deslocado.

Mas as lesões não eram o pior. A grande preocupação eram as distrações que não deixavam o time encontrar uma identidade própria. Como disse Fish: "Naquele ano era como se realmente nada pudesse ser resolvido. Cada vez que parecia que estávamos mais acomodados, nos entrosando melhor e jogando bem, acontecia alguma coisa que nos fazia retroceder. Talvez tenha sido a grande diferença dessa temporada.

Nunca chegávamos a um ponto em que nos sentíssemos confortáveis como time."

Foi somente quando ficamos atrás em 2-0 nas semifinais da Conferência Oeste contra o San Antonio Spurs que começamos a acordar. No jogo 3, no Staples Center, revertemos a fórmula para o padrão de vitória – com uma defesa ferrenha e alimentando Shaq no garrafão – e oprimimos os Spurs, 105-81. O jogo seguinte contou com um desempenho impressionante de Kobe que chegou de avião do seu julgamento no Colorado para fazer 42 pontos com seis rebotes e cinco assistências, liderando os Lakers na vitória de virada e empatando a série em 2-2. Após o jogo, Shaq referiu-se radiante a Kobe como "o melhor jogador de sempre" – até mesmo o comparando a Michael Jordan. Não era a primeira vez que Kobe levantava o time depois de fazer um voo de volta de uma de suas apresentações em juízo no Colorado. Mas dessa vez era mais inspirador. O basquete, ele próprio diz, era "como um psicólogo. Levava a mente para longe de muitas coisas. Muitas coisas".

O quinto jogo em San Antonio acabou sendo a própria magia. Estávamos à frente em 16 pontos no terceiro período, mas os Spurs reagiram e recuperaram a liderança nos minutos finais. Com 11 segundos para terminar, Kobe converteu um arremesso de longa distância que nos deu a vantagem de 72-71. Isso era para ter sido o final do jogo com cinco segundos restantes no cronômetro: um arremesso desequilibrado de Tim Duncan dos Spurs, no limite da linha dos três pontos, acabou entrando milagrosamente.

Os Spurs começaram a pular como se o jogo estivesse ganho. Solicitei tempo e disse aos jogadores que iríamos ganhar o jogo, embora estivéssemos a menos de meio segundo do fim da partida. Payton pegou a bola à margem da linha lateral, e Robert Horry, que sabia da nossa jogada de arremesso de último segundo, atrapalhou a linha do passe. Com isso, fez Payton solicitar outro tempo e recomendei que procurasse quem estivesse livre. Fish posicionou-se livre no lado esquerdo do garrafão e, com uma fração infinitesimal de segundo para terminar, recebeu o passe e arremessou para uma virada milagrosa. Chuááá* Apito. Jogo encerrado.

---

* Forma de exaltar uma cesta feita quando a bola entra direto sem tocar no aro. (N. do R.T.)

* * *

Depois que despachamos os Spurs no jogo 6, desmontamos os Timberwolves em seis jogos e vencemos a final da Conferência Oeste. Mas, no último jogo, Malone sofreu outra lesão no joelho que arrefeceu o nosso ânimo com um grande ponto de interrogação sobre as finais do campeonato contra o time do Detroit Pistons.

Eu já estava ansioso em relação ao Pistons antes do acidente de Malone. Era um time jovem e coeso que chegava ao auge no momento certo depois de ganhar as finais da Conferência Leste contra o time que tinha o melhor recorde da liga, o Indiana Pacers. Nossos jogadores não levavam os Pistons a sério porque eles não tinham muitas estrelas, mas eram treinados por um dos melhores técnicos da liga, Larry Brown, e nos causavam problemas porque eram obstinados na defesa. Chauncey Billups era forte, criativo e poderia superar Payton ou Fisher com facilidade; Tayshaun Prince era um defensor de braços longos com 2,05 metros que daria trabalho para Kobe; e não tínhamos uma boa contrapartida para a dupla ameaça dos alas de força Rasheed Wallace e Ben Wallace. A estratégia de Brown era conter a nossa ofensiva conseguindo faltas de ataque de Shaq, fazendo com que seus homens grandes caíssem para trás em todas as vezes que batesse para dentro do garrafão. Eu sempre visualizava as formas de neutralizar a ofensiva do próximo adversário antes de cada série. E o desenho ainda estava em branco com os Pistons.

No jogo 1, em L.A., os Pistons nos manobraram defensivamente e retomaram a vantagem de decidir em casa, embora Shaq e Kobe tivessem somado 59 pontos juntos. Conseguimos uma vitória suada na prorrogação do jogo 2 e nos recuperamos. Porém, quando a série deslocou-se para Detroit, lutamos muito e não conseguimos nos recuperar. A lesão no joelho de Malone agravou-se e o pôs fora de combate. Os Pistons rugiram para a vitória em cinco jogos.

Fiquei extremamente desapontado naquela temporada porque não tínhamos conseguido dissipar as distrações, de modo a fazer com que aquele talentoso grupo de superestrelas se tornasse a potência a que estava destinada. Embora, com grandes atuações individuais de Kobe, Malone e alguns outros, no final só nos restou um conjunto de veteranos envelhecidos de pernas cansadas que se esfolou para enfrentar um time de jovens ávidos e arrojados não muito diferentes dos Lakers de alguns anos antes.

Segundo Fox, a razão de nossa derrota era simples: "Uma equipe sempre bate um grupo de indivíduos. E escolhemos um mau momento para ser um grupo de indivíduos."

Mas para Fish a derrocada dos Lakers começou bem antes, na metade de nossa terceira corrida no campeonato. Depois que o sucesso se integrou à cultura do time, ele diz: "Os jogadores começaram a dar mais crédito aos acontecimentos. E, por consequência, menos foco ao que a comissão técnica agregava a equação e mais foco em quem era o dono do time. O time era de Shaq ou de Kobe? No rol daquele grupo quais os que precisavam acelerar e melhorar? Tudo isso começou a rolar no vestiário e acabou com a energia e a coesão que existia nos primeiros anos."

O colapso se deu rapidamente. Encerradas as finais, o dr. Buss reafirmou o que Mitch Kupchak já tinha dito para mim, alegando que a equipe seguiria em outra direção e não renovaria o meu contrato. Claro que não me surpreendeu quando soube que ele planejava negociar Shaq e assinar um novo contrato com Kobe. Argumentei que a perda de Shaq poderia implicar entregar pelo menos um campeonato para o time que o adquirisse. Mas o dr. Buss mostrou-se disposto a pagar esse preço.

O que antevi tornou-se realidade. Em meados de julho os Lakers negociaram Shaq para Miami, e dois anos depois ele levou o Heat à conquista do campeonato. No dia seguinte à negociação de Shaq, os Lakers anunciaram a renovação do contrato de Kobe. A seleção do júri para o julgamento no Colorado ocorreu em 27 de agosto e terminou no dia 1º de setembro. O juiz rejeitou as acusações depois que a promotoria arquivou o processo. Aparentemente, a acusadora de Kobe, testemunha-chave da promotoria, se recusou a depor.

Certa vez, o lendário treinador Cotton Fitzsimmons afirmou que nunca se conhece um técnico até que seja demitido. Não sei se isso se aplicava a mim, mas o fato é que uma pausa no basquete me propiciaria um encontro com outras formas de nutrir a mente e o espírito. Comecei a trabalhar no livro *The Last Season*, que aborda os meus tempos com os Lakers, e depois saí de L.A. em uma viagem de sete semanas pela Nova Zelândia, Austrália e algumas partes do sul do Pacífico a fim de clarear as ideias.

Apesar de todo aquele drama me sentia bem a respeito do que tinha realizado nos meus cinco anos de permanência na equipe dos Lakers, embora quisesse reescrever o fim. E fiquei animado com a mudança positiva na minha relação com Kobe quando saí da equipe. Chegar a bons termos com a raiva é sempre traiçoeiro e, inevitavelmente, o coloca em contato com os próprios medos, fragilidades e juízos. Mas os rumos que ambos tomamos naquela temporada, cada um no seu caminho, acabaram por estabelecer as bases para uma futura conexão mais forte e mais consciente.

Hoje, olhando para trás, isso me parece o final de um capítulo importante para mim – de um bom jeito. Ser técnico dos Lakers era como ter uma aventura selvagem e tempestuosa com uma bela mulher. E já era hora de seguir em frente e tentar alguma coisa nova.

19
CORTAR LENHA, CARREGAR ÁGUA

Esqueça os enganos, esqueça as falhas, esqueça tudo,
exceto o que fará agora, e faça isso.
Hoje é seu dia de sorte.
WILL DURANT

Eu iniciava o período sabático na Austrália quando Jeanie me telefonou e disse que a situação dos Lakers estava terrível. A equipe afundava e o novo técnico Rudy Tomjanovich renunciara. Será que eu poderia voltar e salvar o time?

Não posso dizer que fiquei surpreso. Rudy era um bom técnico e conquistara dois campeonatos com o Houston Rockets, mas herdara uma atmosfera derrotista em Los Angeles. E, mais, Rudy acabara de passar por um tratamento contra o câncer e não estava física e emocionalmente bem para o trabalho.

E a equipe também não estava preparada para o trabalho. O plantel tinha sido dizimado no período de entressafra. Os Lakers tinham negociado Shaq e haviam perdido Karl Malone para a aposentadoria, Rick Fox para os Celtics (aposentou-se alguns meses depois) e Gary Payton e Fish para o passe livre. Alguns poucos jogadores tinham chegado de Miami na negociação de Shaq – o ala Lamar Odom, o armador Caron Butler e o pivô-ala Brian Grant, que estava lesionado no joelho. Kobe tentava carregar esse grupo ainda informe nas costas, mas sem êxito.

Falei para Jeanie que a volta para L.A. estava fora de cogitação. Eu não queria desistir do resto da viagem e muito menos de uma incursão de motocicleta pela Nova Zelândia com meus irmãos. E não estava nem um pouco interessado em tentar resgatar uma equipe que estava longe de ser recuperada.

– Que tal na próxima temporada? – perguntou Jeanie.

– Vou pensar nisso – respondi.

Embora talvez tivesse sentido uma momentânea pontada de prazer, na verdade, a derrocada dos Lakers não me deixava feliz. Eu tinha trabalhado duro para transformá-los em uma equipe campeã e era doloroso assistir à vã tentativa do meu ex-assistente técnico Frank Hamblen de juntar os cacos no final da temporada 2004-05. Era a primeira vez que os Lakers não chegavam às finais desde o início da década de 1990.

Depois que voltei para casa conversei com algumas equipes com a posição de técnico em aberto, incluindo New York, Cleveland e Sacramento. Mas nada me atraía tanto como a ideia de reconstruir e reerguer os Lakers – até então ainda não tinha tido a chance de fazer isso. Mas antes de um sim era preciso me certificar se poderia trabalhar com Kobe outra vez.

Já não conversávamos desde aquele último encontro tenso no final da temporada do ano anterior. E nesse meio-tempo eu tinha publicado o livro *The Last Season*, em que revelava minhas frustrações de tê-lo treinado na turbulenta temporada de 2003-04. Enfim, não sabia como seria recebido por ele, mas quando conversamos ao telefone não senti qualquer ressentimento. Kobe só me pediu para que fosse mais discreto com a mídia e não compartilhasse informações pessoais sobre ele com os repórteres. Um pedido que me pareceu razoável.

Acho que ambos percebemos que o sucesso dependeria do apoio e da boa vontade tanto de um como de outro. Antes da temporada de 2004-05 Kobe se gabara de que os Lakers nunca ficariam abaixo de 50% de vitórias enquanto ele estivesse no time. Mas foi exatamente o que aconteceu: os Lakers empataram em último lugar na Divisão Pacífico, com 34 vitórias e 48 derrotas. Isso o fez cair na real. Kobe nunca tinha fracassado dessa maneira e se viu forçado a reconhecer que teria que unir forças sinceras com os outros se quisesse conquistar outros campeonatos.

Eu sabia que se aceitasse o trabalho teria como tarefa primeira restaurar o orgulho perdido da equipe. Tanto os comentaristas esportivos como os torcedores se voltavam contra Kobe e o culpavam – injustamente – de ter quebrado a formação campeã dos Lakers. Achei que meu retorno poderia colocar parte do burburinho em banho-maria, se bem que também estava intrigado com a oportunidade de construir uma nova equipe campeã liderada por Kobe e não por Shaq, porém, para isso, teríamos que estabelecer uma relação mais profunda e mais colaborativa, e ele teria que se desabrochar como um líder distinto do que já fora. Claro que isso levaria algum tempo, mas não havia obstáculos intransponíveis no caminho. Kobe parecia tão ansioso quanto eu para enterrar o passado e seguir em frente.

Encontrei-me com o dr. Buss para elaborar os detalhes de um contrato de três anos. Pedi garantias de que teria um papel relevante em relação às decisões sobre jogadores e que não seria mantido no escuro como no impasse de Shaq *versus* Kobe em 2003-04. Ele concordou, mas descartou outro pedido meu – o de ser sócio na propriedade da equipe. Em troca me ofereceu um aumento salarial e explicou que planejava passar o controle dos Lakers para os seis filhos dele. Em seguida, um dos filhos – Jim – apareceu para aprender o negócio, assumindo finalmente o setor de basquete dos Lakers. Jeanie continuou supervisionando as vendas, o marketing e as finanças.

Jim Buss tinha sido promovido a vice-presidente de recursos humanos para os jogadores quando retornei na pós-temporada de 2005. Ele estava ansioso para projetar o talentoso pivô Andrew Bynum, que chegaria de uma escola de ensino médio de New Jersey, e me pediu para que o observasse quando chegasse a Los Angeles para uma demonstração. Minha única reserva em relação a Andrew é que ele corria de um jeito que poderia acarretar problemas sérios nos joelhos posteriormente. Mas por outro lado achava que ele tinha potencial para se tornar um ótimo atleta. Aprovei a contratação e o adquirimos como décima escolha. Aos 17 anos era o jogador mais jovem a ser escolhido pela NBA.

A maior preocupação com o recrutamento de jogadores recém-saídos do ensino médio é sempre a tentação do estilo de vida NBA. Muitos jovens atletas são seduzidos pelo dinheiro e a fama, e não amadurecem o suficiente para deixar de ser uma promessa e se tornar uma realidade. A meu ver, a chave para o sucesso dos atletas na NBA não é o aprendizado das jogadas mais em voga e brilhantes. A chave para o sucesso consiste em aprender a controlar as emoções e a concentrar a mente no jogo.

Só assim se consegue jogar com dores e modelar um papel a ser realizado com consistência em prol da equipe, mantendo a calma sob pressão e a equanimidade após derrotas esmagadoras ou vitórias estonteantes. Em Chicago usávamos uma frase para isso: deixar de ser um jogador de basquete para ser um jogador "profissional" da NBA.

Embora os novatos geralmente levem três a quatro anos para chegar a esse ponto, falei para Andrew que apressaríamos o processo porque vislumbrávamos um papel fundamental para ele na equipe. Expliquei que se se comprometesse e se dedicasse à tarefa teria o meu compromisso de apoiá-lo durante todo o percurso. Andrew insistiu para que não me preocupasse com sua maturidade porque levava a sério o progresso que realizava. E se manteve fiel à palavra. Na temporada seguinte tornou-se o novo pivô titular dos Lakers.

Andrew não era o único jogador do time que precisava de um treinamento especial. Outros jogadores mais jovens precisavam ser educados no básico – incluindo Smush Parker, Luke Walton, Brian Cook, Sasha Vujacic, Von Wafer, Devin Green e Ronny Turiaf. Isso não me pareceu um aspecto deficitário porque era uma oportunidade para construir um novo time de baixo para cima, com um grupo de jogadores jovens que poderiam aprender o sistema em conjunto e nos propiciar uma boa dose de energia do banco. Em face da composição do time me descobri menos autoritário e com uma paciência paternal que não era tanto do meu feitio. Tratava-se então de um time que ainda engatinhava na infância, o que era uma experiência nova para mim, de modo que precisava cultivar a confiança dos jogadores com muito zelo.

Um grande obstáculo a ser superado com esse novo time era a falta de opções de cestinhas consistentes além de Kobe. A princípio pensei que Lamar Odom poderia preencher a lacuna. Além de ter sido o quarto escolhido na loteria de recrutamento da NBA e de ter uma média de 15 pontos por jogo, Lamar era um ala elegante de 2,08 metros com um estilo livre de jogo que me fazia lembrar de Scottie Pippen. Era ótimo em pegar rebotes e driblar a bola pelo meio da quadra em velocidade nos contra-ataques, quebrando as defesas no jogo de transição. Já que a estatura, a agilidade e o estilo de jogo de Lamar causavam problemas de marcação para muitos times, pensei em transformá-lo em um ala-armador ao estilo Pippen. Mas Lamar tinha dificuldade para aprender os meandros do sistema e às vezes se omitia do jogo quando mais se precisava dele. A melhor maneira de utilizá-lo era lhe dar liberdade para que reagisse espontaneamente ao que acontecia na quadra. Seu espírito parecia murchar quando tentava encaixá-lo em um papel estabelecido.

Alguns outros apresentavam um desempenho que não satisfazia minhas expectativas. Logo depois do meu retorno adquirimos Kwame Brown em negociação com o Washington, na esperança de incrementar força muscular em nossa linha de frente. Sabíamos que Kwame tinha sido um decepcionante "número um" entre os escolhidos pelos Wizards, mas ele tinha 2,10 metros de altura, 122 quilos, um bom jogo individual e também tinha força e velocidade para combater os grandalhões da liga. O que não sabíamos e só soubemos mais tarde é que não tinha a menor confiança nos arremessos de fora. No transcorrer de um jogo contra o Detroit, de repente Kobe chegou ao banco sorrindo.

– É melhor tirar o Kwame do jogo, Phil – disse. – Acabou de me dizer para não passar a bola para ele porque poderia sofrer uma falta e ter que arremessar os lances livres.

Smush Parker era outro jogador que no início parecia promissor, mas que não era mentalmente consistente. Embora no papel o veterano Aaron McKie e o recém-chegado europeu Sasha Vujacic parecessem mais fortes, Smush jogara melhor do que os dois no centro de treinamento da pré-temporada e convertera 20 pontos em três dos quatro primeiros jogos da temporada regular, de modo que o efetivamos como primeiro armador. Além de astuto, Smush se infiltrava bem pela defesa em direção à cesta e jogava duro, fazendo um combate defensivo por toda a quadra. Seu arremesso era irregular, mas seu jogo inflamado dinamizou o ataque e levou o time a um sólido começo de temporada.

Mas uma infância difícil deixara Smush emocionalmente frágil e limitado no relacionamento com os outros. Ele ainda era pequeno quando a mãe faleceu de Aids. Quando tudo corria bem, era o jogador mais arrojado na quadra. Mas, quando a pressão se acumulava, ele se descentrava. Enfim, Smush era uma bomba-relógio prestes a explodir.

* * *

Enquanto isso, Kobe aprimorava a excelência. Na primeira parte da temporada sugeri que se soltasse porque o time ainda não dominava o sistema – e ele respondeu com arremessos para os livros de história. Kobe ultrapassou a marca de 40 pontos em 23 jogos na temporada regular e atingiu a alta média de 35,4 pontos. E o destaque foram os 81 pontos no jogo contra o Toronto Raptors, em janeiro, no Staples Center. Ele se irritou no terceiro quarto, quando os Raptors passaram 18 pontos à frente, e depois entrou em erupção com 55 pontos que levaram os Lakers a uma vitória de 122-104. Os 81 pontos de Kobe atingiram a segunda marca na história da NBA, atrás dos lendários 100 pontos de Wilt Chamberlain, em 1962. O desempenho de Kobe se diferenciou pela variedade de arremessos feitos de toda parte da quadra, incluindo sete de três pontos – um tipo de arremesso que ainda não vigorava na NBA à época de Wilt. Para colocar o desempenho de Kobe em perspectiva, o maior número de pontos de Michael Jordan em um jogo foi de 69 pontos.

Fazia tempo que a questão de saber se Kobe seria "o próximo Michael Jordan" era alvo de inúmeras especulações. E agora o jogo de Kobe amadurecia e isso deixava de ser uma questão frívola. O próprio Jordan declarou que Kobe era o único jogador que podia ser comparado a ele e concordo com isso. Ambos se destacam pelo extraordinário ímpeto competitivo e pela inerente insensibilidade à dor. Tanto Jordan quanto Kobe fizeram alguns dos seus melhores jogos em péssimas condições – desde intoxicações alimentares a fraturas –, que afastariam os simples mortais durante semanas. A incrível resiliência de ambos tornou o impossível possível, permitindo que fizessem arremessos para viradas de jogos com adversários pendurados em cima deles. Dito isso, eles têm estilos diferentes. Jordan tendia a detonar seus marcadores com poder e força, ao passo que Kobe geralmente tenta abrir caminho com sutileza através de montanhas de corpos.

Fui técnico deles e as diferenças entre eles me intrigam mais do que as semelhanças. Jordan era mais forte, tinha ombros mais largos e uma estrutura mais resistente, além de mãos grandes que o facilitavam no controle da bola e na criação de ilusionismos sutis. Kobe é mais flexível e daí decorre um apelido que muito lhe agrada, "Mamba Negra".

Eles também se relacionam com o próprio corpo de maneiras diferentes. Segundo o fisioterapeuta Chip Schaefer, que trabalhou extensivamente com os dois, Kobe trata o corpo como um carro esportivo europeu refinado, enquanto Jordan era menos regrado no comportamento e entregava-se ao gosto pelos bons charutos e os vinhos finos. Ainda assim, até hoje Schaefer se maravilha com o movimento elegante de Jordan pela quadra: "O estilo de vida associa-se à mobilidade atlética, e nunca mais vi ninguém se movimentar daquele jeito. O único termo para isso é magnífico."

As diferenças entre os estilos de arremesso de Jordan e Kobe também são relevantes. Jordan era um arremessador mais preciso do que Kobe. Atingiu a média de quase 50% de arremessos de quadra durante a carreira – feito extraordinário – e manteve-se aproximadamente entre os 53% e 54% durante o auge. Kobe estabelece uma respeitável média de 45% de arremessos de quadra, mas suas sequências de melhor aproveitamento tendem a ir mais longe do que as de Michael. Jordan esperava que o jogo chegasse naturalmente a ele e não exagerava na mão, ao passo que Kobe tende a forçar a ação, sobretudo quando o jogo não está à sua feição. Quando erra nos arremessos, Kobe martela como um louco até mudar a sorte. Em contrapartida, Jordan passava a se concentrar na defesa ou no passe ou nos corta-luzes para ajudar o time a ganhar o jogo.

Sem dúvida alguma, Jordan era mais forte e mais intimidante na defesa. Era capaz de quebrar qualquer corta-luz e anular qualquer oponente com seu estilo defensivo intenso e focado como um laser. Kobe aprendeu muito ao observar os truques de Michael Jordan, e muitas vezes os utilizávamos como uma arma secreta defensiva quando precisávamos virar um jogo. Geralmente, Kobe tende a confiar mais na sua flexibilidade e astúcia, mas às vezes se expõe muito na defesa e acaba pagando um preço caro por isso.

Em nível pessoal, Jordan era mais carismático e mais sociável do que Kobe. Gostava da companhia dos companheiros e dos seguranças do time, e com eles jogava cartas, fumava charutos e brincava. Kobe é diferente. Era reservado quando adolescente, em parte porque era mais jovem do que os outros jogadores e não tinha se sociabilizado na faculdade. E quando se juntou ao Lakers se esquivava de confraternizações com os companheiros. Mas a tendência para se refugiar em si mesmo se transformou à medida que amadurecia. Kobe passou a se empenhar cada vez mais em conhecer os outros atletas, sobretudo quando o time estava jogando fora de casa. No transcorrer de nossa segunda campanha de campeonatos, ele se tornou a vida do grupo.

Tanto Jordan como Kobe possuem um QI impressionante para o basquete, mas não os chamaria de "intelectuais" no sentido estrito da palavra. Além de ser dotado em matemática, Jordan estudou na Universidade da Carolina do Norte, mas não demonstrava interesse em ler os livros que recebia de mim quando fui seu técnico. E muito menos Kobe, embora depois tenha se valido regularmente de minhas sugestões de livros, especialmente os que abordavam o tema liderança. Se quisesse, Kobe poderia ter frequentado qualquer faculdade, mas pulou essa etapa porque estava com pressa para conquistar a NBA. De qualquer forma, talvez ainda se pergunte se fez a escolha certa, isso porque no verão de 1997 pôs uma mochila às costas e fez um curso avançado de italiano na UCLA (Universidade da Califórnia em Los Angeles).

Na minha perspectiva, uma das maiores diferenças entre as duas estrelas é a habilidade superior de Jordan como líder. Embora às vezes difícil para os companheiros, ele era magistral no controle do clima emocional da equipe com o poder de sua presença. Depois que assumiu o sistema do triângulo, conseguia por instinto que os jogadores fizessem o trabalho na quadra.

Já Kobe teve que percorrer um longo caminho antes de reivindicar o papel de líder. Ele sabia cantar o jogo, mas faltava-lhe a vivência da liderança nua e crua nos próprios ossos que Jordan tinha. Logo isso também começaria a mudar.

No meio da temporada de 2005-06, os jogadores já estavam mais adaptados ao sistema de jogo e começaram a conquistar vitórias – mesmo quando Kobe não quebrava todos os recordes. Fiquei emocionado ao ver que a equipe progredia com mais rapidez do que o esperado. Terminamos a temporada regular com uma sequência de 11 vitórias e três derrotas, e chegamos até as finais com um recorde de 45 vitórias e 37 derrotas, uma melhora de 11 jogos sobre a temporada anterior.

A boa fase continuou crescendo e alcançou uma inesperada liderança de três vitórias e uma derrota na primeira rodada sobre os vencedores da Divisão Pacífico, o Phoenix Suns. Nosso plano de jogo era puxar a marcação dupla em cima de Kobe para alimentar Kwame e Lamar, uma estratégia que aparentemente funcionou, pois tivemos uma notável vitória de virada no jogo 4. Faltando sete décimos de segundo para terminar o tempo normal do jogo, ajudado por uma roubada de bola de Smush, Kobe arremessou da linha de fundo para empatar a partida, e com dois décimos de segundo no cronômetro fez um arremesso caindo para trás, decisivo para a vitória na prorrogação.

– Foi a maior alegria que já tive – disse Kobe após o jogo. – Porque fomos *nós*. Fomos nós, o time todo, curtindo o momento junto com toda a cidade de Los Angeles.

Mas não comemoramos por muito tempo. Algumas horas antes do jogo 5 nos informaram que Kwame estava sendo investigado por uma suposta agressão sexual em Los Angeles. Embora a acusação tenha sido retirada, os relatos distraíram os jogadores e perdemos a chance de despachar a série no jogo 5. A boa fase então se deslocou a favor dos Suns. No jogo 6, Smush se mostrava cada vez mais hesitante no arremesso quando Kobe o encorajou a se concentrar em fazer pressão defensiva sobre o armador Steve Nash e deixar de lado a pontuação. Mesmo assim, apesar do heroico desempenho de Kobe com 50 pontos convertidos, caímos na prorrogação. Depois do jogo, Smush desmoronou emocionalmente pelos seus poucos 5 pontos em 12 arremessos. E no jogo 7 o time se dirigiu a Phoenix para enfrentar os Suns na sua casa. Não foi uma boa disputa. Ali pela metade da partida recomendei a Kobe que retomasse a estratégia original de alimentar Lamar e Kwame no garrafão. Ele fez isso e arremessou apenas três vezes no segundo quarto. Infelizmente, apesar das inúmeras oportunidades, Lamar e Kwame se perderam na ação e juntos converteram apenas 20 pontos. Quando o jogo encerrou com a pior derrota dos Lakers – 121-90 – em um jogo 7, pensei comigo que o mais importante para conquistar vitórias em grandes jogos era o caráter. Aquele time precisava de mais coração.

Mas não era apenas o time que tinha pontos fracos, eu também tinha um ponto fraco – um sério problema no quadril. Fiz uma cirurgia de substituição do quadril pouco antes de iniciarmos a pré-temporada de 2006-07. E daí não pude mais me movimentar na quadra para monitorar o desempenho de cada jogador durante os treinos, e tive que aprender a comandar os jogos de uma cadeira especialmente projetada para tal. Curiosamente, embora preocupado com a limitação de minha autoridade devido à dificuldade de me locomover, ocorreu exatamente o inverso. Aprendi a ser forte sem ser arrogante – algumas lições do princípio segundo o qual o *menos é mais*.

A temporada de 2006-07 começou com um floreio, mas as coisas endureceram na segunda metade do percurso quando diversos jogadores se lesionaram, incluindo Lamar, Kwame e Luke Walton. A certa altura a formação titular estava tão desfalcada que tive que recorrer ao armador de 1,95 metro, Aaron McKie, para jogar como ala de força e colocar Andrew Bynum como pivô. Em fevereiro, o time entrou em queda livre, perdendo 13 dos 16 jogos em uma única sequência. Em meados de março, Kobe já estava farto e assumiu a responsabilidade com as próprias mãos, o que funcionou por cerca de duas semanas. Ele fez 50 pontos em cinco de sete jogos dos quais perdemos apenas dois. Mas os outros jogadores reclamavam que não viam a bola e pedi para Kobe ir com calma.

Eu geralmente usava a reta final das temporadas de modo a fazer o time chegar ao máximo nas finais. Mas naquele momento já não havia mais esperança de que isso pudesse acontecer. O time estava com uma química derrotista e não apresentava toques de magia. Encerramos a temporada com uma corrida de quatro vitórias e oito derrotas, e finalmente substituímos Smush pelo estreante Jordan Farmar, que era mais rápido e mais confiável para conter os armadores velozes.

Mas precisávamos de muito mais que velocidade para encarar o ritmo do Phoenix na primeira rodada das finais. E, na verdade, os Suns eram os mais fortes daquele ano. Já haviam conquistado o título da Divisão Pacífico por três anos consecutivos e tinham Nash, o melhor armador da NBA com dois prêmios de Melhor Jogador da Temporada conquistados. Claro, os Suns não sofriam de falta de confiança. Antes do jogo 1 o *Los Angeles Times* publicou um artigo que incluía um fragmento – *07 Seconds or Less* – do livro *Sports Illustrated*, de Jack McCallum, no qual o treinador dos Suns Mike D'Antoni criticava diversas falhas defensivas dos nossos atletas: "Kwame é horrível. Odom é um defensor mediano. Vujacic não marca ninguém. E Bryant, no jogo de meia quadra, toma decisões que não são boas."

Não concordei com a avaliação de Mike, mas fiquei impressionado com a ousadia dos Suns no início da série. Ainda assim, achei que poderíamos surpreendê-los de novo se mantivéssemos o foco.

Isso acabou sendo um grande "se". Durante a série exibi clipes do filme *Hustle & Flow* porque os jogadores precisavam de muita raça e fluidez para poderem dominar os Suns. Claro, eles não captaram a mensagem. O time entrou sonâmbulo nos dois primeiros jogos em Phoenix e acordou para vencer o jogo 3 em Los Angeles apenas para voltar a cochilar e perder a série por 4-1. Fiquei tão frustrado com a pouca energia do time no decisivo jogo 4 que no treino do dia seguinte simulei um acesso de fúria e mandei todos para casa mais cedo. Mas a falta de raça (para não dizer também de fluidez) era apenas uma parte do problema. Precisávamos da explosão de um talento experiente para transformar o time em um candidato viável. Alguns dos jovens atletas, dos quais esperava que evoluíssem à condição de campeões, simplesmente não eram decisivos.

Eu não era o único sem paciência. Kobe estava furioso porque o time não tinha feito nenhuma mudança significativa no plantel desde a transferência de Shaq para Miami. No final do jogo 5 ele declarou aos repórteres que estava cansado de ser "o único homem do show" e de ser derrotado enquanto fazia 50 pontos por jogo.

– Não estou a fim disso – disse. – Estou a fim de vitórias. Eu quero conquistar títulos e conquistá-los agora. Então, [os Lakers] precisam tomar algumas providências.

Não era uma ameaça vazia. Após as finais ele me perguntou se estávamos progredindo na aquisição de novos talentos. Falei que estávamos negociando alguns passes livres e pensando em alguns jogadores disponíveis, mas que até aquele momento ainda não tínhamos feito qualquer acordo.

– Acho que terei que fazer alguma coisa a respeito – acrescentei.

Algumas semanas depois, Mark Heisler escreveu no *Los Angeles Times* que uma "fonte de dentro dos Lakers" afirmava que o responsável pela confusão pós-Shaq era Kobe. Isso o enfureceu e ele tornou público seu descontentamento em uma entrevista de rádio para Stephen A. Smith da ESPN. Fez críticas ao dr. Buss porque não o tinha apoiado em relação aos rumos a serem tomados pelo time e pediu para ser negociado. Mais tarde, confirmou para outros repórteres que queria seguir em frente e que estaria disposto a renunciar à cláusula contratual de inegociável para que isso se concretizasse. De fato, durante um treino da equipe olímpica de 2008 fora da temporada, Kobe não deu indícios aos repórteres se estaria de purpúra e dourado quando retornasse ao centro de treinamento para a pré-temporada em outubro.

Mas havia uma negociação em vista para mais à frente que talvez o convencesse a mudar de ideia e permanecer. Era uma negociação com o pivô Kevin Garnett, do Minnesota. Eu achava que Garnett seria um bom parceiro para Kobe e que ajudaria a acalmá-lo e motivá-lo a se comprometer outra vez com o time. Além do mais, a aquisição de Garnett levantaria o ânimo do time para uma sólida disputa no campeonato. Mas a negociação se desfez no último minuto quando o Boston fez uma oferta que pareceu mais atraente tanto para Minnesota como para Garnett. Alguns anos depois, Garnett reconheceu que em parte não tinha sido favorável ao acordo com L.A. por conta da insatisfação de Kobe com o time.

Ninguém ficou empolgado com a perspectiva de negociá-lo. É quase impossível se obter um valor que se equipare à altura de um jogador da estatura de Kobe. O melhor que se espera é receber dois titulares consistentes e talvez outra boa escolha, mas nunca uma estrela comparável à que se negocia. Mas, durante o verão, o dr. Buss reuniu-se com Kobe em Barcelona e concordou em estudar as ofertas comerciais das outras equipes, desde que Kobe parasse de alardear o assunto na mídia. Passados um ou dois meses sem qualquer progresso, Kobe e seu agente juntaram-se à negociação e tiveram algumas conversas com o Chicago Bulls, mas nada resultou de tais esforços.

Pouco antes de iniciar a temporada de 2007-08 me reuni algumas vezes com o dr. Buss, Jim Buss e Mitch Kupchak junto a Kobe e seu agente para discutir as possíveis negociações. Mas nada parecia um bom negócio, e o dr. Buss então pediu a Kobe que permanecesse enquanto esperávamos por melhores ofertas com a seguinte explicação:

– Se eu tivesse um diamante de grande valor, digamos que de quatro quilates, seria um bom negócio trocá-lo por quatro diamantes de um quilate cada um? Claro que nenhuma transação poderá atingir o mesmo valor que você traz para nossa equipe.

Liberei Kobe dos treinos por alguns dias para que ele refletisse sobre as opções. Eu não estava insensível ao dilema dele, mas ainda acreditava que poderíamos dar uma virada nos Lakers. Sem dúvida alguma, a perda de Kobe seria um duro golpe tanto para a organização como para mim. Já tínhamos passado por momentos difíceis e as duas últimas temporadas acabaram estreitando uma relação mais forte entre nós.

A saída ou a permanência de Kobe pairava sobre os outros atletas como uma espessa cortina de fumaça e os afligia de incerteza. Aconselhei a todos que não se preocupassem porque a decisão de Kobe não dependia de nós. Só nos restava então nos dedicar ao time e nos preparar para a temporada seguinte, ou seja, tínhamos que estar prontos para o que desse e viesse com Kobe ou sem ele.

Tal como tudo na vida, a despeito das diferentes circunstâncias, as recomendações são sempre as mesmas: cortar lenha, carregar água.

20
CRIANÇAS DO DESTINO

Estamos aqui em razão da conexão. Isso é que dá propósito e sentido às nossas vidas.
BRENÉ BROWN

Aconteceu algo engraçado enquanto estávamos no limbo: começou a emergir um novo time mais dinâmico.

A noite de abertura no Staples Center foi conturbada. Nós perdemos de 95-93 para os Rockets, e Kobe recebeu uma vaia da torcida quando pisou na quadra. Mas três dias depois chegamos a Phoenix e vencemos nosso rival Suns com autoridade por 119-98. O recém-chegado Vladimir Radmanovic foi o cestinha da noite com 19 pontos, e tivemos outros quatro jogadores com dígitos duplos. Derek Fisher, que voltara para os Lakers durante as férias, considerou a vitória um prenúncio do que estava por vir e acrescentou:

– Aquele jogo plantou uma pequena semente em nossa mente de que, se jogássemos da maneira certa, poderíamos nos sair muito bem.

Em meados de janeiro, registrávamos 24 vitórias e 11 derrotas, vencendo grande parte das melhores equipes do campeonato. Uma das razões para esse sucesso inicial se devia ao fato de que Andrew Bynum já estava com a idade adequada e melhorava a sua coordenação de pés e a habilidade nos passes com Kareem Abdul-Jabbar e Kurt Rambis, de modo a transformar-se em uma séria ameaça como pontuador. Kobe logo percebeu isso e passou a utilizá-lo nos corta-luzes, propiciando-lhe inúmeros arremessos fáceis. Nos primeiros três meses, Andrew atingiu uma média de 13,1 pontos e 10,2 rebotes por jogo.

Outra razão para o sucesso era o influxo de energia proporcionado pelos jovens reservas como Radmanovic, Jordan Farmar, Luke Walton e

Sasha Vujacic. Era um grupo que ainda tinha muito a aprender, mas que havia percorrido um longo caminho e incrementava a química do time com animação e entusiasmo. Até porque quando estavam na quadra imprimiam uma velocidade ao setor ofensivo que era difícil de ser contida. Ali pelo final de novembro adquirimos outro jovem e talentoso atleta – Trevor Ariza – em uma troca com o Orlando. Era um ala rápido e versátil que atacava a cesta e convertia arremessos de fora na transição do jogo.

A terceira e talvez a mais importante razão do nosso avanço inicial era o retorno de Derek Fisher. Ele era um veterano do tricampeonato dos Lakers e seu retorno após três anos no Golden State e no Utah nos trazia um líder maduro e experiente para conduzir a ofensiva e acrescentar o necessário sentido de ordem à equipe.

Como já disse, uma das chaves de nossa abordagem era a liberdade concedida aos jogadores para que encontrassem um papel apropriado dentro da estrutura da equipe. Fish não era um atleta criativo como Steve Nash e Chris Paul, mas se aproveitava de suas características – força mental, arremesso de longa distância e cabeça fria sob pressão – para encontrar um papel pessoal que, além de funcionar para ele, também tinha um profundo impacto na equipe.

– Talvez isso soe mais místico do que realmente é – ele comenta a respeito do processo pelo qual passou. – O objetivo dos treinadores era estabelecer as diretrizes básicas para que jogássemos um basquete em conjunto como um grupo. E depois deixavam que você criasse seu próprio mapa para tudo o mais. Era uma maneira estranha de organizar sem excesso de organização. Isso não tinha nada a ver com o que achavam de como você deveria jogar, como muitos treinadores procedem. Eles recuavam e deixavam que você encontrasse o seu próprio caminho.

Fish começou como armador reserva na sua primeira passagem pelos Lakers, mas era um discípulo aplicado e sempre adicionava capacidades novas ao seu repertório de jogo, e a partir da saída de Ron Harper em 2001 trabalhou um caminho para a titularidade. Embora no início tivesse dificuldades para quebrar os corta-luzes na defesa, aprendeu a utilizar sua formidável força muscular no combate aos grandalhões. E acabou também desenvolvendo um arremesso mortal de três pontos que vinha a calhar nos últimos minutos, já que os adversários investiam como uma gangue contra Kobe e deixavam Fish inteiramente livre para causar sérios danos. Durante a temporada do tricampeonato, Fish tinha sido o terceiro maior cestinha dos Lakers, atrás de Shaq e Kobe.

Ele também foi um dos jogadores com o melhor espírito de equipe treinado por mim e um modelo para os outros jogadores. No início da temporada de 2003-04, solicitei a ele que desistisse da posição de titular em prol de Gary Payton, o que aceitou sem reclamar. Mas passou a ganhar mais tempo de jogo, sobretudo no final das partidas, à medida que a temporada progredia. A ofensiva só fluía com suavidade quando Fish estava na quadra.

No final dessa mesma temporada, Fish ganhou passe livre e conseguiu um lucrativo contrato de cinco anos com os Warriors, em que nunca encontrou um papel confortável. Dois anos depois o negociaram para o Utah, onde desempenhou um papel fundamental como armador reserva na campanha do time até as finais da Conferência Oeste. Mas naquele ano diagnosticaram um câncer de olho na filha de Fish e ele me procurou para saber se podia retornar para L.A., onde a menina teria uma assistência médica melhor. Ele acabou fazendo um acordo com Mitch Kupchak, que envolveu a anulação do contrato anterior e a assinatura de um novo com os Lakers com salário menor.

Quando Fish retornou, além de promovê-lo a cocapitão, expliquei-lhe que o armador reserva Jordan Farmar teria mais de 20 minutos a cada jogo porque quando saía do banco inflamava o ataque com muita rapidez e velocidade. Fish não se incomodou com isso e os dois atingiram uma média de 20,8 pontos por jogo. Uma vez perguntei se precisava de alguma coisa para melhorar o seu jogo. Respondeu que gostaria de ter mais oportunidades de arremessos, mas que se contentaria com o que tinha porque alguém teria que armar o ataque, e isso não era função nem de Kobe nem de Lamar.

Fisher se tornou um parceiro de liderança perfeito para Kobe. Eles entraram para a equipe juntos como calouros e confiavam implicitamente um no outro. Fisher era mais paciente e mais equilibrado nas resoluções dos problemas. De um lado, Kobe infundia a vontade de vencer nos jogadores, e do outro, Fish os inspirava com palavras e os mantinha concentrados e com os pés no chão. Como diz Luke Walton: "Cada vez que Derek Fisher falava parecia soar uma canção ao fundo, como nos filmes épicos dos esportes. E me dava vontade de anotar tudo que dizia porque ninguém poderia falar melhor."

Às vezes, Fish mediava os diálogos entre mim e Kobe. Uma vez me reuni com o time e comentei que Kobe estava arremessando muito e que isso perturbava o setor ofensivo. Ele saiu furioso e dizendo que não participaria do treino de arremessos daquele dia. Mas Fish conversou privadamente com ele e habilmente o fez esfriar a cabeça.

Depois do seu retorno, Fish rapidamente percebeu que precisava adotar junto com Kobe um estilo de liderança diferente do que tinham adotado em nossa primeira corrida com os Lakers. Até porque o time não dispunha de outros veteranos como Ron Harper, John Salley ou Horace Grant. Fish percebeu que ele e Kobe teriam que se colocar no lugar dos atletas mais jovens e inexperientes se quisessem passar alguma coisa para esse plantel. Como diz o próprio Fish agora: "Não poderíamos liderar aquele time a 10 mil pés de altura. Teríamos que voltar ao nível do mar e tentar crescer com os garotos. E à medida que isso acontecia emergia uma verdadeira interligação e fraternidade."

O mês de janeiro tornou-se o ponto de virada para o time. No final da primeira quinzena, Andrew Bynum deslocou a patela do joelho esquerdo no jogo contra o Memphis – um duro golpe que o pôs fora de combate pelo resto da temporada. Porém, no dia seguinte, em entrevista para o rádio, Kobe pôs fim à especulação de que seria negociado ao prestar uma homenagem para Andrew. Kobe que zombara da inexperiência do companheiro antes da temporada se mostrou como um grande fã ao declarar que os Lakers eram "um time de calibre de campeões com Andrew na equipe".

Duas semanas depois, Kupchak me disse que estava negociando a transferência do pivô do jogo do Time das Estrelas Pau Gasol para o Los Angeles com os Grizzlies. (Em troca, Memphis ficaria com Kwame Brown, Aaron McKie e Javaris Crittenton, e ainda com os direitos sobre Mark, o irmão de Pau, que no momento é um pivô do time das estrelas dos Grizzlies.) O acordo com Pau me fez lembrar de quando os Knicks adquiriram Dave DeBusschere em 1968 através de uma negociação com o Detroit, a respeito da qual um escritor referiu-se como "no basquete equivalente ao Louisiana Purchase"*. Tal como DeBusschere, Pau era maduro e tinha um entendimento profundo do jogo, e não se recusava a assumir um papel coadjuvante para melhorar as chances de vitória do time quando necessário. Era a pessoa certa no momento certo. E, com a chegada de Pau, o time que antes se esforçava para fazer 100 pontos tornou-se uma máquina de ritmo acelerado na pontuação, com uma média de mais de 110 pontos, e que agora se divertia muito mais em convertê-los.

Como estrela da seleção espanhola, Pau estava imerso no estilo de basquete europeu mais solidário. Isso o levou a se adaptar rapidamente ao triângulo ofensivo. O jogo de Pau era teoricamente adequado ao triângulo: além de ser um sólido pivô de 2,13 metros de altura com 113 quilos e uma grande variedade de arremessos de médio alcance, de gancho e jogadas de força de frente e por baixo da cesta, também era excelente no passe e no rebote e tinha velocidade para incendiar contra-ataques rápidos. Seu ponto fraco era a falta de desenvolvimento físico na parte inferior do corpo. Ele era sempre empurrado para fora do poste baixo no garrafão pelos grandalhões mais fortes e mais agressivos.

Antes de Pau entrar em cena, estávamos numa pequena sequência de derrotas e a conduta inadequada de alguns atletas mais jovens começava a surtir um efeito negativo sobre o moral do time. Mas tudo isso se dissipou depois da chegada de Pau. Um aspecto positivo da negociação era a retirada de Kwame e Javaris que estavam entre os jogadores mais rebeldes. Mas o mais importante é que a conduta elegante de Pau transformava o clima emocional do time. Era difícil reclamar quando se jogava ao lado de um grande talento que fazia de tudo para conquistar o campeonato.

Com a chegada de Pau, diversos jogadores puderam expandir o próprio jogo de maneiras inesperadas. Fazia anos que Lamar Odom lutava sem sucesso para se estabelecer como um sólido jogador número dois

---

* O termo se refere à compra feita do território da Louisiana em 1803, que pertencia à França, pelos Estados Unidos da América. O território da Louisiana engloba toda ou parte de 15 estados dos Estados Unidos e mais duas províncias canadenses. Na época, foi considerada uma grande barganha. (N. do R.T.)

de cesta. Mas a presença de Pau na quadra retirou a pressão e o libertou para um estilo mais descontraído e livre de jogo no qual se sentia mais confortável.

O jogo de Kobe também se aprimorou. Ele se empolgou com a presença de um homem grande com "duas mãos" no time, e os dois rapidamente se tornaram uma das melhores duplas da liga. Com Pau na quadra, Kobe teve a oportunidade para focar mais a atenção em organizar as jogadas, deixando que outros jogadores arremessassem. Isso o tornou um jogador mais útil para o time e consequentemente um melhor líder. Kobe entrou em êxtase com as principais aquisições feitas naquela temporada, especialmente com Fish, Trevor Ariza e Pau.

– Nada melhor do que juntar um novo armador e um novo ala com um espanhol. Foi um monte de presentes de Natal que chegou mais cedo – ele disse.

O descontentamento amargo de Kobe que contaminara o time na pré-temporada já era história antiga. Mas o melhor é que o caráter e o coração necessários para criar uma irmandade de campeões tinham sido restaurados.

De repente, tudo mudou em nosso caminho. Com Pau no time fizemos uma sequência de 26 vitórias e oito derrotas, e terminamos a temporada com o melhor recorde da Conferência Oeste, 57 vitórias e 25 derrotas. Elegeram Kobe como o melhor jogador da temporada porque, em parte, ele se desenvolveu em um melhor e mais completo jogador na quadra. Os Celtics eram os únicos com um recorde melhor do que o nosso, porque nas férias tinham adquirido Garnett e Ray Allen, um armador exímio nos arremessos, e já dançavam rumo à terceira melhor campanha na história da franquia, com 66 vitórias e 16 derrotas.

Geralmente o talento conquista a vitória nas finais, mas às vezes as vitórias são decididas ao acaso. Com os Lakers aconteceram as duas coisas. Deixamos as séries contra os Nuggets e o Jazz para trás, com um basquete mais animado e integrado do que nos anos anteriores. E enquanto esperávamos pela equipe que enfrentaríamos nas finais da Conferência Oeste, uma estranha reviravolta dos acontecimentos inclinou as probabilidades a nosso favor. Depois de ganharem um suado jogo 7 em New Orleans com uma defesa de campeões, os Spurs se viram forçados a esperar no aeroporto depois do jogo. E ainda tiveram que dormir no avião enquanto aguardavam pela chegada de outro. Só voaram às 6:30 da manhã, no horário do Pacífico. O técnico Gregg Popovich recusou-se a atribuir o fraco desempenho de sua equipe nos dois jogos seguintes ao pesadelo da viagem, mas tenho certeza de que isso teve um bom papel. Fizeram uma vantagem de 20 pontos no terceiro período do jogo 1, mas enfraqueceram no quarto período e roubamos o jogo das mãos deles, 89-85. Três dias depois os Spurs pareciam exaustos e os derrotamos com uma larga margem de 30 pontos. Eles se recuperaram e nos venceram no jogo 3, em San Antonio, mas Kobe comandou os dois jogos seguintes e encerramos a série em cinco jogos.

Isso propiciou um confronto muito aguardado com o Boston. A rivalidade entre os Lakers e os Celtics é célebre no basquete. Além disso, o dr. Buss estava tão obcecado com os Celtics que queria ampliar a lista de campeonatos conquistados pelos Lakers a qualquer custo. A essa altura estávamos atrás de Boston por duas conquistas de títulos; eles com 16, e nós com 14. E tínhamos um histórico bisonho de dois campeonatos conquistados contra oito campeonatos conquistados nos confrontos diretos das finais. Era a primeira vez que os dois times se enfrentavam nas finais desde 1987, ocasião em que os Lakers triunfaram por 4-2.

Eu não tinha certeza se estávamos em condições de bater os Celtics novamente. Eles tinham uma linha de frente poderosa liderada por Garnett, Paul Pierce e Kendrick Perkins, e talvez pudessem nos superar debaixo da cesta, até porque Andrew Bynum estava fora de cogitação. O que também me preocupava era o fato de que havíamos alcançado o sucesso com muita rapidez e não tínhamos sido testados nas rodadas anteriores a ponto de podermos enfrentar uma equipe forte e dura como a de Boston.

Os Celtics venceram o jogo 1, em Boston, por 98-88, em parte inspirados pelo retorno de Pierce no quarto período depois de ter saído da quadra no terceiro período com uma aparente lesão grave no joelho. Três dias depois, com certa tranquilidade, fizeram uma vantagem de 2-0 na série. Fiquei impressionado com a forma como defenderam Kobe.

Não fizeram marcação dupla nele, já que tinham diversos defensores que se alternavam na função e faziam boa cobertura para quem o estivesse marcando. Isso muitas vezes o impediu de penetrar e o manteve exilado no perímetro na maior parte do jogo. Garnett, que naquele ano foi escolhido o melhor jogador defensivo da liga, fez um excelente trabalho em cima de Lamar, "tirando" a mão esquerda dele* e o desafiando a arremessar. Isso deixou Lamar cada vez mais inseguro. E com isso Garnett sentiu-se confiante e vez por outra o deixava livre para ajudar Kendrick Perkins na marcação sobre Pau dentro do garrafão.

Nós nos recuperamos ao ganhar o jogo 3 em casa, mas entramos em colapso no segundo tempo do jogo seguinte e deixamos escapar uma diferença de 24 pontos, permitindo que abrissem uma vantagem de 3-1 na série. Depois de evitarmos um constrangimento maior no jogo 5, seguimos para Boston, onde sofremos uma derrota estapafúrdia no último jogo (131-92) que nos assombrou durante todo o verão.

No início do primeiro período, Garnett estabeleceu o tom quando invadiu o garrafão, atropelou Pau e enterrou a bola por cima do nosso jogador que ainda deitado no chão precisou se esquivar para não ser pisado. Claro que nenhum dos árbitros marcou a falta.

Após o jogo tranquei-me com Kobe no vestiário utilizado pelo Boston Bruins, que também jogam no mesmo estádio. Kobe estava deprimido e precisava de um tempo antes de entrar no chuveiro. Nós ainda estávamos lá dentro quando Ron Artest, que jogava no Sacramento Kings, entrou e nos disse que um dia gostaria de integrar os Lakers. Não fazíamos ideia de que Artest teria um papel fundamental quando voltássemos a enfrentar os Celtics na final de dois anos depois.

O pesadelo continuou depois que saímos do estádio. As ruas estavam lotadas de torcedores barulhentos dos Celtics que nos ofendiam e tentavam virar o ônibus dos Lakers quando parávamos no trânsito. Em dado momento um torcedor subiu no para-choque dianteiro e lançou um gesto obsceno com o dedo em minha direção. A polícia de Boston não fazia nada para dispersar a multidão e isso me irritava, mas acabei

---

* Termo usado no basquete para forçar o homem com a posse da bola a driblar para o lado oposto da mão que arremessa a bola na cesta. (N. do R.T.)

agradecendo, uma vez que o distúrbio instigou todos os jogadores que ainda no ônibus se comprometerem a retornar a Boston e reembolsar os Celtics em espécie.

Não há nada como uma derrota humilhante para focar a mente.

Depois que voltamos para casa recebi um telefonema de Willis Reed, um ex-companheiro dos Knicks, que me consolou pelo fiasco em Boston. Falei para ele que nossos jogadores precisavam crescer e assumir a responsabilidade pelo que tinha acontecido durante as finais.

– Eu deduzi que você deixou seus titulares na quadra para que morressem no jogo 7 e assim pudessem aprender alguma coisa com essa sensação aterradora – ele disse.

– Foi sim – continuei. – Não se pode entender realmente o que é enquanto você mesmo não experimenta isso.

Daquele dia em diante nenhum jogador precisou se mostrar convincente. Em outubro eles voltaram ao centro de treinamento de Los Angeles para 2008-09 com um fogo nos olhos nunca visto. "Nenhuma experiência consegue arrancar suas entranhas como uma derrota nas finais da NBA", diz Fish. "Saímos de férias nos perguntando por que tínhamos chegado tão perto e ainda estávamos tão longe. Acho que a derrota nos colocou uma questão: será que realmente queremos isso?"

A resposta era definitivamente sim. A partir daquele dia nos tornamos um time possuído. "Nada mais iria nos segurar", acrescenta Fish. "A despeito do que pudéssemos enfrentar e dos altos e baixos, sabíamos que resistiríamos mental e fisicamente para resolver o que viesse. E assim fizemos."

No centro de treinamento, as conversas giraram em torno do que havíamos aprendido nas finais e como isso poderia nos ajudar. Os atletas já tinham se dado conta de que eram capazes de um melhor desempenho e de que não tinham jogado com a intensidade física necessária para ganhar. Depois da derrota em Boston, rotularam Pau de "frouxo" e sabíamos que isso não era verdadeiro. De qualquer forma, se quiséssemos ganhar o campeonato, teríamos que mudar essa percepção.

Fiquei impressionado com a determinação fria dos jogadores. No ano anterior já tinham dado um salto quântico em termos de maestria do sistema. E agora, inspirados pela derrota, aprofundavam o compromisso entre eles no sentido de se tornarem mais integrados – e invencíveis – enquanto time.

É a isso que geralmente me refiro como *dançar com o espírito*. E com "espírito" não me refiro ao sentimento religioso e sim ao sentimento profundo de camaradagem dos atletas que se comprometem a se unir para conseguir alguma coisa maior do que eles mesmos, quaisquer que sejam os riscos. Geralmente esse tipo de compromisso implica cobrir as vulnerabilidades dos companheiros de equipe ou cometer faltas quando necessário ou em proteger os parceiros importunados pelo adversário. Observa-se uma equipe unida dessa maneira pela forma com que os jogadores se movimentam e se relacionam entre si dentro e fora da quadra. Eles jogam com um feliz abandono e até mesmo quando brigam entre si o fazem com dignidade e respeito.

Esse era o espírito dos Lakers de 2008-09, e esse perfil se fortaleceu na medida em que a temporada avançava. Não era o time mais talentoso nem o mais fisicamente dominante já treinado por mim. Mas vez por outra a profunda ligação espiritual entre os jogadores acabava por produzir milagres na quadra. O que me agradava especialmente naquela versão dos Lakers é que muitos jogadores tinham amadurecido juntos e aprendido a jogar da maneira certa. E também se conheciam bem o bastante para integrar as jogadas que faziam de maneira a confundir os adversários.

Luke Walton era um jogador que refletia esse espírito de equipe. Filho de Bill Walton, que também consta como jogador no Hall da Fama, Luke estava imerso na sabedoria do basquete desde a infância. Depois de frequentar a Universidade do Arizona, foi recrutado pelos Lakers em 2003, mas teve dificuldade para encontrar um papel a desempenhar porque não se encaixava no perfil padrão dos alas. Não tinha um arremesso mortal nem era dotado a ponto de criar os próprios arremessos, mas gostava de movimentar a bola e de jogar da maneira certa. Ele também era muito inteligente em saber inverter a ação de um lado da quadra para outro, um movimento crucial no triângulo ofensivo. Muitos técnicos não valorizam essas habilidades, mas o incentivei a crescer nessa direção. E acabou se tornando exímio em facilitar as jogadas para o time.

Como outros jogadores mais jovens, Luke era emotivo e costumava se desligar e se manter em silêncio por alguns dias quando não tinha jogado bem ou depois de uma derrota decorrente de um erro cometido por ele. Então, procurei convencê-lo de que a melhor maneira de sair da montanha-russa emocional era tomar o caminho do meio, deixando de se empolgar quando ganhasse e de se deprimir quando não jogasse bem. Com o passar do tempo, Luke amadureceu e se apaziguou.

Enquanto alguns jogadores precisam de um toque gentil para acordar, outros, como Luke, precisam de algo mais instigante. Às vezes eu pegava no pé dele de propósito para ver como reagia. Outras vezes o jogava em situações difíceis no treino para ver como lidava com a pressão.

— Era frustrante — lembra Luke — porque nem sempre eu sabia o que Phil estava fazendo ou por que estava fazendo aquilo. E ele não explicava, queria que você descobrisse por conta própria.

Passados alguns anos, Luke assimilou o que tinha aprendido e começou a jogar com naturalidade e de modo mais integrado.

Kobe foi outro jogador que nesse período evoluiu no sentido de se integrar mais à equipe. Depois da volta de Fish, desenvolveu um estilo mais abrangente de liderança que se concretizou durante a temporada de 2008-09.

Antes, Kobe liderava principalmente pelo exemplo. Esforçava-se mais do que todos os outros e raramente deixava de jogar, e exigia que os companheiros de equipe jogassem no mesmo nível. Mas ainda não era um líder que se comunicava a ponto de fazer com que todos rezassem com a mesma cartilha. Ele geralmente se dirigia aos companheiros com o seguinte tom: "Passa logo essa merda da bola. Estou pouco me lixando se tem dois caras me marcando."

Era uma conduta que muitas vezes saía pela culatra.

— Eu tinha Kobe na quadra que me pedia a bola aos gritos. E tinha Phil no banco que me dizia para fazer o passe certo, sem me importar para quem fosse — descreve Luke. — Então, em vez de apenas observar o que acontecia na quadra me via entre os gritos de Kobe e as instruções do técnico para não passar a bola para ele. Isso tornava o meu trabalho muito mais difícil.

Mas depois Kobe começou a mudar. Abraçou a equipe e os companheiros, animando-os quando estávamos jogando fora de casa e convidando-os para jantar. Passou a encarar os outros jogadores como parceiros e não como degraus de uma escada pessoal.

Luke percebeu a mudança. De repente, Kobe lhe estendia a mão de um modo mais positivo. Às vezes, Luke se aborrecia por ter perdido três arremessos seguidos e Kobe logo o incentivava:

— Vamos lá, cara, não se preocupe com essa porra. Sempre perco três arremessos consecutivos em cada jogo fodido que jogamos. É só continuar arremessando. Pode crer que o próximo entra.

— O líder que diz isso e não lança um olhar fulminante estimula o companheiro a converter o arremesso seguinte — diz Luke.

Começamos a temporada atropelando com 17 vitórias e duas derrotas que se estendeu até o início de fevereiro, quando decidi abrandar as coisas depois de termos batido o Boston e o Cleveland. Isso era para evitar que os jogadores se queimassem antes das finais. Foi quando tivemos duas derrotas contra os Spurs e o Magic, mas terminamos a temporada com o melhor recorde da Conferência Oeste, 65 vitórias e 17 derrotas, o que nos deu a vantagem de decidir em casa com todos, menos com o Cleveland Cavaliers, se tivéssemos que jogar contra eles.

Para inspirar os jogadores, passei a usar o meu anel do campeonato de 2002 nos jogos das finais. Aquele anel tinha presenciado muita ação. Já o havia usado em duas séries frustrantes de finais de campeonato e em outras três finais de campanhas que foram para o buraco. Cheguei a comentar para o colunista Mike Bresnahan do *Los Angeles Times*:

"Eu tenho que me livrar deste anel."

Eu tinha uma grande reserva quanto à falta de sentido de urgência do time. Depois que as coisas chegaram com facilidade na temporada regular, superamos o Utah Jazz na primeira rodada, 4-1. O que me preocupava era como nosso time lidaria com um oponente que se encaixasse bem contra nós e que jogasse um basquete mais físico. Isso aconteceu na segunda rodada contra o Houston Rockets.

Aparentemente, os Rockets não eram tão imponentes como diziam os jornais. Eles estavam sem dois dos seus melhores jogadores, Tracy McGrady e Dikembe Mutombo, e achávamos que poderíamos conter a outra grande ameaça deles, o pivô Yao Ming, com marcação dupla feita por Bynum e Gasol. Mas depois Yao quebrou o pé no jogo 3, o que o afastou da quadra pelo resto da série, e Rick Adelman, o treinador dos Rockets, armou uma pequena formação liderada por Chuck Hayes, um pivô de 1,98 metro de altura, e mais os alas Ron Artest e Luis Scola e os armadores Aaron Brooks e Shane Battier. A estratégia funcionou. Nós desmoronamos no jogo 4 com uma defesa indiferente e o Houston empatou a série em 2-2. Lamar referiu-se a isso como "nosso pior jogo do ano".

Aparentemente, o espírito de equipe declinava, mas rosnamos de novo no jogo 5, no Staples Center, derrotando os Rockets por 118-78, maior vitória dos Lakers em finais desde 1986. No entanto, perdemos de novo o nosso mojo e nos desmontamos no jogo 6, o que fez Kobe chamar o time de bipolar, e não estava de todo errado. Os Lakers pareciam ter duas personalidades conflitantes, e nunca se sabia quem estaria presente a cada noite de jogo – se o dr. Jekyll ou o sr. Hyde.

Finalmente, isso reverteu no jogo 7, em L.A., quando começamos a jogar defensivamente com mais agressividade, o que nos elevou para outro nível. De repente, Pau voltou a ser combativo e dar tocos importantes; Kobe passou a jogar defensivamente ao estilo Jordan, interceptando passes e roubando bolas; Fish e Farmar se uniram para conter Brooks; e Andrew tornou-se uma força inabalável na quadra, convertendo 14 pontos com seis rebotes e dois tocos. No final, forçamos os Rockets a 37% de aproveitamento nos arremessos e dominamos a tabela com 55 rebotes contra 33 enquanto navegávamos para uma vitória tranquila de 89-70.

Após o jogo, Kobe teve uma visão importante.

– Quando chegamos a esse mesmo momento no ano passado, todos nos consideravam imbatíveis e fomos detonados nas finais. Prefiro ser um time que chega a uma final e não a uma semifinal.

Ainda tínhamos algumas lições a aprender antes de chegarmos a esse ponto, mas me senti grato porque despertávamos de uma personalidade dividida e em transe. Ou ainda éramos assim?

Nosso adversário nas finais da Conferência Oeste – Denver Nuggets – representava uma espécie diferente de ameaça. Eles tinham grandes arremessadores, incluindo Carmelo Anthony, a quem Kobe chamava de "o Urso", e dois jogadores que tinham acabado com a gente em dias passados: o armador Chauncey Billups e o ala de força Kenyon Martin.

Os Nuggets nos perseguiram duramente no jogo 1 e sobrevivemos fazendo das tripas coração, com um esforço heroico no último instante de Kobe, que converteu 18 dos seus 40 pontos no quarto período. No jogo 2 deixamos escapar uma liderança de 14 pontos e perdemos de 106-103. Fiquei decepcionado com a falta de garra e o desempenho defensivo bisonho de Bynum, e coloquei Odom começando no jogo 3 para imprimir um pouco mais de força atlética na frente. Isso ajudou, mas a superação do time nos minutos finais é que me deixou mais impressionado. No intervalo para o quarto período, Fish reuniu o time e discursou uma de suas mais inspiradas preleções.

– Este é o momento exato para que vocês se definam a si mesmos – disse. – Este é o momento para que vocês encontrem o próprio destino.

Foram palavras de impacto. Faltando um minuto e nove segundos para o fim do jogo, Kobe, que terminou com 41 pontos, acertou uma cesta de três pontos por cima de J. R. Smith e nos colocou à frente, 96-95. E, nos últimos 36 segundos, Trevor Ariza interceptou um passe de Kenyon Martin e selou a vitória.

Mas a série estava longe de acabar. Os Nuggets caíram em cima de nós no jogo 4 e estavam repetindo a dose no jogo seguinte. O ponto de virada se deu no quarto período do jogo 5, quando arquitetamos um esquema para que a agressividade dos Nuggets se voltasse contra eles próprios. Em vez de evitarmos a dobra na marcação sobre Kobe e Pau, fizemos com que atraíssem a marcação dupla, e isso abriu espaços para Odom e Bynum dentro do garrafão. E quando os Nuggets tentaram tapar o buraco, Kobe e Pau partiram para o ataque. Ganhamos o jogo de 103-94, e dois dias depois encerramos a série, em Denver.

Tínhamos a esperança de voltar a enfrentar os Celtics nas finais do campeonato, mas o Orlando Magic os superou em uma acirrada série de sete jogos nas semifinais da Conferência Leste e depois derrotou o time do Cleveland Cavaliers rumo a um confronto contra nós. O Orlando tinha Dwight Howard, um pivô de 23 anos de idade e eleito o melhor jogador defensivo do ano, e um poderoso grupo de arremessadores de três pontos liderado por Rashard Lewis. Fiquei surpreso com as vitórias do Orlando sobre os Celtics (sem Garnett) e os Cavaliers (com LeBron James), mas ainda não achava que o time estava pronto para o horário nobre.

Kobe também pensava assim. E fez isso parecer muito fácil no jogo 1, no Staples Center, ao converter 40 pontos, o máximo que tinha pontuado até então em jogos de finais, enquanto a nossa defesa mantinha Howard em apenas 12 pontos rumo à nossa vitória de 100-75. Os deuses do basquete estavam conosco no jogo 2 quando Courtney Lee perdeu uma jogada de ponte aérea que possivelmente ganharia o jogo nos segundos finais, dando-nos uma segunda chance para chegarmos à vitória na prorrogação.

No jogo 3, em Orlando, o Magic reagiu com um recorde de 62,5% de aproveitamento nos arremessos nas finais da NBA rumo a uma vitória de 108-104. Isso preparou o palco para o grande momento de Fish nas finais.

Fish, que tinha um talento especial para grandes arremessos que levavam a incríveis vitórias, não arremessou bem no jogo 4. Na verdade, quando retornamos à quadra com três pontos atrás nos quatro segundos e seis décimos restantes, Fish já tinha perdido cinco tentativas de arremessos de três pontos, o que não o impediu de arremessar novamente quando Jameer Nelson que o defendia, ingenuamente, flutuou na defesa para ajudar na marcação sobre Kobe, optando por não fazer uma falta de dois pontos contra ele. Esse erro permitiu que Fish convertesse o arremesso de três pontos e levasse o jogo para a prorrogação. E, quando o placar registrava um empate nos últimos 31 segundos e três décimos, Fish fez outro arremesso dramático de três pontos e colocou os Lakers à frente em 94-91.

Puro caráter. A cara de Fish.

Se fosse um filme, teria terminado ali. Porém, ainda tínhamos mais um grande obstáculo a superar.

Antes do início do jogo 5, o pessoal da mídia entrou no vestiário e induziu os jogadores a imaginar a sensação de ganhar um anel. E quando me dirigi à sala dos fisioterapeutas notei que Kobe e Lamar brincavam de perguntas e respostas sobre as finais de campeonatos. Então, fechei as portas e tentei criar um clima diferente.

Em vez de fazer a habitual preleção que antecede os jogos, puxei uma cadeira e disse a todos:

– Agora, vamos preparar nossas mentes.

Ficamos em silêncio durante cinco minutos enquanto colocávamos o fôlego em sincronia.

Em seguida o assistente técnico Brian Shaw começou a discorrer sua conversa escrita e falada sobre o Magic, mas quando revirou o quadro branco estava inteiramente vazio.

– Não escrevi nada porque vocês já sabem o que precisam fazer para vencer esse time – ele disse. – Entrem na quadra e joguem com a ideia de jogar uns com os outros para acabar com essas finais esta noite.

Foi uma ótima maneira de definir o tom para um jogo decisivo.

Kobe liderou a ofensiva desde o início, fazendo 30 pontos enquanto assumíamos a liderança no segundo período sem nunca olhar para trás. Quando soou a campainha, Kobe pulou no ar e comemorou com os companheiros no meio da quadra. E depois chegou à linha lateral e me abraçou.

Já me esqueci do que dissemos um ao outro porque a intensidade do olhar de Kobe me tocou muito mais. Era um momento de triunfo para nós dois, um momento de reconciliação definitiva que chegava depois de sete longos anos. Aquele olhar de orgulho e alegria de Kobe fez com que toda a dor que suportáramos na jornada valesse a pena.

Para Kobe era um momento de redenção. Já não teria mais que ouvir a ladainha dos comentaristas esportivos e torcedores de que ele nunca ganharia outro campeonato sem Shaq. O próprio Kobe descreveu essa falta de fé como uma tortura chinesa.

Para mim era um momento de vindicação. E também era uma noite gratificante porque acabava de superar o recorde de conquistas de campeonatos de Red Auerbach, mas o mais importante era o que tínhamos realizado em conjunto e como um time inteiramente integrado.

Entretanto, o mais gratificante era poder testemunhar a transformação de Kobe, que deixava de ser um jogador egoísta e exigente para ser um líder a ser seguido pelos companheiros de time. E para isso tinha aprendido a dar para receber de volta. Liderança não é forçar a própria vontade sobre os outros. É simplesmente dominar a arte de deixar rolar.

21
LIBERTAÇÃO

Caia sete vezes. Levante-se oito vezes.
PROVÉRBIO CHINÊS

Era o momento aguardado por todos. Depois de nove meses e 104 jogos a temporada de 2009-10 chegava a esse ponto: uma revanche com o Boston Celtics no jogo 7 das finais do campeonato. Naquela tarde quando chegamos ao Staples Center era evidente que os jogadores tramavam uma vingança pela derrota ocorrida dois anos antes, no TD Garden.

Já tinha sido suficientemente ruim que os Celtics nos tivessem humilhado na quadra naquele último jogo da final de 2008. Eles haviam feito isso ao estilo clássico de Boston quando encharcaram o treinador Doc Rivers de Gatorade enquanto o cronômetro corria e nos sentávamos no banco com ar miserável. Os funcionários enxugavam a quadra e os torcedores histéricos que lotavam o ginásio local gritavam injúrias contra nós. E quando pensávamos que tudo estava acabado ainda tivemos que suportar um passeio após o jogo em meio ao inferno de uma multidão incontrolável e determinada a derrubar o ônibus do nosso time. Fazia dois anos que esse pesadelo povoava a cabeça do time.

Com qualquer outro time talvez até pudéssemos nos dar ao luxo de depois achar graça de tudo. Mas era o time dos Celtics que assombrava os Lakers desde 1959, quando Boston fez uma varredura em quatro jogos no então Minneapolis Lakers para conquistar o campeonato da NBA. Os Celtics tinham sido tão dominantes nos anos 60 que Jerry West deixou de usar o verde porque essa cor evocava a frustração sofrida pelos Lakers ao longo dessa década.

A derrota mais vergonhosa ocorreu em 1969, quando um time envelhecido dos Celtics liderado por Bill Russell no seu último ano como jogador-técnico abocanhou a vitória na própria casa dos Lakers e chegou ao empate no jogo 6. Os Lakers estavam tão confiantes para o jogo 7 que o proprietário do time Jack Kent Cooke pendurou milhares de balões purpúra e dourados no teto do Fórum para serem lançados na celebração após o jogo. Infelizmente, isso não era para acontecer. Com menos de um minuto para o fim do jogo, West deixou espirrar uma bola da defesa que caiu direto nas mãos de Don Nelson, cujo arremesso da linha de lance livre atingiu a parte de trás do aro, subiu e desceu milagrosamente pela cesta adentro, colocando os Celtics à frente em 108-106.

West, que teve um desempenho brilhante ao longo da série, tornou-se o primeiro e único jogador de um time derrotado a ser nomeado MVP das finais, o que o deixou ainda mais arrasado. Alguns anos depois ele disse ao autor Roland Lazenby: "Não acho justo você dar tudo de si e jogar até não sobrar mais nada do corpo e acabar derrotado. Não acho que as pessoas possam realmente entender o trauma que segue uma derrota. Não acho que possam entender a miséria sentida pelo derrotado, e muito menos a mim. Fiquei um trapo. Cheguei a pensar em abandonar o basquete."

Apesar de tudo, West não o abandonou. E três anos depois finalmente ganhou um anel de campeão, mas não contra os Celtics e sim contra os Knicks, o meu time. De qualquer forma, a maldição dos Celtics pairou como um balão suspenso sobre a franquia até meados dos anos 80, quando o "showtime" dos Lakers derrotou o Boston em duas finais entre três disputadas. A rivalidade entre os dois times era uma parte tão importante do folclore entre os Lakers que uma vez Magic Johnson revelou que torcia pelo Boston quando esse time não jogava contra o L.A. mesmo porque, como escreveu Michael Wilbon, "somente os Celtics sabem o que é estar no topo do basquete mundial em prol da continuidade de todas as franquias".

Em 2010, o histórico não estava do nosso lado no jogo 7. Ao longo das décadas, os Lakers tinham enfrentado os Celtics quatro vezes em séries finais de sete jogos e haviam perdido todas. Mas na maratona de agora jogaríamos em casa depois de uma decisiva vitória dois dias antes no jogo 6 sobre os Celtics por 89-67. E agora também tínhamos mais armas em nosso arsenal do que em 2008, especialmente o pivô Andrew Bynum, afastado no ano anterior devido a uma lesão no joelho, e o ala Ron Artest, um dos melhores jogadores de defesa na liga. O jogador que me preocupava no time de Boston era Rasheed Wallace, substituto do pivô Kendrick Perkins, que estava contundido. Wallace não era tão forte quanto Perkins na defesa, mas era uma tremenda ameaça no ataque e já tinha feito alguns estragos em nosso time. Eu ainda não tomava nada como garantido.

Nos padrões dos Lakers a temporada 2009-10 tinha sido razoavelmente tranquila. A grande baixa ocorrera antes do início da temporada quando Trevor Ariza, que desempenhara um papel importante na corrida competitiva de 2009, ganhou passe livre e deixou o time. Trevor era rápido e ousado na defesa que sempre eletrizava o nosso contra-ataque, roubando bolas ou forçando erros de fundamento no adversário. Também era um arremessador decisivo nos cantos e de outros pontos da quadra. Mas durante as férias as negociações entre o agente de Trevor e os Lakers arrefeceram, e Mitch Kupchak começou a negociar com Ron Artest, cujo contrato com os Rockets estava prestes a expirar. Acontece que, antes mesmo de fechar a negociação, Artest anunciou no Twitter que estava se juntando ao Lakers. Frustrado com o rumo dos acontecimentos, Trevor, que estava com passe livre, assinou com o Houston e mais tarde transferiu-se para New Orleans.

O que me agradava em Ron era a compleição física (2,02 metros de altura e 117 quilos), a força e sua defesa que anulavam adversários. Ron acabara de ser eleito o jogador "mais durão" da NBA em uma pesquisa dos gerentes-gerais e era suficientemente robusto e habilidoso para neutralizar os alas fortes e ágeis como Paul Pierce, do Boston. Mas às vezes Ron era errático no ataque e não tinha a mesma rapidez de Trevor, e com isso tivemos que mudar nosso estilo acelerado e rápido de ataque para um jogo mais lento na meia quadra.

A imprevisibilidade de Ron também levantava algumas dúvidas, já que era conhecido por ter participado como jogador dos Pacers de um tumulto selvagem durante um jogo contra os Pistons em 2004, no Auburn Hills. E tudo iniciou depois de uma falta de Ron sobre Ben Wallace que se dirigia à cesta e, como revide, Wallace o empurrou no peito. No meio da briga um torcedor do Detroit jogou um copo em cima de Ron, que por sua vez subiu pela arquibancada e foi atrás desse torcedor. Isso resultou em uma suspensão de 73 jogos, a mais longa na história da NBA, que não tinha a ver nem com drogas nem com apostas em jogos de azar. (Wallace e outros jogadores também foram penalizados, embora de um modo menos severo.)

No jogo 2 da série na qual enfrentamos Houston durante as finais de 2008, Ron que jogava pelos Rockets confrontou-se com Kobe na disputa de um rebote e acabou sendo expulso. E no jogo 7 perdeu os dois ônibus de sua equipe até o Staples Center e só conseguiu pegar um terceiro ônibus – da gerência do Houston – quando vestia apenas um conjunto de moletom.

Oriundo de uma vizinhança violenta de Queensbridge, Nova York, Ron ostenta a tatuagem de um Q na perna direita e de um B na esquerda para se lembrar de suas raízes. Ele conta que jogava nas quadras da Twelfth Street ao som de tiros e que uma vez testemunhou a morte de um jovem durante um jogo no centro recreativo da localidade, quando em meio a uma briga um dos jogadores arrancou a perna da mesa do cronometrista e o apunhalou. "Ainda sou do gueto", disse Ron em entrevista para o *Houston Chronicle*. "Isso não vai mudar. Nunca vou mudar minha cultura."

O basquete tornou-se a salvação de Ron. Aos 12 anos já era bom o bastante para jogar na AAU (União Atlética de Amadores). Juntou-se a Lamar Odom e Elton Brand, outra futura estrela da NBA, no Brooklyn Queens Express, um time que chegou a 67 vitórias e uma derrota durante o verão. Os três jogadores foram selecionados nas primeiras escolhas de 1999 na loteria de recrutamento da NBA pelo sucesso obtido na escola e na faculdade. Os Bulls adquiriram Brand e Ron, como primeira e 16ª escolhas, respectivamente, e os Clippers adquiriram Lamar, como quarta escolha. A partir de 1999, Ron passou por quatro equipes: Bulls, Pacers, Kings e Rockets. Mas agora jogaria ao lado de um amigo de infância, Lamar. Era como se Ron estivesse voltando para casa.

Apesar de sua origem e de sua propensão para jogar duro, Ron tem boa índole fora da quadra e faz caridade anônima para crianças. Uma vez estava na China e conheceu um pequeno torcedor que não tinha dinheiro para pagar os livros da escola e muito menos os tênis de basquete que ele autografava. Ele leiloou seu relógio de 45 mil dólares para pagar a educação do menino.

Ron tem uma queda por estranhezas. Em sua passagem pelos Kings abdicou – sem êxito – do próprio salário para evitar que um amigo, o armador Bonzi Wells, mudasse para outro time. E em 2011 mudou o próprio nome para Metta World Peace, que segundo ele era "para inspirar e unir a juventude do mundo". Em Pali, *metta* significa "bondade" e refere-se a um princípio fundamental do ensinamento budista: cultivar o amor universal. Claro, Ron percorreu um longo caminho desde os seus primeiros dias com os Lakers, quando disse ao repórter Mark Ziegler do *San Diego Union-Tribune*: "Não sei o que significa zen, mas estou ansioso para ser um homem zen. Espero que isso me faça flutuar. Eu sempre quis flutuar."

A maior preocupação era se ele aprenderia o triângulo ofensivo com rapidez. Tal como Dennis Rodman, Ron também tinha dificuldade para se manter concentrado. A solução de Dennis era trabalhar dia e noite na academia de ginástica para queimar a energia irrequieta. Mas Ron não gostava de seguir um regime de malhação e preferia praticar arremessos. O único problema é que a cada dia arremessava com um estilo diferente. E isso afetava a maneira com que se apresentava nos jogos. Às vezes estava abençoado e tudo entrava na cesta. Outras vezes não se podia prever o que aconteceria.

Durante um treino sugeri a Ron que optasse por um único estilo de arremesso e pronto, mas ele entendeu errado.

– Por que você está sempre pegando no meu pé? – disse.

– Eu não sabia que estava pegando no seu pé – retruquei. – Só estou tentando ajudá-lo.

Era um diálogo sereno de ambas as partes, mas o assistente técnico Brian Shaw me puxou de lado e disse:

– Você está andando em cima de uma navalha, Phil.

Fiquei atordoado. Achei que estava sendo solidário, mas Brian explicou que Ron podia interpretar a minha aproximação para conversar baixinho como uma agressão.

Passado o incidente me dei conta de que a melhor maneira de me comunicar com Ron era conduzir tudo de maneira positiva – e não apenas com palavras, mas também com gestos e expressões faciais. Ele acabou entendendo o sistema e com a ajuda de Kobe e outros jogadores integrou-se ao DNA da equipe.

Ron não era o único ponto de interrogação em 2009-10. Outra preocupação era o declínio físico de Kobe ao longo da temporada. Em dezembro ele quebrou o dedo indicador da mão de arremesso durante um jogo contra os Timberwolves, mas ignorou a cirurgia, uma decisão da qual se arrependeu mais tarde. Não surpreendeu quando a lesão teve um impacto negativo no seu percentual de arremessos e nos seus números baixos em diversos quesitos.

Em fevereiro, uma torção de tornozelo agravou, e Kobe concordou em se manter afastado por três jogos para se recuperar. Ele se orgulhava de sua resistência de ferro e odiava ser derrotado. De fato, participara dos 208 jogos das duas temporadas anteriores. Mas precisava se recuperar e essa pausa deu ao time a oportunidade de jogar sem ele. E dessa maneira o time ganhou os três jogos contra rivais que estavam na liderança.

Justamente quando Kobe retomava o ritmo, o joelho direito que o vinha incomodando ao longo dos anos inchou e o afastou de dois jogos no mês de abril. A mesma lesão o incomodou durante as séries finais e contribuiu para a queda de produção em seus arremessos no final da temporada.

A lesão no joelho de Kobe acabou surtindo um efeito positivo em nosso relacionamento. No ano anterior, ele estava às voltas com esse mesmo problema e lhe dei a liberdade de pegar mais leve no treino – e até de faltar um treino ou outro, se necessário, para que mantivesse a força nas pernas. Kobe ficou tocado pela minha preocupação, e o vínculo entre nós se estreitou. Começamos a trocar ideias durante os treinos e sempre analisávamos os vídeos dos jogos no avião da equipe. Com o tempo desenvolvemos a mesma parceria íntima que eu desfrutara com Michael Jordan. Mas a ligação era menos formal com Kobe. Já com Michael, muitas vezes eu tinha que marcar reuniões para discutir estratégias, e com Kobe conversávamos o tempo todo.

Kobe sempre diz que aprendeu 90% do que sabe sobre liderança só de me ver em ação: "Não é apenas um tipo de liderança no basquete, mas também uma filosofia de vida que me ensinou a estar presente e aproveitar cada momento. Comecei a deixar que meus filhos desenvolvessem seu próprio ritmo e deixei de obrigá-los a fazer o que não é confortável, apenas nutrindo-os e orientando-os. Aprendi tudo isso com Phil." Agradeço a consideração.

À medida que seguíamos para as finais, Kobe aproveitava as oportunidades para exercitar as habilidades de liderança. Durante a temporada regular também ocorreram lesões com outros jogadores. Com Pau Gasol e Andrew Bynum, que ficaram fora de 17 jogos por diversos problemas, e com Luke Walton, que ficou de fora em grande parte da temporada devido a dores nas costas. Mas ao longo do ano tivemos uma boa química na equipe e isso nos levou ao primeiro lugar na Conferência Oeste, com um recorde de 57 vitórias e 25 derrotas, apesar de um tombo de quatro vitórias e sete derrotas no final da temporada.

O Oklahoma City Thunder, nosso adversário na primeira rodada, acabou nos dando um trabalho inesperado. Pensei então em deixar o veloz ala Kevin Durant de cabeça quente e declarei aos jornalistas que os árbitros o mimavam e apontavam faltas discutíveis dando moleza para ele, como se fosse uma superestrela. (A maioria das suas oportunidades de lances livres durante a temporada se devia em grande parte ao seu movimento de elevar o arremesso de baixo para cima e enganchar o braço do arremesso com o dos defensores, o que depois disso deixou de ser permitido pela NBA.) Durant se pôs na defensiva com minha observação, exatamente como eu desejava, mas a NBA me multou em 35 mil dólares e isso não era exatamente o que queria. Durant acabou fazendo uma série inexpressiva, mas acho que o jogo defensivo de Ron contra ele contribuiu mais para isso do que minha jogada.

A estratégia do Thunder era deixar Ron aberto nos cantos para pegar os rebotes quando ele errava os arremessos e disparar para o contra-ataque. E Ron fez o favor de errar vinte das 23 tentativas de três pontos nos primeiros quatro jogos. A ofensiva acelerada do Thunder e a transição lenta de nossa defesa permitiram que o Oklahoma City ganhasse dois jogos em casa e empatasse a série em 2-2.

Kobe, que teve problemas nos primeiros quatro jogos, renasceu no jogo 5 depois de receber uma significante drenagem de líquido no joelho dolorido. Ele realizou uma de nossas melhores ações ao anular o versátil armador Russell Westbrook, do Thunder, que vinha matando nossos outros armadores. Kobe não apenas neutralizou Westbrook, limitando-o a converter quatro arremessos em 13 tentativas para totalizar 15 pontos, como também galvanizou o nosso ataque facilitando as jogadas e passando a bola para Pau no garrafão que acabou fazendo 25 pontos enquanto Bynum fazia 21. Resultado final: Lakers 111 e Thunder 87.

No jogo 6, Ron Artest tomou as rédeas na defesa, limitando Durant a 21,7% no aproveitamento de arremessos de quadra, um dos piores percentuais na história das finais. Ainda assim, o jogo seguiu equilibrado até o último segundo, quando Pau, de tapinha, fez a cesta depois de um arremesso errado de Kobe, que selou a vitória em 95-94.

As duas rodadas seguintes não foram tão desesperadoras. O grande acontecimento é que o joelho de Kobe já não incomodava tanto e ele então passou a fazer uma média de quase 30 pontos por jogo. Depois de termos passado pelo Jazz em quatro jogos enfrentamos o Phoenix Suns nas finais da Conferência Oeste – o time mais inflamado da liga depois da pausa do Jogo das Estrelas. Eles não tinham uma estatura tão grande quanto à dos Lakers, mas sim uma forte combinação 1-2* em Steve Nash e Amar'e Stoudemire, além de um banco consistente e uma defesa compacta e vigorosa.

O jogo 5 em L.A. tornou-se o ponto de virada. A série estava empatada em 2-2 e o placar do jogo também empatado na maior parte do tempo. Ao final do jogo, os Lakers estavam 3 pontos à frente quando Ron pegou um rebote ofensivo. Mas em vez de esperar o relógio correr tentou um arremesso de três pontos e não converteu, permitindo que os Suns reagissem e empatassem o jogo com um arremesso de três pontos. Felizmente, Ron se redimiu nos últimos segundos ao pegar o rebote de um arremesso esdrúxulo de Kobe e colocar a bola na cesta para uma vitória ao soar da campainha.

---

* Tipo de esquema ofensivo. (N. do R.T.)

Dois dias depois, retornamos a Phoenix e encerramos a série. Ron renasceu ao acertar quatro de sete arremessos da linha de três pontos convertendo 25 pontos. Era como se finalmente estivesse desabrochando – e já era hora.

As finais do campeonato seguiam o curso contra os Celtics, que já me preocupavam com uma defesa cascuda. Eles tinham a estratégia de concentrar seus homens grandes dentro do garrafão, além de pressionar nossos armadores para que se livrassem da bola e forçar Lamar e Ron a fazerem arremessos de fora. Parecia um bom plano – e em dias passados já havia funcionado contra nós. Mas estávamos mais vivos do que em 2008 e tínhamos inúmeras opções de pontuação.

Saímos fortalecidos do jogo 1 por conta da atuação de Pau, que estava ansioso para mostrar ao mundo que não era o "frouxo" alardeado pelos repórteres em 2008. Mas os Celtics responderam à altura no jogo 2, com um impressionante desempenho do armador Ray Allen nos arremessos, convertendo 32 pontos e batendo um recorde de finais ao acertar oito arremessos de três pontos. A mídia fez críticas a Fish por ter dado muita liberdade a Allen, mas Kobe também teve dificuldade para conter o armador Rajon Rondo, que acabou fazendo um triplo-duplo*. De repente, a série estava empatada em 1-1 e seguíamos para três jogos em Boston.

O jogo 3 propiciou uma revanche para Fish. Primeiro porque anulou Allen na defesa, reduzindo-o a 0 arremesso convertido em 13 tentativas de quadra, um arremesso a menos do pior recorde das finais. E depois porque comandou o jogo no quarto período com uma sequência de 11 pontos que levaram os Lakers a recuperar a vantagem de decidir em casa. Ele reprimia as lágrimas quando entrou no vestiário após o jogo por ter contribuído tanto para a vitória. Mas nem por isso os Celtics desistiram. Colocaram-se à frente nos dois jogos seguintes em 3-2 e levaram a série para um clássico confronto em L.A.

Tex Winter costumava dizer que geralmente nossas sequências bem-sucedidas quando conquistamos campeonatos eram desencadeadas

---

* Dois dígitos em três categorias diferentes; ex.: arremesso, rebote e assistência. (N. do R.T.)

por um jogo no qual nosso time dominava inteiramente o adversário do começo ao fim. Isso ocorreu no jogo 6. Comandamos a partir do primeiro período e batemos os Celtics com decisão por 89-67, empatando a série novamente.

Mas isso não pareceu enfraquecer o espírito de Boston. Eles iniciaram o jogo 7 com força e fizeram uma vantagem de seis pontos na metade da partida. Ao longo do terceiro período os Celtics abriram uma vantagem de mais de 13 pontos, e com isso deixei o personagem de lado e solicitei dois tempos. Dessa vez não podia continuar sentado e esperar que os jogadores resolvessem, a energia do time precisava mudar de imediato.

O problema é que na ânsia de ganhar Kobe abandonara o triângulo e retornara para os antigos hábitos de pistoleiro. Ele forçava com tanta gana que perdia os arremessos. Recomendei a ele que confiasse no ataque.

– Você não precisa fazer tudo sozinho – disse. – Deixe que o jogo chegue a você.

Era um exemplo clássico do momento que é mais importante prestar atenção no espírito do que no placar. Logo depois, eu vi Fish, que saiu do banco para a quadra, formular um plano com Kobe para que ele voltasse para dentro do ataque.

Kobe fez a mudança e as coisas voltaram a fluir sem problemas, e aos poucos corroemos a liderança dos Celtics. O arremesso de três pontos de Fish com seis minutos e 11 segundos para o fim acabou sendo o momento-chave porque empatamos em 64-64 e convertemos 9 pontos eletrizantes que nos colocaram 6 pontos à frente. Os Celtics fizeram 3 pontos com um arremesso de Rasheed Wallace com um minuto e 23 segundos para terminar, mas Ron Artest respondeu à altura com outro arremesso de três pontos que nos garantiu a vitória de 83-79.

A beleza do jogo caracterizou-se pela intensidade crua. Foi como assistir a um combate acirrado entre dois pesos-pesados veteranos que retornavam ao ringue pela última vez e se esmurravam até o último soar da campainha.

Após o jogo, as emoções afloraram das entranhas. Kobe referiu-se à vitória como "de longe a mais doce de todas" e depois pulou em cima da mesa dos cronometristas e usufruiu dos aplausos da torcida em meio aos braços estendidos e a uma nevasca de confete purpúra e dourado. Fish, que geralmente era o sr. Estoico, voltou a chorar compulsivamente no vestiário enquanto abraçava um Pau Gasol de olhos lacrimejantes. Magic Johnson, que participara de cinco celebrações de campeonato, disse para Mike Bresnahan dos *Los Angeles Times* que era a primeira vez que presenciava uma efusão de emoções como aquela no vestiário dos Lakers.

– Acho que finalmente entendi a história da rivalidade entre os dois times e a dureza de derrotar os Celtics – acrescentou.

Para mim, era a vitória mais gratificante de minha carreira. Depois de uma temporada de tentativas marcadas pela inconsistência e as lesões problemáticas, no fim a coragem e o trabalho em equipe serviram como estudo para os jogadores. Fiquei comovido por ter visto que Pau superara o estigma de "frouxo" que o assombrara por dois anos e por ter visto a reação de Fish depois de se sentir detonado por Ray Allen. Foi cativante assistir ao amadurecimento de Ron, que desempenhou um papel fundamental na marcação a Pierce e nos arremessos certos na hora de que mais precisávamos.

– Eu não sabia que a conquista de um troféu fazia a gente se sentir tão bem assim – ele disse mais tarde. – Mas agora me sinto importante.

À emoção da conquista de outro anel somou-se o indescritível prazer de enterrar a maldição dos Celtics com uma vitória triunfante em nossa própria casa. Diga-se a bem da verdade que os torcedores desempenharam um grande papel nessa vitória. Vez por outra os torcedores dos Lakers são ridicularizados pela descontração diante do jogo, mas nesse dia eles se envolveram como nunca.

Era como se também tivessem entendido por instinto a importância simbólica daquele momento tanto para a equipe como para a comunidade de L.A. como um todo. De repente aquela vitória era a única e verdadeira *realidade* no show da cidade dos sonhos.

22
ESTE JOGO ESTÁ NA GELADEIRA

Somos todos falíveis – pelo menos o melhor de nós.
J. M. BARRIE

Talvez tivesse sido melhor terminar com aquele bramido da multidão e aquela chuva de confete. Mas a vida nunca é roteirizada.

Eu tinha algumas reservas em voltar para a temporada de 2010-11. Primeiro porque estava com um problema no joelho direito e ansioso por uma cirurgia de reforço. E depois porque, embora grande parte do núcleo do time pudesse retornar, a tendência era perder alguns jogadores importantes para o passe livre, especialmente os armadores Jordan Farmar e Sasha Vujacic, que eram difíceis de serem substituídos. Isso sem mencionar que ainda nutria um desejo secreto de escapar da esgotante agenda de viagens da NBA e da pressão de estar sob o constante olhar do público.

Ainda estávamos nas finais da Conferência Oeste quando conversei com o dr. Buss a respeito da temporada seguinte durante um almoço em Phoenix. Ele me confidenciou que as negociações dos contratos com o sindicato dos jogadores não estavam indo bem e que esperava que os proprietários instituíssem uma paralisação após a temporada de 2010-11. Isso significava que os Lakers precisavam tomar algumas medidas urgentes para cortar os gastos. Ele também disse que alguns outros proprietários estavam insatisfeitos em relação ao meu salário e que alegavam que os termos do meu contrato os obrigariam a pagar mais para os seus técnicos. Conclusão: se eu decidisse permanecer, seria com um salário reduzido.

Falei que daria uma resposta no mês de julho. Claro que nessa resposta me seria difícil dizer não para Kobe e Fish porque tínhamos vencido o campeonato. Na realidade, não muito tempo depois da vitória sobre os Celtics, ambos começaram a apelar via texto pela minha permanência para "ganhar um tricampeonato novamente".

Então, negociei um contrato de um ano com o dr. Buss e comecei a trabalhar na montagem de um novo elenco junto com Mitch Kupchak. Defini a campanha como "a derradeira", o que infelizmente acabou sendo uma definição precisa para essa temporada desastrosa.

Fomos obrigados a substituir cerca de 40% do elenco da temporada anterior. Além de Jordan Farmar e Sasha, que seriam negociados para os Nets em meados de dezembro, ainda perdemos o pivô reserva Didier Ilunga-Mbenga e os alas Adam Morrison e Josh Powell. Substituímos os jogadores que saíram com um misto de jogadores veteranos e jovens, e entre os mais promissores o ala Matt Barnes e o armador Steve Blake. Mas Barnes machucou o joelho e perdeu um terço da temporada, e Blake contraiu varicela no final da temporada e teve menos tempo de jogo nas finais. E, mais, o pivô veterano de 37 anos Theo Ratliff, adquirido para ser reserva de Andrew Bynum, lesionou-se e quase não aguentava jogar. Ainda assim, a linha de frente não me preocupava. O que me preocupava era a falta de juventude e energia no time. Farmar, Sasha e Josh estavam sempre desafiando os veteranos a subir ao mesmo nível de energia que empregavam. A perda deles significava que os treinos não seriam tão intensos como antes, o que não era bom.

Outro problema, claro, era o joelho direito de Kobe. Depois de se submeter a outra cirurgia artroscópica durante as férias, ele disse que o joelho tinha perdido muita cartilagem e que segundo os médicos estava "quase osso no osso". Kobe continuava com dificuldade para se recuperar após os jogos e os fortes treinos. E por isso reduzimos o tempo de treino para ele na véspera dos jogos, na esperança de que um descanso recuperaria o joelho com mais rapidez. A redução da intensidade nos treinos caiu bem, mas por outro lado o isolou do time e deixou um vácuo na liderança pelo resto da temporada.

Apesar de todos os problemas, o time começou com uma aparência de força e um ritmo saudável de 13 vitórias e duas derrotas, até que no dia de Natal o Miami Heat sob a nova liderança de LeBron James nos detonou com uma vitória de 96-80, no Staples Center. E também fizemos uma viagem de jogos fora de casa pouco antes do intervalo do Jogo das Estrelas que terminou com três derrotas perturbadoras para o Orlando, Charlotte e Cleveland.

Durante o jogo contra os Cavaliers – a essa altura o time com o pior recorde na NBA –, Kobe estava carregado de faltas pela marcação ao armador Anthony Parker quando Ron Artest tentou salvar o dia, mas cometeu uma série de erros e isso nos deixou atrás em 5 pontos ali pela metade do jogo. Kobe e Fish não gostaram disso e disseram que ninguém estava entendendo o que Ron queria fazer na quadra, principalmente na defesa, e que assim era difícil empreender um ataque coeso.

Convoquei uma reunião durante o intervalo do Jogo das Estrelas e conversamos sobre as maneiras de levar o time de volta ao caminho certo. O novo assistente técnico Chuck Person sugeriu que tentássemos um sistema defensivo que, segundo ele, poderia nos proteger do nosso velho bicho-papão – corta-luzes. E nesse processo estreitamos um trabalho em conjunto para o time. Era um sistema que seguia na contramão do instinto dos jogadores porque desarticulava os movimentos defensivos automatizados por eles desde o ensino médio. Alguns outros assistentes técnicos acharam que introduções diferentes e radicais no meio da temporada eram arriscadas, mas achei que valia a pena apostar.

A principal desvantagem era que Kobe não teria tempo para praticar o novo sistema com o time devido à dor no joelho. Achei que isso seria um obstáculo menor. Kobe aprendia rapidamente e seria bom se adaptar a situações desafiadoras. Entretanto, quando colocamos o sistema em prática durante os jogos, ele geralmente se frustrava e começava a dar instruções que se contrapunham ao que os companheiros tinham aprendido nos treinos. Uma desconexão que nos assombraria mais tarde.

De qualquer forma, a princípio o novo sistema funcionou e chegamos a 17 vitórias e uma derrota após o intervalo da competição. Mas no início de abril perdemos cinco jogos seguidos, inclusive para a melhor equipe em corta-luzes da liga: o Denver Nuggets. E para conseguirmos o segundo lugar na conferência tivemos que ganhar o último jogo da temporada contra o Sacramento na prorrogação. Tínhamos chegado aos escorregões ao final da temporada anterior e ainda assim triunfamos, mas dessa vez era diferente. Não deveríamos estar lutando tanto àquela altura da temporada.

* * *

O fato de que o adversário na primeira rodada das finais eram o New Orleans Hornets não ajudou em nada, uma vez que o armador Chris Paul, a estrela da equipe, não teve dificuldade para penetrar no novo sistema defensivo dos Lakers e para fazer estragos por toda a quadra. Os Hornets também tinham Trevor Ariza, um ex-jogador dos Lakers, que estava determinado a mostrar que tínhamos cometido um erro ao deixá-lo sair. Ele fez um bom trabalho, causando problemas para Kobe na defesa e acertando diversos e importantes arremessos de três pontos. Antes que nós déssemos conta, os Hornets já tinham roubado o primeiro jogo em L.A. por 109-100, e tivemos que lutar muito para obter uma vantagem na série por 2-1.

Os Hornets não eram o nosso único obstáculo. Após o treino no sábado anterior ao jogo 4, Mitch encontrou-se pessoalmente com os membros da minha comissão técnica e informou que os contratos expiravam em 1º de julho e que não seriam renovados para a próxima temporada. Isso incluía assistentes técnicos, fisioterapeutas, massagistas, instrutores de musculação e condicionamento físico e um gerente de equipamentos – todos, exceto o fisioterapeuta-chefe Gary Vitti, cujo contrato era de dois anos. Esperava-se uma greve na NBA, e Mitch então pensou em dar tempo aos funcionários para que encontrassem novos postos de trabalho. Mas o anúncio em meio a uma primeira rodada de uma série final apertada teve um impacto negativo tanto nos jogadores como nos funcionários.

Como se isso não bastasse, naquela noite prenderam o novato Derrick Caracter por um suposto assédio a uma garota do caixa do International House of Pancakes e o acusaram de agressão, embriaguez pública e resistência à prisão. Ele foi libertado sob fiança no domingo e teve a acusação retirada, mas não participou do jogo 4 no qual os Hornets nos venceram e empataram a série em 2-2.

Nós já tínhamos visto e estudado o vídeo dos jogos em grupo no início da série e observado que quando Chris Paul se infiltrava pela nossa defesa forçava um dos nossos homens grandes a trocar a marcação e a marcá-lo, e que isso era exatamente o que ele queria.

Foi quando desliguei o projetor e disse:

– Bem, o que acharam disso? Nossa defesa está totalmente confusa. Sem sequer saber o que está tentando fazer. E estamos jogando direto para as mãos dele.

Fish se pronunciou primeiro:

– Alguma coisa está errada aqui. Sei que já passamos por muita coisa e que alguns já foram embora. Talvez seja uma questão de atitude ou de falta de foco. Mas alguma coisa está errada.

Depois de ouvi-lo, sentei na cadeira de frente para os jogadores e contei um problema pessoal que me atormentava nos últimos dois meses e que obviamente já tinham percebido sem precisar de palavras. Em março eu tinha recebido um diagnóstico de câncer de próstata. Fiquei pensando durante algumas semanas a respeito do procedimento a ser tomado. Até que o médico me garantiu que poderia controlar por algum tempo o crescimento do câncer com medicamentos, e decidi que me submeteria à cirurgia depois das finais.

– Esse período tem sido difícil para mim – acrescentei. – E não sei se isso interferiu na minha capacidade de dar tudo de mim como geralmente dou para vocês, rapazes. Mas sei que tenho estado mais retraído do que o habitual.

Fiquei com a voz embargada, e os jogadores se comoveram. Mas agora olho para trás e não sei se tomei a decisão certa. Embora a decisão de dizer a verdade nunca seja errada, às vezes isso repercute seriamente. Existe um momento certo para dizer a verdade. Fiquei em dúvida se a confidência ajudaria a unir o time ou se levaria os jogadores a sentirem pena de mim. Era a primeira vez que me mostrava tão vulnerável, e para eles eu era "o cara zen" que sempre estava de cabeça fria, mesmo sob pressão. Mas o que realmente estariam pensando?

Fazendo um retrospecto, a mim cabia prever o que viria pela frente. Mas até então nenhuma de minhas equipes desmoronara de maneira tão estranha e assustadora. Depois disso, a equipe encontrou o caminho ao derrotar os Hornets nos dois jogos seguintes. Fiquei tão impressionado com o desempenho dos atletas no jogo 6 que disse aos jornalistas que aquela equipe tinha "potencial para ser tão boa quanto qualquer outra formação dos Lakers treinada por mim".

É desnecessário dizer que falei cedo demais.

O adversário seguinte, Dallas Mavericks, não era uma grande ameaça. Era um time de veteranos talentosos que terminava o ano com um recorde igual ao nosso (57 vitórias e 25 derrotas). Mas antes sempre o dominávamos e em março o havíamos derrotado com folga na conquista da série de três jogos da temporada regular, por 2-1, e isso nos tinha dado a vantagem de jogar em casa contra eles nas finais.

Mas o Dallas nos trouxe alguns problemas sérios no confronto individual. Primeiro porque não tínhamos ninguém que acompanhasse o ritmo do pequeno e veloz armador José Juan Barea dos Mavs, que, tal como Chris Paul, se mostrou surpreendentemente eficiente em quebrar o novo sistema defensivo do nosso time. Achávamos que Steve Blake, que era mais rápido e mais ágil do que Fish, seria a rolha na porta dos fundos do nosso setor defensivo, mas tinha perdido a velocidade habitual após a luta com a varicela. Além disso, os Mavs anularam Kobe com DeShawn Stevenson, um armador duro e musculoso, e praticamente neutralizaram Andrew Bynum com Tyson Chandler e Brendan Haywood, uma dupla de grandalhões. Para piorar, Barnes e Blake estavam fora de forma e nosso banco passou por maus bocados com a segunda unidade do Dallas, sobretudo com Jason Terry, um sexto homem devastador atrás da linha de três pontos.

Uma das maiores decepções acabou sendo o desempenho de Pau, que anteriormente tinha jogado bem contra os Mavs. Mas os árbitros permitiram que o ala Dirk Nowitski, do Dallas, o empurrasse, impedindo-o de estabelecer uma posição sólida no pivô poste baixo perto do garrafão, e isso prejudicou o nosso ataque. Passei o tempo todo instigando Pau a reagir, mas ele estava com um sério problema familiar e isso o distraía. Fiel ao padrão de sempre, a mídia inventou histórias para explicar o desempenho mediano de Pau como, por exemplo, as fofocas de que ele tinha terminado com a namorada ou brigado com Kobe, nenhuma das histórias era verdadeira. Mas o fato é que os rumores o perturbaram e o deixaram desconcentrado.

O jogo 1 tornou-se um mistério para mim. Dominamos no início e construímos no terceiro período o que parecia ser uma sólida liderança de 16 pontos. De repente, sem nenhum motivo aparente, deixamos de jogar nos dois extremos da quadra e a energia transferiu-se para os Mavs. No final do quarto período ainda tivemos diversas oportunidades para ganhar o jogo, mas estranhamente fracassamos em todas elas. Nos cinco segundos restantes os Mavs estavam um ponto à frente quando Kobe tropeçou na tentativa de se livrar de Jason Kidd e perdeu um passe de Pau. Em seguida, Kidd sofreu uma falta e converteu um dos lances livres, e ao soar da campainha Kobe perdeu um arremesso de três pontos e cedeu a vitória aos Mavs, 96-94.

O enredo tomou um rumo ainda mais sinistro no jogo 2. Começamos com fogo nos olhos, mas a fleuma se dissipou rapidamente. Não porque o desempenho dos Mavs era espetacular – sinceramente, não era –, e sim porque nos superavam em agressividade e se capitalizavam com a lentidão do nosso setor defensivo. A grande surpresa acabou sendo Barea, que se mostrou praticamente imbatível e, sem qualquer esforço, abriu caminho pela nossa defesa para fazer 12 pontos (o que igualou à marca de todo o nosso banco) e quatro assistências. Nowitski também não teve dificuldade para detonar Pau e converter 24 pontos, liderando os Mavs e os levando a uma vitória de 93-81. Nos segundos finais do jogo, Ron Artest estava tão frustrado que puxou a camiseta de Barea enquanto o pressionava na quadra de defesa e recebeu uma suspensão para o jogo seguinte. Não foi um dos melhores momentos de Ron.

A perda de Artest era dolorosa, mas não era catastrófica. Lamar o substituiu no jogo 3 e fizemos um considerável esforço para movimentar a bola dentro do garrafão e tirar proveito da nossa mais alta linha de frente. Isso funcionou na maior parte do jogo e nos ajudou a construir uma vantagem de 7 pontos com cinco minutos para terminar. Mas o Dallas tinha bons arremessadores de três pontos e começou a explorar nosso ponto fraco na marcação do perímetro, sobretudo quando estávamos com um time alto na quadra. Liderados por Nowitski, que converteu 32 pontos e acertou quatro de cinco arremessos de três pontos, os Mavs valsaram para uma vitória de 98-92.

Meu filho Charley me telefonou depois da derrota e disse que faria um voo com seus irmãos Chelsea, Brooke e Ben até Dallas para assistir ao próximo jogo.

– Vocês estão loucos? – perguntei.

– Não, não queremos perder seu último jogo – ele respondeu.

– O que quer dizer com "meu último jogo"? Nós vamos ganhar no domingo.

Meus filhos sempre me acompanhavam das arquibancadas nos grandes jogos desde os meus dias de técnico na Associação Continental de Basquete. Eram tempos em que saíamos da nossa casa em Woodstock em viagens com June para jogos e aventuras familiares. Mas as crianças estavam no ensino fundamental e médio quando comecei a treinar os Bulls, e as viagens para os jogos fora de casa das finais passaram a ser uma cortesia do time. O ritual continuou quando me transferi para Los Angeles e eles já tinham idade para curtir as festas ligadas às séries. Até 2011 compareceram a muitas finais – 13, para ser exato –, que passaram a dizer que todo mês de junho ganhavam uma grande festa da NBA.

Um momento inesquecível que me marcou foi quando apareceram em Orlando para as finais de 2009 e me presentearam com um boné de basquete amarelo dos Lakers, bordado com o algarismo romano X para comemorar a minha décima conquista de campeonato. Será que haveria um boné XII?

Os abutres já estavam circulando. De repente, o meu amigo e fotógrafo da NBA, Andy Bernstein, chegou a Dallas, e como cumprimento o chamei com certa ironia de "morto-vivo". Talvez possa parecer um pensamento mágico, mas eu realmente acreditava que ganharíamos o jogo 4 e levaríamos a série para Los Angeles. Para ser honesto, eu não cogitava como terminaria a carreira ou o que faria depois. Só procurava me manter no aqui e agora e chegar ao próximo jogo.

Foi essa mensagem que passei para os jogadores: ganhem o jogo, levem a série para nossa casa e depois façam pressão sobre os Mavs e conquistem a vitória. Talvez tenha esquecido alguma coisa, mas os jogadores não me passaram o sentimento de que haviam desistido ou de que achavam que a série acabara. E também não achei que estavam cansados de jogar no mesmo time.

Claro, quando se é técnico não se tem a mesma apreensão de quando se é jogador. O jogador está sempre obcecado em não estragar tudo e não cometer erros que comprometam o jogo. Já o técnico sempre pensa o seguinte: o que posso fazer para motivar esses caras e com que rendam o que podem render? Que tipo de visão posso oferecer para levá-los a jogar com mais naturalidade? E que tipo de mudança tática posso fazer para dar a eles certa vantagem?

Minha preocupação no jogo 4 era fazer com que Pau reagisse aos empurrões no confronto com Nowitski para que pudesse se posicionar melhor no pivô poste baixo perto do garrafão. A chave para a vitória era fazer um jogo forte dentro do garrafão, a começar por Pau. No jogo 3 me cansei tanto de vê-lo sendo empurrado de um lado para outro que bati no peito dele quando saiu da quadra só para ver se reagia. A mídia fez piadas com isso, mas ele entendeu essa minha tentativa. Infelizmente, não foi o suficiente.

Não sei se algum ajuste mágico da comissão técnica teria feito alguma diferença no jogo 4. Os Mavericks tiveram o domínio do início ao fim, com um aproveitamento notável de 60,3% de arremessos da quadra e 62,5% de arremessos atrás da linha de três pontos enquanto dançavam, sorriam e festejavam rumo a uma vitória de 122-86. Grande parte dos danos foi realizada pelos jogadores reservas dos Mavs, particularmente Terry, que bateu um recorde de finais quando converteu nove arremessos de três pontos, totalizando 32 pontos; Predrag Stoyakovic, que acertou seis arremessos em seis tentativas de três pontos; e Barea, que converteu 22 pontos enquanto disparava pela quadra como o Papa-Léguas enganando o Coiote.

Foi um primeiro tempo tão desigual que era quase risível. No intervalo perdíamos de 63-39, mas nos recusamos a entregar os pontos. Falei para os jogadores que só precisavam se defender melhor sem permitir cestas e converter alguns arremessos que entraríamos no jogo outra vez. E fizeram acontecer. Então, na metade do terceiro período, Fish roubou uma bola e fez um passe longo para Ron, que disparou sozinho ao longo da quadra. Isso poderia ter mudado o rumo do jogo. Mas quando Ron subiu à cesta parecia indeciso sobre o que fazer e deixou a bola escapulir e rolar pela base do aro afora. Logo depois Terry acertou um arremesso de três pontos como último pesadelo para nós.

Seguiu-se então a parte mais dolorosa de assistir. No quarto período, Lamar agrediu Nowitski e o expulsaram do jogo. Passado algum tempo, Bynum atingiu Barea com uma perigosa cotovelada que o lançou ao chão. Além de ter sido expulso do jogo, Bynum recebeu uma suspensão posterior de cinco jogos. Ao sair da quadra ele rasgou a camiseta e exibiu o peito para os torcedores – uma situação embaraçosa, um gesto infantil.

Estava tudo acabado.

Chick Hearn, o falecido locutor dos Lakers, sempre bradava quando achava que uma disputa já estava decidida: "Este jogo está na geladeira; a porta está fechada, as luzes estão apagadas, os ovos estão gelados, a manteiga está dura e a gelatina está tremendo!"

E de repente essas palavras soaram verdadeiras. Não apenas em relação ao jogo, mas também em relação à campanha daquele campeonato e ao meu cargo de técnico dos Lakers.

Tudo estava na geladeira.

Nunca fui muito bom em lidar com a derrota. Como acontece com muitos outros de espírito competitivo, uma de minhas principais forças motrizes além de ser a vitória também era evitar a derrota. Mas por alguma razão o fiasco em questão não me afetou tanto quanto outras derrotas que tive que suportar em minha vida no basquete. Talvez porque não tenha sido na final do campeonato. É bem mais fácil lidar com derrotas nas semifinais do que nas finais próximas à conquista de um anel. Mais do que isso, a maneira pela qual o Dallas desabrochou foi tão superior a nós que ficou difícil levar a derrota tão a sério.

Embora insatisfeito com o comportamento dos jogadores no final do jogo, não achei direito dar uma palestra sobre a etiqueta da NBA quando nos reunimos pela última vez no vestiário.

– Acho que esta noite jogamos sem personalidade – disse para eles. – Não sei por que isso aconteceu justamente agora. Talvez a mídia faça um tremendo alarde com isso. Mas este jogo não deve ser encarado como um termômetro da capacidade ou do espírito competitivo de vocês. Vocês são melhores do que isso.

Saí caminhando por entre os jogadores e agradecendo a cada um em particular pela grande obra que realizáramos juntos ao longo dos anos.

Geralmente os atletas lidam melhor com a derrota do que os técnicos, já que podem entrar no vestiário, tomar um banho e depois dizer:

"Estou cansado e com fome. Vamos comer alguma coisa." Mas nós técnicos não dispomos da mesma descarga de tensão de quem participa fisicamente de um jogo esgotante. Continuamos com o sistema nervoso ligado mesmo depois que a arena esvazia.

E comigo geralmente os meus nervos continuam chutando em alta velocidade no meio da noite. Durmo por algumas horas e de repente – bang! – o meu cérebro liga e começa a girar: "Será que eu devia ter feito isso ou feito aquilo? Meu Deus, que lastimável aquela solicitação de tempo no quarto período. Será que teria sido melhor fazer um jogo diferente?" E assim por diante. Às vezes, sento-me e medito por um longo tempo, até que o ruído interno arrefece e volto a dormir.

O cargo de técnico leva ao rolo compressor de uma montanha-russa emocional difícil de ser detida, mesmo quando se tem uma prática diligente de deixar de lado o desejo de que as coisas sejam diferentes do que realmente são. Sempre há um pouco mais para deixar de lado. O mestre zen Jakusho Kwong recomenda "uma participação ativa no fracasso", pois somos condicionados a buscar apenas os ganhos para sermos felizes e satisfazermos nossos próprios desejos, explica. Mas, embora se possa entender que em algum nível o fracasso dinamiza o crescimento, a maioria de nós acredita que a derrota deve ser evitada a todo custo porque se opõe à vitória. Se aprendi alguma coisa nos meus anos de praticante zen e técnico de basquete, é que aquilo ao qual resistimos sempre persiste. Às vezes o desapego se dá rapidamente, e outras vezes precisa de muitas noites insones. Ou até de semanas.

Acabei de conversar com os jogadores e saí caminhando pelo corredor do American Airlines Center em direção a uma sala onde os meus filhos me aguardavam. Eles estavam perturbados, uns com lágrimas nos olhos e outros com ar de descrença.

– Eu não acredito que isso aconteceu – disse Chelsea. – Foi o jogo mais difícil a que já assistimos. Por que tinha que ser logo *esse* jogo?

Foi uma pergunta que me fiz algumas vezes depois disso. Sempre tendemos a procurar alguém a quem pôr a culpa quando ocorre um desastre inesperado. Os colunistas tiveram um dia inteiro para acusar a todos pela derrota, de Kobe a Pau, de Fish a Ron e a Lamar, e claro que a mim também. Andrew declarou aos repórteres que a equipe tinha "problemas de confiança", e talvez haja alguma verdade nisso. Mas acho que outros fatores também interferiram para que os Lakers não estivessem estreitamente unidos pela conquista do campeonato, como já fizéramos tantas vezes.

A fadiga foi um grande fator. A conquista de *um* campeonato requer muito desgaste – tanto físico como psicológico e espiritual. Quando você está investindo em uma terceira campanha consecutiva ao título de campeão, já se passou por tantos jogos que se torna cada vez mais difícil explorar os recursos internos necessários à vitória. Além do mais, diversos integrantes importantes da equipe – incluindo eu – estavam envolvidos em questões pessoais que os impediam de atuar com aquele espírito competitivo. Como disse Lamar com toda a simplicidade após o jogo: "Faltou alguma coisa para nós."

De acordo com os sábios budistas só há "um décimo de uma polegada de diferença" entre o céu e a terra. E talvez se possa dizer o mesmo sobre o basquete. A conquista de um campeonato requer um equilíbrio delicado, e muitas coisas podem ser feitas por vontade própria. O trabalho de um líder é fazer de tudo ao seu alcance para propiciar condições perfeitas em função do sucesso, abstraindo-se do próprio ego e inspirando a equipe para jogar da maneira certa. Mas em algum momento você precisa deixar isso de lado e se voltar para os deuses do basquetebol.

A alma do sucesso é a rendição ao que é.

AGRADECIMENTOS

A realização deste livro começou durante o inverno de 2011-12 na sala de estar da casa de Phil, em Playa del Rey, uma tranquila cidade praieira na Califórnia. Na enorme sala com vista para o Pacífico, algumas lembranças expostas: uma foto de Edward Curtis que mostra um guerreiro Kutenai dentro de uma canoa no lago Flathead, uma pintura que mais parece um totem da equipe tricampeã dos Bulls, uma grande réplica do anel conquistado pelos Lakers no campeonato de 2010. Do outro lado das amplas janelas, aspirantes a atletas olímpicos jogavam vôlei na praia, enquanto um desfile dos moradores de Los Angeles em coloridas roupas esportivas se alinhava em patins, bicicletas, patinetes e outros adoráveis veículos terrestres.

Uma vez ou outra, Phil se detinha na exposição das maravilhas do triângulo ofensivo e lançava um olhar sonhador para o oceano. "Olhe", dizia apontando para um barco de pesca que entrava pelo mar adentro ou para alguns golfinhos que brincavam nas ondas próximas à costa. Sentávamos em silêncio e observávamos até que Phil decidia que era hora de recomeçar a desvendar os mistérios do Porco Cego ou de algum outro aspecto arcano do jogo jacksoniano.

Escondido no fundo da sala, um pequeno espaço de meditação cercado por biombos de papel ao estilo japonês, onde, quase toda manhã, Phil pratica o *zazen*. Pendurado em uma parede, um belo desenho caligráfico do *ensô*, um símbolo zen da unidade, com as seguintes palavras de Tozan Ryokai, um monge budista do século IX:

> *Não tente olhar o mundo objetivo.*
> *Você a quem é dado um objeto para olhar é bem diferente*
> *de si mesmo.*

> *Eu vou do meu jeito. E encontro a mim mesmo que incluo*
> *tudo o que encontro.*
> *Não sou algo que possa ser visto (como um objeto).*
> *Quando você entende que o eu inclui tudo,*
> *Você tem o seu verdadeiro caminho.*

Essa é a essência do que tentamos transmitir neste livro: o caminho da transformação é ver a si mesmo como algo além dos estreitos limites do próprio ego – algo que "inclui tudo".

O basquete não é um jogo de um único atleta, mesmo que às vezes os senhores da mídia o retratem dessa maneira. E que fique bem claro que também não é um jogo de cinco atletas. É uma dança complexa que inclui tudo o que ocorre em um dado momento – o toque da bola contra o aro, o murmúrio da multidão, o brilho raivoso nos olhos do adversário e o diálogo de macaquinhos na sua cabeça.

O mesmo ocorre com a escrita. A criação de um livro como este vai muito além do trabalho solitário de dois sujeitos que teclam nos seus laptops. Felizmente, uma extraordinária equipe de homens e mulheres nos abençoou ao longo deste projeto, contribuindo com ideias, energia criativa e trabalho duro que acabaram por tornar esta obra possível.

Em primeiro lugar, gostaríamos de agradecer à nossa agente, Jennifer Rudolph Walsh, da William Morris Entertainment, pela ajuda para que esta publicação se desenvolvesse ao longo do caminho e viesse à luz. E também agradecemos imensamente ao extraordinário agente Todd Musburger pela perseverança, integridade e o dom para encaixar todas as peças.

Somos grandes devedores de Scott Moyers, nosso editor, pela compreensão da visão do livro *Onze anéis* e pela realização dessa visão. Também parabenizamos Mally Anderson, a assistente de Scott, e toda a equipe editorial da The Penguin Press pela graça sob pressão, como a de Jordan.

Fazemos um agradecimento especial aos jogadores, técnicos, jornalistas e outros que dedicaram seu tempo para compartilhar conosco suas reflexões pessoais sobre Phil e os eventos narrados nestas páginas. Agradecemos em particular ao senador Bill Bradley e Mike Riordan pelas visões referentes ao Knicks; Michael Jordan, Scottie Pippen, John Paxson,

Steve Kerr e Johnny Bach, pelas visões referentes ao Bulls; e Kobe Bryant, Derek Fisher, Rick Fox, Pau Gasol, Luke Walton, Frank Hamblen, Brian Shaw e Kurt Rambis, pelas visões referentes ao Lakers. E também muito obrigado a Bill Fitch, Chip Schaefer, Wally Blase, George Mumford, Brooke Jackson e Joe Jackson pelas contribuições inestimáveis.

Somos especialmente gratos aos escritores Sam Smith e Mark Heisler pela orientação e conhecimento profundo da NBA. E também nos ajudaram muito Rick Telander, colunista do *Chicago Sun-Times*, bem como os jornalistas Mike Bresnahan, do *Los Angeles Times*, e Kevin Ding, do *Orange County Register*.

Uma tirada de chapéu para John Black, o mago das relações-públicas dos Lakers, e sua equipe pela divisão das águas, o que só ele sabe fazer. E também muito obrigado a Tim Hallam e a sua tripulação nos Bulls.

Um agradecimento especial aos colaboradores de Phil nos livros anteriores, os escritores Charley Rosen (*Maverick* e *More Than a Game*) e Michael Arkush (*The Last Season*), e os fotógrafos George Kalinsky (*Take it All!*) e Andrew D. Bernstein (*Journey to the Ring*). Nós também somos devedores das perspectivas de outros autores dos seguintes trabalhos: *Life on the Run*, de Bill Bradley; *Miracle on 33rd Street*, de Phil Berger; *Garden Glory*, de Dennis D'Agostino; *Red on Red*, de Red Holzman e Harvey Frommer; *Mindgames* e *The Show*, de Roland Lazenby; *Playing for Keeps*, de David Halberstam; *The Jordan Rules*, de Sam Smith; *In the Year of the Bull*, de Rick Telander; *Ain't No Tomorrow*, de Elizabeth Kaye; e *Madmen's Ball*, de Mark Heisler.

Além disso, gostaríamos de agradecer aos diversos jornalistas que fizeram a cobertura de Phil e suas equipes ao longo da carreira dele pelos seus conhecimentos, especialmente a Frank Deford, Jack McCallum e Phil Taylor (*Sports Illustrated*); Tim Kawakami, Tim Brown, Bill Plaschke, T. J. Simers e Broderick Turner (*Los Angeles Times*); Melissa Isaacson, Terry Armour, Skip Myslenski, Bernie Lincicome e Bob Verdi (*Chicago Tribune*); Lacy J. Banks, John Jackson e Jay Mariotti (*Chicago Sun-Times*); Tim Sullivan e Mark Ziegler (*San Diego Union-Tribune*); Howard Beck e Mike Wise (*New York Times*); Mike Lupica (*New York Newsday*); J. A. Adande, Ramona Shelburne e Marc Stein (*ESPN*); e Michael Wilbon (*Washington Post*).

O trabalho excepcional das pesquisas de Sue O'Brian e Lyn Garrity certificou a veracidade dos fatos. Um profundo agradecimento a Kathleen Clark pela criação de uma galeria de imagem maravilhosa, e a Brian Musburger e Liz Calamari pelo incansável esforço na promoção do livro. E também obrigado a Chelsea Jackson, Clay McLachlan, John M. Delehanty, Jessica Catlow, Rebekah Berger, Amanda Romeo, Gary Mailman, Amy Carollo, Caitlin Moore, Kathleen Nishimoto, Gayle Waller e Chrissie Zartman pela assistência, além do cumprimento do dever.

Acima de tudo, agradecemos pelo amor e apoio às maiores campeãs desta obra, Barbara Graham e Jeanie Buss.

Desde o início, Barbara se derramou de coração e alma neste projeto, e levantou o livro com uma visão criativa e uma edição magistral.

E sem Jeanie esta publicação nunca teria nascido. Foi por essa razão que Phil retornou ao Lakers para uma segunda corrida. E agradecemos a Jeanie e ao falecido dr. Jerry Buss por terem dado a Phil a oportunidade de ganhar seus dois últimos anéis.

Phil Jackson e Hugh Delehanty
Fevereiro de 2013

CRÉDITOS

Fotos:

PÁGINA 162: Walter Iooss Jr./*Sports Illustrated*/Getty Images.

PÁGINA 163 – alto: *New York Daily News*/Getty Images.

PÁGINA 163 – inferior: Dan Farrell/*New York Daily News*/Getty Images.

PÁGINA 164 – inferior: Peter Read Miller/*Sports Illustrated*/Getty Images.

PÁGINA 165 alto: Rocky Widner/NBAE/Getty Images. Copyright 1991 NBAE.

PÁGINA 165 inferior: Nathaniel S. Butler/NBAE/Getty Images. Copyright 1990 NBAE.

PÁGINA 166: John W. McDonough/*Sports Illustrated*/Getty Images.

PÁGINA 167: Nathaniel S. Butler/NBAE/Getty Images. Copyright 1997 NBAE.

PÁGINA 168: Andrew D. Bernstein/NBAE/Getty Images. Copyright 1998 NBAE.

PÁGINA 169: Andrew D. Bernstein/NBAE/Getty Images. Copyright 2001 NBAE.

PÁGINA 170 alto: Andrew D. Bernstein/NBAE/Getty Images. Copyright 2009 NBAE.

PÁGINA 170 inferior: Joe Murphy/NBAE/Getty Images. Copyright 2009 NBAE.

PÁGINA 171 alto: Jesse D. Garrabrant/NBAE/Getty Images. Copyright 2009 NBAE.

PÁGINA 171 inferior: Andrew D. Bernstein/NBAE/Getty Images. Copyright 2009 NBAE.

PÁGINAS 172 e 173: Andrew D. Bernstein/NBAE/Getty Images. Copyright 2010 NBAE.

PÁGINA 174 alto: Christian Petersen/Getty Images.

PÁGINA 174 inferior: Andrew D. Bernstein/NBAE/Getty Images. Copyright 2010 NBAE.

PÁGINA 175: Garret Ellwood/NBAE/Getty Images. Copyright 2010 NBAE.

PÁGINA 176: Andrew D. Bernstein/NBAE/Getty Images. Copyright 2011 NBAE.

As demais fotos, cortesia do autor.

Impressão e Acabamento:
EDITORA JPA LTDA.